LA FIN DU
CERCLE

© City Editions 2007 pour la traduction française.
© 2001, 2005 by Tom Egeland and H. Aschehoug & Co
Publié en Norvège sous le titre original *Sirkelens Ende* par
Aschehoug.

ISBN : 978-2-35288-079-3
Code Hachette : 50 4946 5

Rayon : Roman / Thriller
Collection dirigée par Christian English & Frédéric Thibaud
Traduction de Céline Romand-Monnier

Catalogue et manuscrits : www.city-editions.com

Dépôt légal : deuxième semestre 2007
Imprimé en France par France Quercy - Mercuès - N° 71685

LA FIN DU CERCLE

TOM EGELAND

Roman traduit du norvégien par
CÉLINE ROMAND-MONNIER

City Editions
Thriller

« Voici les paroles cachées que Jésus le Vivant a dites et qu'a transcrites Didyme Jude Thomas.

Et il a dit : Celui qui parvient à l'interprétation de ces paroles ne goûtera point la mort.

Jésus dit : Que celui qui cherche ne cesse point de chercher jusqu'à ce qu'il trouve : Lorsqu'il trouvera, il sera ému ; et lorsqu'il sera ému, il admirera, et il régnera sur l'univers ! »

Évangile de Thomas
Le « cinquième évangile », qui n'a pas été inclus dans le Nouveau Testament.
Le manuscrit a été retrouvé en Égypte en 1945.

Première partie : l'archéologue

I - L'énigme
II - La sainte châsse
III - L'amant

Deuxième partie : le fils

IV - Mensonges et souvenirs
V - Le désert
VI - Le patient

La fin du cercle

Postface

La fin du cercle et le *Da Vinci code*
Sources et conjectures

Il s'est mis à pleuvoir tard dans l'après-midi de la mort de Grethe.

À travers les fils d'eau, j'entrevois le fjord, brillant et froid, tel un fleuve derrière le bosquet nu. Je passe des heures assis à regarder fixement les gouttes qui ruissellent sur le carreau. Je réfléchis. J'écris. Dans la buée, les averses forment un écran déformant.

J'ai repoussé le bureau contre la fenêtre. Je peux ainsi écrire tout en regardant dehors du coin de l'œil. Des bouquets d'algues pourries dérivent dans la marée descendante. La mer clapote paresseusement contre les rochers. Une sterne crie sans conviction, désabusée.

Dans la cour, les branches du chêne partent en tous sens, noires et mouillées ; une ou deux feuilles s'y cramponnent, comme si elles ne comprenaient pas vraiment que l'automne allait bientôt venir les chercher.

Papa a disparu en été. À 31 ans, 4 mois, 2 semaines et 3 jours. Je l'ai entendu crier.

La plupart des gens considèrent que c'était un accident.

Pendant les premiers temps qui ont suivi sa mort,

maman s'est enfermée dans un cocon de deuil silencieux. Puis, lors d'une métamorphose qui n'a jamais cessé de me stupéfier, elle s'est mise à boire et à me négliger. On jasait. Notre ruelle avait des yeux et des oreilles. À l'épicerie, j'attirais des regards compatissants. Les enfants inventaient de vilaines chansons sur elle. La dessinaient à la craie dans la cour d'école, nue.

Certains souvenirs sont aussi collants que de la glu.

Bien entendu ils sont venus ici en mon absence. Ils ont fouillé les pièces une à une. Et éliminé les traces qu'elle avait laissées. C'est comme si elle n'avait jamais existé.

Mais ils ne sont pas infaillibles. Les quatre liens en soie qui pendent mollement aux montants du lit leur ont échappé.

Dans mon journal, je consigne tout ce qui m'est arrivé cet été.

N'étaient les croûtes et les démangeaisons brûlantes, je croirais que tout, d'un bout à l'autre, n'a été qu'illusion. La clinique. La chambre. En camisole. Bourré de Valium. Peut-être ne comprendrai-je jamais rien de ce qui est arrivé. Ça ne fait rien. Le peu que j'ai saisi me suffit amplement.

Mon journal est un gros classeur en cuir. En bas à droite de la couverture, mon nom est inscrit en lettres d'or. *Le livre de Bjørn Beltø.*

Il existe deux types d'archéologie. L'historique. Et celle de l'esprit : les fouilles du cerveau.

Mon stylo gratte le papier. Je tisse sans bruit la toile de mes souvenirs.

Première Partie

L'ARCHÉOLOGUE

I

L'ÉNIGME

1

Accroupi au milieu d'un quadrillage parfaitement régulier, je cherche le passé. Le soleil me cuit la nuque. Mes paumes sont criblées d'ampoules qui me brûlent atrocement. Je suis sale, en nage. J'empeste. Mon t-shirt me colle au dos, tel un vieux pansement coriace.

Le vent et l'excavation ont soulevé un tourbillon de sable fin qui forme un dôme au-dessus du champ. Le sable me pique les yeux. Le nuage de poussière me dessèche la bouche et me poudre le visage ; ma peau me fait l'effet d'une croûte craquelée. Je gémis en silence. Et dire que j'ai pu rêver d'une telle existence. Mais il faut bien gagner son pain…

J'éternue.

— *Prosit* ! me lance quelqu'un.

Surpris, je promène mon regard. Mais chacun est à sa tâche.

Le passé n'est pas facile à trouver. À quelques pelle-tées au-dessous de la couche de terre supérieure, je fouille du bout des doigts de l'humus pur, dans la pelle à poussière posée entre mes baskets sales. Nous avons creusé jusqu'à une couche d'occupation humaine vieille de 800 ans. L'odeur de compost est riche. Dans l'un de ses manuels, *Archaeological Analysis of the Ancient*, le professeur Graham Llyleworth écrit : « Du sombre terreau affluent les messages muets du passé. » Il faut le faire, non ? Le professeur Llyleworth compte parmi les plus grands archéologues du monde. Mais il souffre d'un goût pour le lyrisme un peu trop prononcé. Enfin, passons sur ses incartades.

Il est actuellement assis à l'ombre d'un drap tendu entre quatre piquets. Il bouquine. Tire sur un cigare qu'il n'a pas allumé. Il transpire une intelligence insupportable, saturée d'une imposante dignité grisonnante qu'il ne mérite pas le moins du monde. Il est vraisemblablement en train de rêver de l'une des filles qui se tiennent le derrière en l'air. Parfois, il nous toise avec des yeux qui disent : il fut un temps où c'était moi qui transpirais ainsi, mais il est loin.

Je l'épie à travers mes épais verres solaires. Son regard croise le mien, s'arrête une seconde ou deux. Puis il bâille. Un souffle fait battre le drap. Il y a bien des années qu'il ne s'est laissé braver par quelqu'un qui avait de la crasse sous les ongles.

— M. Beltø ? dit-il avec une politesse trop appuyée.

Je n'ai encore jamais rencontré d'étranger qui réussisse à prononcer mon nom correctement. Il me fait signe. Comme les esclavagistes du dix-neuvième à leurs négrillons. Je me hisse hors de la tranchée d'un mètre de profondeur et époussette la terre de mon jean.

Le professeur toussote.

— Rien ?

Je montre mes paumes vides et me mets en un

18

garde-à-vous goguenard, qui hélas lui échappe complètement. Je réponds, dans la langue de Shakespeare :

— Rien !

Avec une mimique voilant à peine son mépris, il me toise et demande :

— Tout va bien ? Vous êtes bien pâle, aujourd'hui…

Puis il hennit. Espérant une réaction que je n'envisage pas une seconde de lui donner.

Le professeur Graham Llyleworth passe souvent pour malfaisant et assoiffé de pouvoir. Il n'est ni l'un ni l'autre. La condescendance est une seconde nature chez lui. Le regard qu'il porte sur son entourage et sur les minuscules créatures humaines qui grimpent sur le pli de son pantalon a été façonné à un stade précoce de son existence, puis coulé dans du béton armé. Quand il sourit, c'est avec une indifférence distanciée et supérieure. Quand il écoute, c'est avec une affabilité forcée (que sa mère a dû lui inculquer à coups de menaces et de baguette). Quand il parle, on a tôt fait de croire qu'il s'exprime au nom de Notre Seigneur.

Llyleworth époussette d'une chiquenaude une saleté que le vent a déposée sur son costume gris sur mesure. Pose son cigare sur la table pliante. Il marque chaque tranchée creusée et vidée. Le visage inexpressif, il débouche donc son feutre indélébile et trace une croix dans la case 003/157 du plan, sur la table, sous le dais de toile.

Puis il me congédie d'une main lasse.

À la fac, on nous enseignait que chacun de nous pouvait déplacer jusqu'à un mètre cube par jour. Le tas à côté du tamis indique une bonne matinée. Ina, l'étudiante qui tamise toute la terre que nous lui apportons dans nos pelles à poussière et brouettes, n'a trouvé que quelques poids de métier à tisser et un peigne, qui avaient échappé aux équipes de fouilles. Debout dans une flaque de boue, vêtue d'un petit short, d'un tee-shirt blanc et de bottes en caoutchouc beaucoup trop grandes, elle tient un tuyau d'arrosage vert dont l'embout fuit.

Elle est très mignonne. Je lorgne vers elle pour la deux cent douzième fois aujourd'hui. Mais elle ne regarde jamais dans ma direction.

Plein de courbatures, je m'affale dans le fauteuil pliant, que l'ombre d'un bosquet de merisiers protège du soleil d'août. Ceci est mon coin, ma petite zone de sécurité. D'ici, j'ai une vue d'ensemble sur le chantier. J'aime avoir une vue d'ensemble.

Avoir une vue d'ensemble, c'est aussi avoir le contrôle.

Tous les soirs, après le tri et le catalogage, j'appose ma signature au bas de l'inventaire des vestiges. Le professeur Llyleworth me trouve exagérément suspicieux parce que j'insiste pour comparer les artefacts des boîtes en carton avec sa liste. Mais je ne lui fais pas confiance. Je suis ici pour contrôler. Il le sait aussi bien que moi.

Le professeur se tourne, comme fortuitement, pour voir où je suis passé. Je lui adresse un salut scout enjoué : deux doigts au front. Il ne répond pas.

Je me sens mieux à l'ombre. Un défaut de mon iris fait exploser toute lumière vive en une grêle d'éclats au fond de ma tête. Ma définition du soleil est un disque de concentré de douleur. C'est pourquoi je plisse souvent les yeux. Un jour, un enfant m'a dit : « Tes yeux, on dirait quand quelqu'un prend une photo au flash. »

Adossé au container d'outils je domine le site. Les cordons blancs du repère orthonormé délimitent des zones carrées qui sont excavées une par une. À côté du niveau et du théodolite, Ian et Uri débattent en regardant le carroyage et gesticulent en direction des axes du repère. Un instant j'imagine en riant que nous creusons au mauvais endroit. Que le professeur va souffler dans son stupide sifflet et crier : « Stop, nous faisons erreur ! » Mais à leur mine, je comprends qu'ils sont simplement impatients.

Nous sommes trente-sept archéologues. Les chefs de zones du professeur (Ian, Théodore et Pete de l'université d'Oxford, Moshe et David de l'université hébraïque de Jérusalem et Uri de l'institut Schimmer) dirigent chacun une équipe de fouilleurs, constituée d'étudiants en master norvégiens.

Ian, Théo et Pete ont développé un logiciel pointu de fouilles archéologiques, fondé sur la photo-satellite à infrarouges et les ondes sonars de la structure terrestre.

Moshe est docteur en théologie et en physique, il faisait partie du groupe d'experts qui ont examiné le suaire de Turin, en 1995.

David est un spécialiste de l'exégèse des manuscrits néotestamentaires, Uri de l'histoire de l'ordre des chevaliers de Saint-Jean.

Quant à moi, je suis là pour surveiller.

2

Autrefois, je passais tous mes étés dans la maison de vacances de Farmor, au bord du fjord, chez ma grand-mère paternelle. Une villa à l'architecture de type chalet suisse, dans un verger fleuri, aux dalles d'ardoise chauffées par le soleil, peuplé de rejets de merisiers, de papillons, de mouches et de joyeux bourdons. L'air embaumait le goudron et le varech. Au milieu du fjord teuf-teufaient les bateaux en bois. Dans l'ouverture sur le large, entre Larkollen et les îles de Bolærne, si lointaines qu'elles semblaient planer, j'entrevoyais un filet de mer infini, et, derrière l'horizon, j'imaginais l'Amérique.

À un bon kilomètre, au bord de la route de campagne entre Fuglevik et Moss, se trouvait le monastère de Værne, ses deux cents hectares de champs et de forêts et son histoire remontant jusqu'aux sagas norvégiennes de Snorre Sturlasson. À la fin du XIIe siècle, le roi Sverre Sigurdsson fit don du monastère de Værne aux chevaliers de Saint-Jean. Ils apportèrent à notre recoin de civilisation un souffle d'histoire mondiale, de croisades et de chevaliers spirituels. Leur temps au monastère ne s'acheva pas avant 1532.

La vie est une somme de coïncidences, puisque c'est dans un champ du monastère de Værne que se déroulent les fouilles du professeur Llyleworth.

Il prétend que notre but est de trouver un donjon rond de l'époque viking. Sans doute deux cents mètres de diamètre, entouré d'un rempart en terre et de palissades en bois. Il est tombé sur une carte dans un tombeau viking de York.

C'est à ne pas y croire. D'ailleurs, je ne le crois pas.

Graham Llyleworth cherche quelque chose. J'ignore quoi. Un trésor serait bien trop banal. Une tombe avec un bateau viking ? Les vestiges de la châsse de saint Olav ? Peut-être des pièces de monnaie de Khwarezm, cet empire à l'est de la mer d'Aral ? Des rouleaux de vélin que Snorre Sturlasson aurait reçus en retour de sa maison d'édition ? Un vase sacrificiel en argent ? Une pierre runique magique ? Je ne peux que jouer aux devinettes. Et m'investir corps et âme dans ma mission de chien de garde.

Ces fouilles serviront, encore une fois, de point de départ à un nouveau manuel du professeur. C'est une fondation anglaise qui paie. Le propriétaire du terrain a perçu une vraie petite fortune pour nous laisser retourner son champ.

Il doit s'agir d'un sacré manuel.

Je n'ai toujours pas compris comment, ni pourquoi, le professeur Llyleworth avait pu entrer sur le territoire norvégien avec ses troupes d'assaut archéologiques. C'est la vieille rengaine. Il a des amis puissants.

En Norvège, les étrangers obtiennent difficilement des autorisations de fouilles. Le professeur Llyleworth, lui, n'a pas rencontré la moindre résistance. Bien au contraire. Le directeur du Patrimoine a applaudi des deux mains. L'université a mis tout son zèle à sélectionner ses meilleurs étudiants pour former les équipes de fouille, régler les formalités d'obtention de permis de travail pour ses collaborateurs étrangers, gaiement tapoter les autorités départementales sur la tête. Tout était pour le mieux. Et puis ils sont tombés sur moi dans un bureau du musée des Antiquités de Frederiks gate. Le gardien. Le bras armé des autorités norvégiennes. Un assistant de recherche en archéologie, dont on pouvait se passer pendant quelques mois. Une simple formalité, c'est tout juste s'ils ne se sont pas excusés de ma présence, mais les règles sont les règles, vous savez comment c'est, Monsieur.

Dans le salon de Farmor, dans la maison de vacances, une horloge à balancier bat les secondes dans son coin. Je l'adore depuis ma plus tendre enfance. Elle n'est jamais à l'heure. Elle se met parfois à sonner aux heures les plus étranges. Minuit moins huit ! Neuf heures trois ! Quinze heures vingt-huit ! Alors le mécanisme fait frémir d'autosatisfaction ses ressorts et ses roues dentées et s'exclame : rien à foutre !

Car, qui a décidé que c'étaient toutes les autres horloges du monde qui étaient à l'heure ? Ou que le temps se laissait capturer par de la mécanique de précision et des aiguilles ? Je me pose beaucoup de questions dans la vie. C'est de la déformation professionnelle. Quand vous exhumez le squelette, vieux de cinq siècles, d'une femme qui ne veut pas lâcher l'enfant qu'elle enlace, l'instant se fige dans le temps.

Un courant d'air apporte un parfum salé de mer. Le soleil s'est radouci. J'ai horreur du soleil. Nous sommes très rares à concevoir cet astre comme une fusion nucléaire permanente. Mais c'est mon cas. Et je me réjouis à l'idée que dans dix millions d'années ce soit fini.

3

Le cri a un accent de stupéfaction surexcitée. Sous son dais de toile, le professeur Llyleworth se lève, vigilant, humant l'air, comme un vieux chien de garde engourdi qui envisage de donner de la gueule.

Les archéologues crient rarement quand ils trouvent quelque chose. Nous trouvons sans cesse des choses. Chaque cri nous dépouille d'un peu de dignité. La plupart des fragments de monnaie et de poids de métier à tisser que nous exhumons échouent dans une boîte marron clair dans un entrepôt sombre, dûment conservés, inventoriés et préparés pour la postérité. Vous pouvez vous estimer heureux si une seule fois dans votre carrière vous trouvez un vestige méritant d'être exposé. En creusant suffisamment profond en eux-mêmes, la plupart des archéologues reconnaîtront que la dernière découverte archéologique majeure faite en Norvège a eu lieu à Oseberg en 1904 [1].

C'est Irène qui a crié. Étudiante en master au département d'archéologie classique. Une fille talentueuse et renfermée. Je pourrais sans peine tomber amoureux d'elle.

Irène est dans l'équipe de fouilleurs de Moshe. Hier matin, elle a mis au jour les vestiges de fondations. Un octogone, un polygone à huit côtés. Cette vision me remplit d'une vague réminiscence, qui me titille sans parvenir à émerger.

Je n'ai jamais vu le professeur Llyleworth aussi fébrile. Plusieurs fois par heure il est allé guetter sa tranchée.

Maintenant Irène s'est hissée sur ses pieds pour grimper sur le bord. Elle agite la main avec ferveur vers le professeur.

Plusieurs d'entre nous ont déjà commencé à courir vers elle.

Le professeur souffle dans son sifflet.

Pffffff-rrrrrrrr-iiiiiiit !

Un sifflet magique. Tous se raidissent en mouvements saccadés, comme dans un vieux film 8 mm qui se serait coincé dans le projecteur.

Et restent docilement sur place.

Moi, cette flûte enchantée ne me fait aucun effet.

---

1.   Découverte de bateaux vikings. (N.d.T.)

J'approche en trottinant de la tranchée d'Irène. Le professeur arrive du côté opposé. Il essaie de me ralentir du regard. Et du sifflet. *Pff-rrr-iit ! ! !* Sans succès. J'arrive le premier.

C'est une châsse.

Une châsse oblongue.

Trente à quarante centimètres de long. La couche supérieure de boiserie rouge tirant sur le brun est pourrie.

Le professeur s'arrête si près du bord que l'espace d'un instant j'ai l'espoir qu'il y tombe, vêtu de son costume gris. L'humiliation suprême. Mais je n'ai pas cette chance.

Cette brève course l'a essoufflé. Il sourit. La bouche ouverte. Les yeux écarquillés. Il a l'air d'être en plein orgasme.

Je suis son regard. Vers le Reliquaire.

D'un seul long mouvement, le professeur s'accroupit, prend appui sur sa main gauche et saute dans la tranchée.

Un murmure parcourt l'assemblée.

Du bout des doigts — conçus pour jongler avec les petits fours, les flûtes de champagne et les cigares, et pour caresser les bustes soyeux de sages demoiselles de Kensington —, il se met à gratter la terre autour du Reliquaire.

Dans son manuel *Methods of Modern Archeology*, le professeur Graham Llyleworth écrit que la clef d'une interprétation et d'une compréhension correctes du vestige est la précision de son enregistrement. « Patience et minutie sont les vertus cardinales de l'archéologue », affirme-t-il dans *Virtues of Archeology*, la bible des étudiants. Il devrait se rendre compte de son ardeur excessive. Nous ne sommes pas pressés. Quand un objet a passé des siècles ou des millénaires sous terre, nous nous devons de lui consacrer quelques heures supplémentaires au nom de la précision et de la prudence. Nous nous devons de dessiner le Reliquaire à la fois sur le plan et sur le relevé de coupe. De le photographier. D'en mesurer la longueur, la largeur et la profondeur. C'est seulement une fois que tous les détails imaginables seront relevés que nous pourrons laborieusement l'extraire à la truelle et à la petite cuillère. Éliminer au pinceau la crasse et le sable. Conserver le bois. S'il y a du métal, le traiter au sesquicarbonate de sodium. Tout cela, le professeur le sait.

Et pourtant il s'en moque.

Je le rejoins d'un bond. Les autres ont le regard braqué sur nous, comme si le professeur venait d'annoncer son intention de creuser jusqu'au manteau terrestre.

Avec les mains.

Avant le dîner.

Je tousse d'une façon cérémonieuse et très appuyée, et lui rappelle qu'il va trop vite. Il ne m'écoute pas. Il a érigé un mur entre lui et le reste du monde. Il poursuit son labourage frénétique malgré ma sommation impérieuse au nom des autorités du patrimoine. Je lui ferais le même effet si j'étais le Magicien d'Oz en personne.

Une fois la majeure partie du Reliquaire dégagé, il le saisit des deux mains et le libère d'un coup sec. Un petit bout de boiserie tombe.

Nous sommes plusieurs à nous récrier. De colère, de stupéfaction. Mais enfin, ça ne se fait pas ! C'est ce que je lui dis. Tout vestige archéologique doit être manipulé avec le plus grand soin.

Mes mots ricochent dans le vide.

Il tient le Reliquaire devant lui. Le souffle court, il le fixe.

— Procédons à l'enregistrement du vestige, voulez-vous, lui dis-je d'un ton glacial, les bras croisés sur la poitrine.

Son altesse royale admire le Reliquaire. Sourit, incrédule. Puis déclare, dans le vide, dans son anglais d'Oxford le plus le plus guindé :

— *This. Is. Fucking. Unbelievable* [2] !

— Veuillez me le donner, s'il vous plaît.

Il me lance un regard absent.

Je me racle la gorge.

— Professeur Llyleworth ! Naturellement, vous vous rendez compte que je suis contraint de faire un rapport à l'institut d'Archéologie sur cet incident !

Ma voix a trouvé un timbre froid, formel, que je ne reconnais pas vraiment.

— Je doute que le musée des Antiquités et la direction du Patrimoine apprécient ces façons d'agir.

Sans un mot, il grimpe hors de la tranchée et se hâte vers la tente, le costume nimbé de poussière. Nous autres avons cessé d'exister.

Je ne renonce pas si facilement. Je lui cours après.

Dans la tente, derrière la cloison de tissu dense, j'entends sa voix exaltée. J'écarte la toile. D'abord la pénombre et le filtre solaire de mes verres m'aveuglent, puis je vois son large dos. Il n'a pas retrouvé son souffle.

— Oui ! Oui ! Oui ! crie-t-il dans son téléphone portable. Michael, écoute, c'est la châsse, le Reliquaire !

Plus que tout, je suis ébahi de voir qu'il a allumé un cigare. Il sait pourtant que la fumée de tabac peut troubler la datation au carbone 14.

---

2.   *Putain, c'est in-cro-ya-ble !*

Sa voix frôle le rire hystérique :

— Ce bon vieux Charles avait raison, Michael ! C'est à ne pas y croire ! C'est à ne pas y croire, bordel !

Sur la table pliante à côté de lui repose la châsse. J'avance d'un pas. Au même instant, Ian se matérialise dans l'obscurité, tel un mauvais esprit gardant la chambre funéraire du pharaon. Il m'agrippe les bras. Me repousse violemment hors de la tente.

— Au nom du ciel… fais-je en bafouillant.

Ma voix chevrote d'indignation.

Ian me lance un regard mauvais et repart. S'il avait pu claquer une porte, il l'aurait fait. Mais la toile pendille mollement derrière lui.

Aussitôt après arrive le professeur. Il a emmailloté la châsse dans un voile. Au coin de sa bouche, son cigare fumant pointe droit vers le ciel.

— Je vous prie de me donner le Reliquaire !

C'est simplement histoire de l'avoir dit. Mais ils ne m'entendent pas plus qu'ils ne se soucient de moi.

La voiture personnelle du professeur Llyleworth est un animal de race élancé, rutilant. C'est une Jaguar XJ6 bordeaux. Deux cents chevaux. 0-100 en neuf secondes. Sièges en cuir. Volant en bois. Climatisation. Et, sous tout le chrome, toute la peinture métallisée, dans les tréfonds du bloc-moteur, peut-être une once d'âme et un début de conscience de soi.

Ian se coule au volant et se penche pour ouvrir la portière du professeur. Celui-ci s'installe, place le Reliquaire sur ses genoux.

Nous restons à les fixer, dans nos t-shirts et nos jeans maculés, appuyés sur nos pelles et nos niveaux, bouches bées, du sable dans les cheveux et les yeux soulignés de cernes terreux. Mais ils ne nous voient pas. Nous avons fait ce que nous avions à faire. Nous n'existons plus.

La Jaguar roule sur le chemin du site. Elle rejoint en cahotant la route de campagne, émet un crissement qui la plonge dans un nuage de poussière.

Et puis disparaît.

Dans le silence qui s'abat sur nous, troublé seulement par le vent dans les arbres et le murmure des étudiants, je comprends deux choses. La première est que j'ai été dupé. Je ne sais pas précisément comment ni pourquoi. Mais cette certitude me fait serrer les mâchoires si fort que j'en ai les larmes aux yeux. La seconde confirme quelque chose que je savais déjà. J'ai toujours été docile, consciencieux. L'indispensable roue dentée invisible qui jamais ne trahit le mécanisme. Les autorités norvégiennes des monuments historiques m'ont confié la mission de contrôleur. J'ai échoué.

Mais le professeur Graham Llyleworth ne va pas pouvoir se tirer avec le putain de vestige. Ce n'est pas simplement une affaire entre Llyleworth et le musée des Antiquités. Ou la direction du Patrimoine. Ou le parquet.

C'est une affaire entre Llyleworth et moi.

Je n'ai pas de Jaguar. Ma voiture n'est pas sans ressemblance avec un jouet de baignade qu'un enfant aurait gonflé avant de l'oublier sur la plage. Elle est rose. C'est une 2 CV. L'été, j'enroule la capote. Je l'appelle la Boulette. Nous sommes, dans la mesure où un humain et une machine peuvent l'être, sur la même longueur d'ondes.

Le siège grince quand je me jette derrière le volant. Je dois soulever la portière pour enclencher le verrou. Le levier de changement de vitesse ressemble à la poignée d'un parapluie qu'une tante hystérique aurait fiché par inadvertance dans le tableau de bord. Je mets la Boulette en première, appuie sur l'accélérateur et roule derrière le professeur.

Pour une poursuite de voitures, le spectacle est ridicule. Il faut une génération à la Boulette pour monter de zéro à cent. Mais tôt ou tard j'arriverai à destination. Un peu plus lentement, c'est tout. Je ne suis pas pressé. D'abord, je vais passer au musée des Antiquités faire mon rapport au professeur Arntzen. Puis au commissariat. Et ensuite j'irai en personne à l'aéroport avertir les douaniers de Gardermœn. Et ceux des quais d'embarquement des ferries — une Jaguar, ça ne se fond pas dans la masse.

L'une des raisons pour lesquelles je replie la capote en été est que j'adore sentir le vent caresser mes cheveux en brosse. Je rêve alors d'une vie en décapotable sous le ciel insouciant de Californie ; une vie de *beach boy* hâlé, entouré de filles en bikini, de Coca-Cola et de musique pop.

À l'école, on m'appelait Isbjørn, ours blanc. On peut évidemment l'imputer au fait que je m'appelle Bjørn. Mais plus vraisemblablement à mon albinisme.

4

Lorsque le professeur Arntzen m'a demandé, en mai, si je voulais assumer la mission de contrôleur des fouilles qui allaient se dérouler cet été au monastère de Værne, j'ai vu dans cette proposition un dixième de défi et neuf dixièmes d'occasion bienvenue de m'éloigner du bureau. Nul besoin d'être psychotique pour s'imaginer que les quatre murs, le sol et le plafond se sont encore rapprochés de quelques centimètres pendant la nuit.

Le professeur Arntzen est le mari de maman. « Beau-père » est un mot que je rechigne à mettre dans ma bouche.

Des années parmi les étudiants l'ont rendu aveugle à l'unicité de l'individu. Ses élèves se sont fondus en une masse informe, et, face à ce banc d'uniformité universitaire, le professeur a développé une irritation nerveuse. L'héritage de son père lui a apporté une grande aisance financière. Et un brin d'arrogance. Peu d'étudiants l'apprécient. Ses subordonnés le critiquent dans son dos. Je les comprends sans peine. Je ne l'ai jamais aimé. Nous avons tous nos raisons.

J'arrive à Oslo en pleine heure de pointe de fin de journée. L'été est sur le déclin. Il fait lourd et moite.

Je tambourine sur le volant avec mes doigts. Je me demande où vont tous les autres. Et qui ils sont. Et ce qu'ils font ici. Qu'ils aillent se faire voir ! Je consulte ma montre et éponge la sueur de mon front. Je veux la route pour moi tout seul ! Nous le voulons tous. Chacun est victime de la folie collective de l'automobilisme de masse. Seulement, nous ne le savons pas nous-mêmes. C'est ce qui caractérise les fous.

La porte du professeur Arntzen est fermée. Quelqu'un a arraché six lettres sur la plaque de sa porte, et c'est avec une fascination tout infantile que je reste à lire « PRO ES EUR YGVE AR ZEN ». On dirait une conjuration tibétaine.

Je m'apprête à frapper quand j'entends des voix dans le bureau. Attendons, alors. Je me dirige lentement vers la fenêtre. Le rebord est poussiéreux. Dans la rue, les voitures pilent devant le feu rouge, les piétons se déplacent au ralenti par cette chaleur. Sur le parking des employés, derrière le musée, les voitures sont clairsemées.

J'ai dû être distrait en garant la Boulette. Cela ne me ressemble pas. Mais d'ici, en hauteur, je le vois. C'est ainsi que Notre Seigneur veut les choses : toujours une vue d'ensemble parfaitement dégagée. Entre la Mercedes 190 anthracite du professeur et une Saab 900 turbo mauve est garée une Jaguar XJ6 bordeaux.

Je colle délicatement l'oreille à la porte.

— … précautions !

Le professeur Arntzen parle en anglais. Sa voix est humble. Il faut un homme puissant pour le rendre humble.

Je me doute de son identité.

Une voix marmonne quelque chose que je ne saisis pas. C'est Ian.

Arntzen : Quand arrive-t-il ?

— Demain matin, répond une voix grave.

Le professeur Llyleworth : Voyez-vous ça.

Arntzen : Vient-il en personne ?

Llyleworth : Naturellement. Mais il est chez lui. L'avion est en révision. Sinon il serait venu dès ce soir.

Ian (riant) : Il est relativement impatient et fébrile !

Llyleworth : Pas très étonnant !

Arntzen : A-t-il l'intention de la sortir du pays lui-même ?

Llyleworth : Bien entendu. Via Londres. Demain.

Ian : Je continue de penser que nous devrions l'emmener avec nous à l'hôtel. Jusqu'à son arrivée. Je n'aime pas l'idée de la laisser ici.

Llyleworth : Non, non, non. Soyons stratégiques ! C'est chez nous que la police viendra chercher. Si jamais l'albinos a des lubies.

Ian : Ne devrions-nous pas tout de même…

Llyleworth : La châsse est plus en sécurité ici, chez le professeur. Malgré tout.

Arntzen : Personne ne cherchera chez moi. Je vous le garantis !

Llyleworth : C'est mieux ainsi.

Ian : Si vous insistez.

Llyleworth : Absolument.

Le silence se fait.

Arntzen : Donc, il avait raison. Depuis le début. Il avait raison.

Llyleworth : Qui ?

Arntzen : DeWitt.

Llyleworth se tait avant de répondre : Bon vieux Charles.

Arntzen : Il avait raison depuis le début. C'est l'ironie du sort, n'est-ce pas ?

Llyleworth : Il aurait dû être là, maintenant. Enfin… Nous l'avons finalement trouvée !

Sa voix est entrecoupée d'interruptions donnant le signe du départ.

Je sursaute et me retire de la porte. Sur la pointe des pieds je m'éloigne hâtivement dans le couloir.

Sur la feutrine bleue de l'écriteau sur la porte de mon bureau, des lettres en plastique blanc forment les mots « ASSISTANT DE RECHERCHE BJØRN BELTØ ». Les lettres bancales évoquent une dentition qui aurait besoin d'un appareil.

Je m'enferme à l'intérieur et tire ma chaise de bureau déglinguée vers la fenêtre. D'ici, je peux garder un œil sur la Jaguar.

Il ne se passe pas grand-chose. La circulation est

en flux lent. Une ambulance progresse péniblement dans le bouchon.

Au bout de quelques minutes, j'aperçois Ian et le professeur Llyleworth sur le parking.

Ian a la démarche énergique. La force de gravité ne lui fait pas exactement le même effet qu'à nous autres.

Llyleworth fonce comme un supertanker.

Ils ont tous deux les mains vides.

Un peu plus tard arrive le professeur Arntzen. Il porte son pardessus sur son bras gauche. Un parapluie dans la main droite. Lui non plus n'a pas la châsse.

Il s'arrête sur la dernière marche et jette un œil sur le ciel. Comme toujours. L'existence du professeur est faite d'une succession de rituels.

Il reste devant sa Mercedes à chercher ses clefs de voiture. Il a l'art de perdre ses clefs. Avant de les retrouver, il regarde vers ma fenêtre. Je ne bouge pas. Les reflets de la vitre me rendent invisible.

Au bout d'une demi-heure, j'appelle chez lui. Par bonheur, c'est lui qui répond et pas maman. Il devait attendre à côté du téléphone.

— Sigurd ? crie-t-il.

— C'est Bjørn.

— Bjørn ? Ah, oui. C'est toi...

— Il faut que je te parle.

— Tu appelles de l'Østfold ?

— Nous avons trouvé quelque chose.

Pause.

Finalement, il dit :

— Ah oui ?

— Une châsse.

— Vraiment ?

Pause.

— C'est pas vrai ?

Chaque mot est trempé dans le goudron.

— Le professeur s'est envolé avec !

— s'est… envolé… avec ?

Il n'est pas très bon comédien. Il ne semble même pas étonné.

— Je pensais qu'il t'aurait peut-être contacté…

Nouvelle pause.

— Moi ?

Puis il essaie de reprendre les rênes.

— Donc, tu disais une châsse. Quel genre de châsse ?

— En bois.

— Ancienne ?

— Dans une couche du XIIᵉ siècle. Vraisemblablement plus ancienne.

Il respire fort. Je poursuis :

— Je n'ai pas pu l'examiner. Mais nous sommes obligés de protester.

— Protester ?

— Tu n'as pas entendu ce que je te disais ? Il s'est cassé avec la châsse ! Ce n'est plus uniquement une affaire nous concernant nous et la direction du Patrimoine. Je vais appeler la police.

— Mais non, n'agis pas dans la précipitation, ne t'inquiète pas. J'ai la situation en main. Oublie donc ce qui s'est passé !

— Ils se sont tirés avec le Reliquaire, tu entends ! Et les opérations sur le terrain étaient au-dessous de tout. Je vais faire un rapport ! Llyleworth aurait aussi bien pu faire l'excavation à la pelleteuse et à la dynamite.

— As-tu… entrepris quelque chose ?

— Rien.

— Bien. Laisse-moi m'en occuper.

— Qu'est-ce que tu vas faire ?

— Ne t'inquiète pas, Bjørn ! Je vais mettre de l'ordre dans cette histoire. N'y pense plus.

— Mais...

— Je vais passer quelques coups de fils. Détends-toi. Ça va s'arranger. Appelle-moi demain.

Ce n'est peut-être rien d'important. Une châsse. Si elle a passé huit cents ans sous terre, sa sortie du pays ne serait sans doute pas une grosse perte pour l'humanité. Ce serait comme si nous ne l'avions jamais trouvé.

Il est possible que le professeur Llyleworth ait de grands projets. Peut-être a-t-il prévu de la vendre à un cheik arabe pour une fortune. Ou d'en faire don au British Museum, qui connaîtra encore un triomphe académique au détriment de la culture d'un pays étranger. Avec le soutien le plus chaleureux du professeur Arntzen.

Je ne comprends rien. Ce ne sont pas mes affaires. Mais je suis furieux. J'étais contrôleur. Ils m'ont berné. Ils m'ont engagé parce qu'ils pensaient que je serais facile à berner. Bjørn, l'albinos myope.

5

Derrière la grande maison biscornue dans laquelle j'ai grandi, se trouvait une zone de champs en friche que nous appelions Hesteløkka. En hiver, les pentes se transformaient en tremplin de saut à ski. Quand la neige fondait au printemps, je faisais du vélo cross sur le sentier boueux. En été, je grimpais aux arbres et restais invisible comme un écureuil, pour espionner les jeunes venus boire des bières, fumer du shit et coucher ensemble à l'abri des herbes hautes. J'avais 11 ans et j'étais un espion persévérant.

Le 17 mai [3] 1977, une toute jeune fille a été agressée et violée derrière un bosquet de sorbiers. C'est arrivé en plein jour. Au loin résonnaient les fanfares, les vivats et les explosions de pétards. La semaine suivante, une autre fille a été violée. Ce qui a fait couler pas mal d'encre dans les journaux. Un après-midi, deux jours plus tard, quelqu'un a mis le feu à l'herbe sèche. Cela n'avait rien d'extraordinaire. Les enfants du voisinage avaient l'habitude de brûler des feuilles mortes. Mais cette fois, il n'y avait aucun groupe de gamins parés à limiter les flammes. L'incendie a détruit le pré et une partie du bois. Le feu a laissé un désert fumant de terre calcinée. Totalement inadaptée aux viols. On subodorait un lien.

À l'école, nous en avons parlé pendant des semaines. La police enquêtait sur l'affaire. Nous donnions des surnoms à l'incendiaire. « Le pyromane fou ». « Le roi des flammes ». « Le vengeur ».

Aujourd'hui encore, personne ne sait que c'était moi qui avais mis le feu.

Il est bien des endroits où le professeur pourrait avoir caché le Reliquaire. J'en élimine la plupart. Je connais sa façon de penser.

Il aurait pu descendre à l'entrepôt principal. Ou l'enfermer dans l'un des coffres en fer ignifugés. Mais il ne l'a pas fait. Nous avons tous accès aux entrepôts. Et il ne veut partager le Reliquaire avec personne.

---

3.   Jour de la fête nationale norvégienne. (N.d.T.)

Dans la vie, un paradoxe veut que nous soyons aveugles à ce qui est le plus visible. C'est ainsi que pense le professeur. Il sait qu'il risque moins en agissant de manière apparemment hasardeuse. Si vous voulez cacher un livre, rangez-le dans la bibliothèque.

Il a mis le Reliquaire dans son bureau. Dans un placard fermé à clef. Derrière quelques boîtes ou des classeurs. Je vois cela d'ici. J'ai une bonne intuition. Je peux évoquer des images mentales aussi nettes que celles d'un écran de cinéma. C'est un don hérité de Mormor, ma grand-mère maternelle.

Le professeur a verrouillé sa porte. Peu importe. En 1996, il s'était absenté pour diriger des fouilles dans le Telemark et m'avait confié une clef pour l'oublier ensuite. Comme tant d'autres choses.

Son bureau est deux fois plus grand que le mien. Et indiciblement plus patronal. Au milieu de la pièce, sur un faux tapis persan, trône sa table de travail, avec un ordinateur, un téléphone et le porte-trombones que mon demi-frère a fabriqué en éducation manuelle. La chaise a un dossier haut et des amortisseurs hydrauliques. Dans le coin, se situe le salon où il prend le café avec ses invités. Contre le mur sud, la bibliothèque ploie sous le poids du savoir.

Je m'installe sur la chaise, qui m'accueille avec une douce amitié. L'odeur âcre du cigare de Llyleworth subsiste.

Je ferme les yeux et les braque au fond de moi-même. Au cœur de mon intuition. Puis, après quelques minutes, je les rouvre. Ils tombent sur le meuble d'archivage.

C'est un caisson gris en aluminium avec trois tiroirs en hauteur et un verrou en haut à droite. Je me lève et tire le tiroir supérieur.

Fermé à clef. Bien entendu.

Je pourrais faire sauter le verrou avec des ciseaux ou un tournevis. Mais je ne pense pas que ce soit nécessaire.

Je trouve la clef sur le bureau, sous la boîte de trombones. Le professeur laisse traîner des doubles de ses clefs partout. Au ressort de sa lampe de bureau pendent celles de sa Mercedes et de la villa.

J'ouvre le tiroir supérieur. Les dossiers suspendus verts sont remplis de documents, lettres et contrats. Dans le tiroir du milieu, je trouve des coupures de revues internationales, classées par ordre alphabétique et thématique.

Le Reliquaire repose tout au fond du dernier tiroir. Derrière les dossiers suspendus. Enveloppé dans un voile. Dans un sac en plastique de l'épicerie fine Lorentzen. Lui-même placé dans un sac à commissions gris à rayures. Sous une pile de livres.

Le sac sous le bras, je range après mon passage. Verrouille le caisson. Repose la clef sous les trombones. Pousse la chaise contre le bureau. Je balaie une dernière fois la pièce du regard — est-ce que tout est normal ? Rien d'oublié ? — avant de me glisser dehors en tirant la porte derrière moi. Le couloir est sombre. Et interminable. Je regarde des deux côtés avant de commencer à marcher.

Allons bon, Monsieur Beltø, que faisiez-vous dans le bureau du professeur ? Et que portez-vous donc là ?

Mes pas produisent de l'écho. Les battements de mon cœur aussi.

Monsieur Beltø ? Où allez-vous avec cet artefact ? L'avez-vous dérobé chez le professeur ?

Je suffoque, m'efforce de marcher aussi vite que possible sans courir.

Halte ! Arrêtez-vous immédiatement !

Arrivé ! Les voix résonnent dans ma tête. J'ouvre mon bureau et entre en vitesse. Je m'appuie contre la porte en soufflant.

J'extrais délicatement le Reliquaire du sac et du tissu. Mes mains tremblent.

L'objet me surprend par son poids. Deux faibles liens retiennent la boiserie rougeâtre pourrissante. Le bois est en passe de partir en miettes. Les craquelures dévoilent ce qui est à l'intérieur. Une autre châsse.

Je ne suis pas métallurgiste. Ce n'est pas très grave. Je n'ai pas besoin d'apporter l'objet au laboratoire pour affirmer de quoi la châsse intérieure est faite. D'or.

Même à travers le poids des siècles, elle étincelle d'un chaud ton doré.

Je pressens quelque chose d'inéluctable.

Je fixe la rue à travers la vitre sale en attendant que mon cœur s'apaise.

6

Il y a deux ans, j'ai passé six mois dans une clinique psychiatrique.

Par chance, j'avais pu obtenir une place dans le service où j'avais suivi une thérapie de groupe. Le temps y était arrêté. Même motif du linoléum. Même nudité caca d'oie des murs. Mêmes bruits et odeurs. Martin tricotait sur sa chaise à bascule. La même écharpe depuis dix-huit ans. Il rangeait cette création d'une longueur effroyable dans un grand panier en raphia à couvercle. Martin m'a salué d'un signe de tête comme si je rentrais d'une course au kiosque du coin. Nous n'avions jamais bavardé. Et pourtant il me reconnaissait et me considérait sans doute comme une sorte d'ami.

Maman elle-même ignorait tout de mon hospitalisation. Elle s'inquiète si facilement. Je lui avais raconté que j'allais participer à des fouilles en Égypte.

Dans une enveloppe A4 envoyée à la poste principale du Caire, j'avais glissé un tas d'enveloppes libellées. Ainsi qu'une supplication de m'aider. Je ne parle pas l'arabe. J'avais donc joint un billet de vingt dollars. La langue universelle. Un aimable employé a compris le message. Il a affranchi et envoyé les lettres à maman.

Avec le cachet *Cairo, Egypt*. Très malin. Comme dans un roman policier. J'avais prévu qu'il expédierait une lettre par mois. Je pensais que c'était évident. Après tout, je les avais datées en haut à droite. Au lieu de quoi elles sont toutes arrivées en même temps. L'imbécile. Six mois d'événements inventés — découvertes archéologiques grandioses, amourettes avec des danseuses du ventre égyptiennes, expéditions dans les tempêtes du désert sur les dos bancals de chameaux —, condensés en une semaine. Cela en dit long sur mon imagination et sur la crédulité de maman que j'aie réussi à me disculper de toute cette histoire. Elle ne devait pas être sobre.

La thérapie m'a aidé à me remettre sur pied. Les hôpitaux ont leurs procédures. Pour moi, elles sont devenues des patères auxquelles suspendre mon existence.

Ma maladie n'avait rien d'exotique. Je ne me prenais pas pour Napoléon. Je n'entendais pas de voix. Mon existence se trouvait simplement dans une obscurité noire comme du cirage.

Je vais mieux maintenant.

Effrayé, je file à travers les rues d'Oslo. Un hors-la-loi au soleil couchant. *Delta Fox-Trot 3-0, le suspect conduit une Citroën 2CV et doit être arrêté immédiatement.* Depuis un certain temps, une Toyota occupe le rétroviseur. Quand enfin elle tourne, je soupire de soulagement. *Le suspect a volé une châsse d'or précieuse et est supposé dangereux en situation de stress.* Après St. Hanshaugen, je me retrouve coincé derrière un minibus d'une lenteur louche. Je ne cesse de regarder dans mon rétroviseur tout en gardant à l'œil les ombres à l'intérieur du véhicule. On ne sait jamais. J'arrive entier sur le périphérique. Aucun coup de feu n'a été tiré. Pour l'instant.

Enfin, je discerne la rangée d'immeubles hauts où j'habite. Ils ne sont pas particulièrement attrayants. Mais cette vision me remplit de chaleur. Il en est toujours allé ainsi de mes pénates.

J'ai grandi dans une grande maison blanche, biscornue, au jardin planté de pommiers, dans une ruelle de banlieue avec tramway, caserne de pompiers et gens heureux.

Devant leur chambre, maman et papa avait une véranda dans laquelle je pouvais me glisser par une petite fenêtre de ma chambre d'enfant. Ce qui arrivait fréquemment quand je n'arrivais pas à dormir. Devant leur porte entrebâillée, ils tiraient un voilage à travers lequel je pouvais les épier. Mes séances d'espionnage nocturne m'emplissaient d'un doux picotement inconnu et du bonheur d'être invisible.

Un soir, ils dansaient nus dans le lacis d'ombres de leur chambre à coucher. Corps souples en feu, mains et lèvres apaisantes. Je suis resté immobile, sans comprendre, grisé par la magie de l'instant. Soudain, maman a tourné la tête et regardé droit vers moi. Elle souriait. Mais elle n'avait pas dû découvrir mon visage dans les plis des rideaux, car elle s'est aussitôt penchée pour noyer papa sous ses soupirs et ses caresses.

Ne pensez-vous pas que Freud m'aurait vénéré ?

Dans le jardin, entre deux pommiers en décomposition, se trouvait le tas de compost de papa. Il dégageait une puanteur brute, à la fois repoussante et attirante. À l'enterrement de papa, au bord de la tombe, cette même fétidité m'a frappé comme un poing rempli de terre et de sable. Les sens saturés par les relents de la tombe obscure, j'ai compris que l'odeur du compost recelait à la fois la mort et la promesse d'une nouvelle vie. À l'époque, je n'avais pas réussi à le formuler en mots. Mais reconnaître cette émanation avait libéré les pleurs que j'avais en moi.

Depuis toujours, je suis attentif aux odeurs. C'est pourquoi je fuyais le sous-sol et son odeur de moisissure, de pourriture et de quelque chose d'indéfinissable, d'écœurant. Sous la trappe vermoulue, dissimulée par le fourré derrière la maison, les araignées tissaient en paix. Les toiles pendaient en rideaux collants dans l'escalier de pierre. Quand papa pataugeait dans les orties pour ouvrir le cadenas et soulever la trappe, des millions de bestioles entonnaient en chœur leurs cris silencieux et filaient se mettre à l'abri de la lumière dévastatrice, tandis que s'échappaient de la cave d'invisibles nuages de poison pestilentiel. Papa semblait ne rien remarquer. Mais moi je savais ce qui se cachait dans cette obscurité moite et nauséabonde. Des revenants. Des vampires. Des loups-garous. Des assassins borgnes. Tous ces monstres qui peuplent l'imagination d'un enfant quand Winnie l'Ourson et compagnie restent dehors au soleil.

Aujourd'hui encore je peux recréer les senteurs de l'enfance. Les champs piétinés un jour de pluie. La glace à la fraise. Les barques en plastique chauffées par le soleil. Le terreau de printemps. Le parfum de maman et l'après-rasage de papa. Ces bagatelles qui, dans toute leur insignifiance, forment une mine de souvenirs.

On ne peut que se féliciter de ne pas être un chien.

Le Roger, mon voisin du dessous, est un ami de la nuit. Il abhorre la lumière. Exactement comme moi. Il a les yeux sombres et désenchantés. Des cheveux noirs aux épaules et, autour du cou, sur une chaîne en argent, un crucifix renversé. Le Roger joue de la basse dans un groupe de rock qui s'appelle Belsebub's Delight.

Je sonne à sa porte et attends. Ça met son temps. Son appartement a beau ne mesurer que cinquante mètres carrés, on a toujours l'impression de le déranger au fin fond des catacombes de la forteresse, d'où il lui faut remonter au galop le long escalier en colimaçon éclairé aux flambeaux.

Le Roger est un bon garçon. En son for intérieur. Comme moi, il enferme toutes ses pensées douloureuses en lui. Elles lancinent jusqu'à ce que l'abcès finisse par crever et infecter son cerveau. Cela se voit dans son regard.

Dieu seul sait pourquoi, mais le Roger m'aime bien.

— Vingt dieux ! s'exclame-t-il en riant quand enfin il entrouvre la porte.

— Je te réveille ?

— Fait rien. J'ai assez pioncé. D'jà rentré ?

— Tu me manquais tellement ! dis-je en souriant de toutes mes dents.

— Espèce de rat !

Dans le miroir de l'entrée, j'ai un aperçu de moi-même. J'aurais bien besoin de me laver et de me changer. Je brandis le sac.

— Puis-je te confier quelque chose ?

— Qu'est-ce que c'est ?

C'est articulé « *kessè* ».

— Un sac.

Il lève les yeux au ciel.

— J'suis pas aveugle ! Qu'est-ce qu'y a d'dans ? demande-t-il avant de s'esclaffer : De l'héroïne ?

— Juste des vieux machins. D'autrefois.

Pour le Roger, « autrefois » est une époque préhistorique remplie de ptérosauriens, de gramophones à manivelle et d'hommes à perruque poudrée. Disons vers 1975.

— On a enregistré une démo, annonce-t-il fièrement. T'veux écouter ?

À vrai dire, je ne préférerais pas. Mais je n'ai pas le cœur de lui dire. Je le suis dans le salon. Les rideaux sont tirés. À la lueur des ampoules rouges, le salon évoque une chambre noire. Ou une maison close. Sur une table en acajou se dresse un candélabre en argent avec sept bougies noires. Un énorme tapis est orné d'un hexagramme entouré d'un cercle. Au-dessus de canapés achetés aux puces et d'une table en teck vieille de trente ans, des affiches représentent Satan et d'effroyables scènes des Enfers. La conception du petit nid douillet du Roger peut sembler un peu particulière.

Au milieu de la pièce, contre le mur, telle une icône

que le Roger vénère à heures fixes, trône une grande tour de chaîne hi-fi. Avec lecteur de CD programmable, tuner auto-tuning PPL digital, ampli avec bass booster et Super Suround System, equalizer, double lecteur de cassettes avec copie accélérée et quatre montagnes en guise de haut-parleurs.

Il agite la télécommande. La chaîne se réveille brusquement dans un feu d'artifice muet de diodes colorées et d'aiguilles qui vibrent. Un tiroir du lecteur de CD s'ouvre. Il appuie sur le bouton play.

Et le monde explose.

Plus tard dans la soirée, sous la douche, je laisse l'eau glacée rincer la poussière et la transpiration et rafraîchir la bande de peau brûlée de ma nuque. Le savon irrite mes ampoules.

Parfois une douche peut revêtir une dimension rituelle. Après une longue journée, on veut laver tout ce qui est douloureux et difficile. Je suis fatigué. Mais je ne pense pas faire de rêves.

8

Maman a la particularité de toujours paraître de bonne humeur et réveillée. Même si vous l'appelez à trois heures et demie du matin.

Il est trois heures et demie du matin.

J'ai composé le numéro de maman. C'est le professeur qui décroche. Sa voix est enrobée de sommeil. Pâteuse. Fâchée. De ce point de vue, il est humain.

— C'est Bjørn.

— Quoi ! aboie-t-il.

Il n'a pas compris.

— Je voudrais parler à maman !

Il croit que je suis mon demi-frère. Steffen. Qui ne passe jamais la nuit à la maison. Qui réussit toujours à se dégoter une fille ne supportant pas d'être seule sous sa couette.

Dans un grognement, le professeur lui passe le lourd combiné de marbre. J'entends le froissement des draps quand ils s'assoient dans le lit.

— Steffen ? Il y a un problème ?

La voix de maman. Ça ne loupe pas. On dirait qu'elle était réveillée, en pleine forme, en train d'attendre que le téléphone sonne. Dans sa robe de bal rouge. Avec un vernis à ongles séchant lentement, du mascara et un brushing tout neuf. L'ouvrage de broderie sur les genoux et un petit verre à portée de main.

— Ce n'est que moi.

— Lillebjørn ?

Un vent de panique.

— Il est arrivé quelque chose ?

— Je… désolé de vous avoir réveillés.

— Qu'est-ce qui s'est passé ?

— Maman… Ce n'est rien. Je…

Elle respire lourdement dans le combiné. Maman imagine toujours le pire. Accidents de voiture. Incendies. Psychopathes armés. Elle croit que j'appelle des soins intensifs de l'hôpital d'Ullevål. Qu'on va m'emmener au bloc opératoire d'une minute à l'autre. Les médecins m'ont permis de passer un seul coup de fil. Au cas où l'opération échouerait. Ce qui risque fort d'arriver.

— Écoute, maman, je ne sais pas pourquoi j'ai appelé.

Je les imagine. Maman, affolée, dans sa jolie chemise de nuit. Le professeur, relativement grincheux, dans son pyjama rayé. Le masque ponctué d'une barbe naissante grise. Ils sont mi-assis mi-couchés dans le lit. Adossés à de mœlleux monceaux d'oreillers aux taies en soie brodées à la main de leurs monogrammes. Sur la table de chevet, brille une lampe à l'abat-jour orné de pompons.

— Mais Lillebjørn, dis-moi ce qu'il y a !

Elle reste persuadée qu'il s'est passé quelque chose de terrible.

— Rien de grave, maman.

— Tu es chez toi ?

Je peux suivre le cheminement de sa pensée. Peut-être suis-je couché dans mon propre vomi. Dans un foyer miteux. Peut-être ai-je avalé cinquante Rohypnol, trente Valium et un litre d'alcool à brûler. Et joue actuellement avec le briquet Bic.

— Oui, maman. Je suis chez moi.

Je n'aurais pas dû appeler. C'était une sorte d'acte compulsif. Je ne suis pas toujours moi-même. Quand je me réveille la nuit, les pensées pénibles me rongent les nerfs. C'est comme une rage des dents ou une angine. Tout empire la nuit. Mais je ne suis pas obligé d'importuner maman. Pas à trois heures et demie. J'aurais pu prendre un Valium. Au lieu de composer son numéro. Comme si j'en avais jamais tiré le moindre réconfort.

— J'étais juste couché. En train de réfléchir. Et puis je voulais entendre ta voix. Rien de plus.

— Tu es sûr, Lillebjørn ?

Sous ses paroles, je perçois une pointe d'agacement. Il est tout de même extrêmement tôt. Ils dormaient. J'aurais pu attendre le matin. Si c'était simplement pour entendre sa voix.

— Désolé de vous avoir réveillés, dis-je.

Elle est désorientée. Je n'ai pas l'habitude d'appeler

au milieu de la nuit. Il a dû se passer quelque chose. Quelque chose que je refuse de raconter.

— Lillebjørn, tu veux que je vienne ?

— C'était juste pour… papoter un peu.

J'entends de nouveau sa respiration. Son souffle court envahit le combiné. Comme un appel obscène de la part d'un inconnu.

— Maintenant ? demande-t-elle la voix traînante.

En matière de critique, ce que maman peut faire de plus approchant est une allusion à l'heure qu'il est.

— Je n'arrivais pas à dormir. Et je réfléchissais à demain. Et c'est pour ça que j'ai eu envie de discuter avec toi.

J'attends que la prise de conscience la saisisse comme un vent polaire, glacial.

— Parce que c'est mardi ?

Elle n'a pas compris. Ou alors elle fait l'idiote.

En bruit de fond, le professeur grogne.

Je ne sais quasiment rien de l'enfance de maman. Elle n'a jamais accepté d'en parler. Mais il n'est pas difficile de voir ce qui a fait craquer papa. Elle n'était pas comme les autres filles du lycée. Elle avait quelque chose d'audacieux et de mystérieux. Trois ans durant, il lui a fait du pied. À la fin, elle a cédé. Sur les photos de bac, on voit son ventre qui pointe.

Dans le clair-obscur, maman a encore l'air d'une lycéenne. Elle est belle et gracieuse comme une reine des elfes qui danserait au clair de lune.

Parfois, je me demande ce que ses premières années lui ont fait. Avant la guerre, mes grands-parents vivaient dans le Nord, dans une maison avec des rideaux de dentelle, une toile cirée sur la table et des murs traversés par le noroît. Elle n'était pas grande.

J'ai vu une photo. Elle se trouvait sur une pointe au bord d'un fjord. Une cuisine, où ils se soulageaient dans l'évier la nuit, un salon et une mansarde. Des toilettes à l'extérieur. C'était toujours propre et bien rangé. Les Allemands y ont mis le feu. Mes grands-parents ont pu emporter un album de photos et quelques vêtements. Mormor a vécu quelque temps dans le Nord de la Suède pendant que Morfar construisait une nouvelle maison sur la pointe. Mais ça n'a jamais été pareil. Puis ils ont eu maman. Sans que cela soit d'un grand secours. La guerre avait fait quelque chose à Morfar. À Oslo, ils se sont installés chez le frère de Mormor. Mais personne n'avait besoin d'un pêcheur aux nerfs fragiles, ni d'une femme qui vidait un cabillaud en sept secondes, soignait les inflammations avec des herbes et conversait par ailleurs avec les morts à la nuit tombée.

À chaque moment clef de leur vie les attendait un « mais ».

Quand maman avait 4 ans, on a retrouvé Morfar flottant dans le bassin portuaire. À l'issue d'une enquête superficielle, l'affaire a été classée. Mormor a été embauchée comme gouvernante par une famille fortunée de Grefsen. Sans un mot, le visage fermé, elle effectuait ses tâches. Seuls ceux qui soutenaient son regard découvraient la solide dignité qui l'animait.

Elle ne s'est jamais remariée. Elle vouait aux cinq photos de Morfar un culte comme à des icônes. Elle gardait dans son armoire une chemise qu'elle n'avait pas eu le temps de laver avant sa mort. Couverte de taches et dégageant une forte odeur de transpiration et de viscères de poisson. Elle y conservait Morfar.

Maman n'a pas été aussi dévouée.

À la mort de papa, elle l'a éradiqué de sa mémoire. Gommé de son existence. *Finito*. *The End*. Elle a jeté les photos de lui. Brûlé ses lettres. Donné ses vêtements. Il est devenu un personnage mystérieux. Dont nous ne parlions jamais. Qui n'avait jamais existé. La grande maison biscornue a été systématiquement épurée des souvenirs de papa.

À la fin, il n'est resté que moi.

Le premier soir où maman a laissé le professeur passer la nuit dans la grande maison biscornue — c'était un vendredi et il était tard —, je suis allé dans ma chambre. Pour m'abriter des rires et des verres qui tintaient. Quand maman est venue me dire bonne nuit, j'ai fait semblant de dormir.

Dans la nuit, les marches ont grincé, je me suis faufilé dans la véranda. Mon œil a ainsi pu étinceler dans le jour du rideau quand maman et le professeur se sont glissés dans la chambre. Et ont fermé la porte à clef. Et saupoudré le sol de vêtements.

Debout dans un coin, immobile, invisible, se tenait papa.

Ils avaient bu. Le professeur était joueur. Maman essayait de lui demander de faire moins de bruit.

Mon cœur se débattait comme un animal en cage, de peur et de sourde impatience.

Des semaines durant, je l'ai sanctionnée par mon silence.

Plus tard, il y a eu d'autres jeux…

Six mois après la mort de papa, maman épousait le professeur. Collègue et meilleur ami de papa. Pardonnez-moi si mon sourire semble quelque peu crispé.

L'année de la naissance de mon demi-frère,

maman et le professeur ont vendu la grande maison biscornue. Je n'ai pas emménagé avec eux. Quand j'ai dit à maman que je voulais louer une chambre, elle a poussé une sorte de soupir de soulagement — comme après une longue promenade à laquelle on repense avec délice — et remis les pendules de son existence à zéro.

9

Maman et le professeur vivent dans une villa blanche de Bogstad. Ou du bas Holmenkollen, comme ils disent. La maison s'élève sur deux niveaux et demi et a l'air d'être le fruit de trois semaines de beuverie débridée. Moyennant quoi, l'architecte a reçu plusieurs prix. C'est un véritable dédale de coins et de recoins, d'escaliers en colimaçon et de placards encastrés où maman peut, avec une nonchalance feinte, répartir son arsenal de bouteilles à moitié vides. La pente vers la route ploie sous les potentilles jaunes, les lauriers de montagne et les roses Lili Marlène, mais on ne sent rien d'autre que les âcres relents de désherbant et de paillis. La pelouse devant la maison a été nivelée avec un niveau à bulle. Derrière, sur des dalles d'ardoise spécialement importées d'Écosse, on peut se noyer dans les coussins de la balancelle, à côté d'un gigantesque barbecue forgé par un ami du professeur et d'une fontaine représentant un ange hermaphrodite qui, tourné vers le ciel, régurgite ou pisse ou rit. Un jardinier vient le vendredi. Tout comme les filles de l'agence de nettoyage. Jour chargé pour maman.

Quand elle ouvre la porte et me voit sur le perron,

entier et tout beau (quoique pâle), elle joint les mains. Je l'embrasse. Ce n'est pas mon habitude. Il faut savoir rationner ses marques d'affection. De plus, j'ai horreur de l'odeur de vade-mecum censée camoufler l'alcool de son haleine. Je ne passe pas pour le plaisir, mais pour la rassurer. Et lui rappeler quel jour nous sommes.

La cuisine est vaste et lumineuse. Le plancher en pin provient d'une ferme du Hadeland. Elle a fait du café. Le professeur a laissé *Aftenposten* [4] éparpillé sur toute la table.

— Tu vas vider du poisson ? dis-je pour plaisanter.

Elle rit mollement. Comme pour souligner que certes elle est femme au foyer, mais les travaux ingrats, elles les laissent aux autres. Elle allume le transistor sur l'appui de fenêtre. Maman est une accro des matinales. Comme de tant d'autres choses.

— Tu as toujours laissé les autres nettoyer le poisson à ta place.

C'est une allusion. À un événement lointain. Elle devrait s'en souvenir. Et avoir honte.

— Avant que j'oublie, Trygve vient d'appeler.

Elle attend ma réponse. Qui ne vient pas.

— Il est très remonté. Il veut que tu l'appelles.

— Qu'est-ce que tu as encore inventé, cette fois, Lillebjørn ?

— Inventé ? Moi ? fais-je avec ma voix de petit lord Fauntleroy.

— Appelle-le au moins !

— Plus tard.

— C'est terriblement important.

— Je sais de quoi il s'agit.

_____

4. Grand quotidien norvégien. (N.d.T.)

— Il est en colère.

— Je l'appellerai tout à l'heure, dis-je en sachant que c'est un mensonge.

— Dis, il y a du rôti de bœuf ce soir. Le boucher a eu un arrivage de viande suprêmement tendre hier…

Je mets un doigt dans ma bouche et fais un bruit dégoûtant.

— Nigaud, va ! Allez, viens ! Je peux te faire un gratin de pommes de terre aux brocolis.

— Je suis très occupé en ce moment.

— Ça fait tellement longtemps. S'il te plaît. Mon chéri…

— Je suis juste venu m'excuser.

— Arrête tes bêtises.

— Je n'étais pas tout à fait moi-même.

— Qu'est-ce qui te tracasse ?

— Rien. Absolument rien.

Je bois un thé avec elle. Nous parlons de tout et de rien. Comme elle sait le faire. Mes insinuations sont de moins en moins cachées. Mais elle ne comprend pas où je veux en venir. Pas même quand je lui raconte que je vais au cimetière.

C'est aujourd'hui le vingtième anniversaire de la mort de papa. Ça lui reviendra sans doute dans la journée.

Ce n'est pas seulement papa qui est mort cet été-là. Toute la vie de maman a été brisée. Son existence se borne à rendre celle du professeur et de mon demi-frère agréable. Elle est devenue une bonne à tout faire, qui tourbillonne de tâche en tâche. Elle vérifie que les filles de l'agence de nettoyage essuient bien la poussière entre les touches noires du piano à queue dans le salon de musique. Le boucher et le poisson-nier l'appellent quand ils reçoivent quelque chose de vraiment bon et cher. Elle est le point d'ancrage du professeur. Son épouse affectueuse. Son éblouissante hôtesse. Sa maîtresse éternellement jeune et obligeante. Elle est la joyeuse mère du gamin qui est toujours présente, lui glisse un billet de cent supplémentaire quand il sort et nettoie quand il débarque ivre mort au petit matin et vomit dans l'entrée.

De temps à autre, un peu de sa sollicitude rejaillit sur moi. Je suis sa mauvaise conscience.

10

— Tu es toujours végétarien ? s'enquiert Caspar Scott.

C'est un homme d'une beauté hors du commun. Il est vrai que mon reflet dans le miroir me donne un complexe d'infériorité persistant et, d'un point de vue objectif, passablement justifié, mais Caspar a un physique si éblouissant qu'il en est presque efféminé. À la cantine de la direction du Patrimoine, les femmes l'effleurent tendrement de leurs regards gourmands. Il semble ne pas le remarquer. Mais je sais qu'il emmagasine toute cette attention dans un grand réservoir destiné à des jours plus sombres.

Nous étions amis à la fac. Pendant plusieurs mois, nous avons fait tente commune lors de fouilles un peu partout dans le pays. Quand je l'ai appelé, il nous a toutefois fallus quelques minutes de tâtonnements pour retrouver notre connivence d'antan.

À présent, nous sommes à la cantine et feignons tant bien que mal que rien n'a changé. Ça sent le café, les viennoiseries et les steaks hachés aux oignons.

Caspar est l'archéologue né. Même si ce concept

peut paraître légèrement incongru. Il est capable de remettre un petit objet, qui en soi semble insignifiant, dans son contexte général. Lors des fouilles du site de Larøy, de maigres fragments de clefs et un aiguillier sur une ceinture lui ont ainsi indiqué que nous avions enfin trouvé la grande ferme disparue de Hallstein. Nous étions incapables d'identifier un minuscule poignard en argent trouvé dans un tombeau viking (jouet ? bijou ? arme symbolique ?), jusqu'à ce que Caspar constate froidement qu'il servait à se nettoyer les oreilles.

Caspar sait lire un paysage comme nous autres lisons un livre. Il a une capacité époustouflante à distinguer les reliefs naturels du terrain des friches nées de la main de l'homme. Il dirigeait les deux équipes de chercheurs qui ont découvert les vestiges vieux parfois de onze cents ans de hameaux remontant à la fin de l'âge glaciaire, dans le Rogaland et le Finnmark. Ces découvertes ont montré que les premiers à avoir trouvé le chemin du littoral norvégien libéré des glaces pourraient avoir été des chasseurs de rennes de la région de la mer du Nord ou des chasseurs-cueilleurs de la péninsule de Kola.

Mais Caspar s'est lassé de la vie sur le terrain et des semaines et des mois loin de Kristin. Il s'est lassé du soleil cuisant et des averses qui transformaient le lieu de travail en mare de boue. Il est devenu fonctionnaire. Depuis quelques années, il travaille au département archéologique de la direction du Patrimoine.

Honteux, je me rends compte que c'est la seule et unique raison pour laquelle j'ai pris contact avec lui.

Je lui demande de me raconter le prélude des fouilles.

Il avale une gorgée de café en grimaçant.

— Marrant que tu me poses cette question. Cette histoire me fait tiquer depuis le début.

Je retire mon sachet de thé de l'eau fumante et l'observe avec curiosité.

— Ça a commencé par deux ou trois coups de fil au directeur du Patrimoine, Loland, raconte-t-il. D'abord de la part d'Arntzen, puis du directeur Viestad.

— Ils ont téléphoné tous les deux ?

— Précisément ! Au nom d'une fondation britannique, la SIS. Un institut de recherche de Londres. La SIS prétendait qu'il y avait des vestiges d'un donjon rond au monastère de Værne. Tu y crois, toi ? Un donjon rond ! Je n'ai jamais entendu la moindre allusion à l'existence d'un tel ouvrage de fortification au monastère de Værne. Et ils se demandaient si nous serions d'accord pour laisser le professeur Graham Llyleworth diriger des fouilles.

— Et, bien entendu, vous n'y avez pas vu le moindre inconvénient…

— Pas d'inconvénient ? Tu me connais. J'ai trouvé que ça ne tenait pas debout.

— Je te comprends fort bien.

— Un donjon rond ? Là-bas ? On peut dire que j'avais un certain nombre de questions à poser. Pourquoi diable y aurait-il eu un donjon rond, là ? Et en quoi un donjon rond norvégien pouvait-il intéresser une fondation britannique ? Qui allait payer les réjouissances ? Pourquoi cette urgence ? Qu'allaient-ils faire du donjon s'ils le trouvaient ?

— Le conserver peut-être ?

Caspar rit.

— Ce serait bien le genre de Graham Llyleworth !

— En sais-tu davantage aujourd'hui ?

— Absolument pas. Je n'ai pas obtenu la moindre

réponse. Juste des haussements de sourcils et des soupirs parce que je suis trop tatillon. Le directeur du Patrimoine considère Llyleworth comme un être divin. Les jeunes agents se figurent que c'est lui qui a inventé l'archéologie. OK, il est à l'origine de quelques découvertes qui ont eu du retentissement et il a écrit deux ou trois manuels importants. Mais je veux dire, était-ce une raison pour laisser cet impérialiste infatué débarquer avec son régiment et ses bulldozers ? Donc j'ai dit « peuh ! » et oublié toute cette histoire. Jusqu'à l'arrivée de la demande d'autorisation officielle, une quinzaine de jours plus tard.

— La demande d'autorisation ? Je ne l'ai jamais vue, celle-là.

— Vraiment aux petits oignons. Cartes, tampons et signatures ronflantes. Cela a suscité une certaine émotion dans le département. Il s'est écoulé, allez, disons dix minutes avant que Sigurd Loland me convoque dans son bureau. Pourquoi étais-je si négatif ? Ne voyais-je pas les avantages de la coopération archéologique internationale ? Tu sais les proportions que ça prend avec Sigurd. La décision vous appartient, lui ai-je dit. Mais c'était si fichtrement important pour lui de recueillir l'adhésion générale. Et que je sois le signataire de l'autorisation. Ne me demande pas pourquoi.

— Peut-être parce que c'est toi qui es le plus critique ?

— Je n'y avais pas pensé. Mais s'il souhaitait brouiller les cartes, c'était réussi.

— Tu as retenu des noms ?

— Le professeur Llyleworth était responsable d'opération. Mais son employeur était la SIS de Londres. *Society of International Sciences*. Dont le président était présenté comme opérateur. Je crois qu'ils avaient un budget prévisionnel de cinq ou six millions de couronnes. Pour trouver un donjon rond ! Dans un champ de blé norvégien ! Juste ciel !

— Sais-tu comment j'entre dans le tableau ?

— Comme contrôleur ? Ce n'est pas à moi qu'il faut le demander. De notre côté, nous n'avions personne dont nous pouvions nous passer. Sur ce point, j'ai été intraitable. Je croyais que c'était Arntzen qui t'avait sélectionné ?

— Mais pourquoi moi ?

— Parce que tu es bon...

D'abord je ricane. Puis je raconte les fouilles à Caspar. La surprenante découverte. Le comportement du professeur Llyleworth et d'Arntzen. Et mes soupçons. Mais je ne dis pas que c'est moi qui ai le Reliquaire.

Caspar rit doucement en prenant un air affligé.

— Quel sac de nœuds ! Je sentais que quelque chose ne collait pas.

Une jeune femme passe devant notre table — je me souviens de l'avoir vue sur un chantier il y a quelques années — j'ai droit à un sourire indiquant qu'elle me reconnaît et Caspar à un « tu déjeunes tôt aujourd'hui » roucoulé.

Il s'approche de moi et baisse la voix :

— Tu sais quoi, je vais fouiner un peu et voir ce que je trouve. Peux-tu passer chez Kristin et moi ce soir ? On examinera ça ensemble. Un peu plus discrètement qu'ici. Et puis ça fait longtemps ! Kristin sera ravie de te revoir.

— Avec plaisir.

À la seule évocation de Kristin mon pouls s'accélère.

— Et au fait, si j'étais toi, j'irais discuter un peu avec Grethe. Elle sait tous sur ces mecs-là.

— Grethe ?

— Grethe ! Tu n'as pas oublié Grethe !

Je rougis. Je n'ai pas oublié Grethe.

11

Devant mon immeuble, un homme est recroquevillé au volant d'une Range Rover rouge, toute propre, avec plaques diplomatiques. Quand il m'aperçoit, il détourne aussitôt le regard.

J'entre dans mon appartement. Le répondeur clignote. D'habitude, ce n'est pas le cas.

Le premier message est de maman. Elle me rappelle que je suis invité à dîner chez eux ce soir. Nous savons tous deux que j'ai décliné. Le deuxième est d'une vieille dame qui, s'excusant poliment, raconte au répondeur qu'elle a fait un mauvais numéro. Le troisième est muet. J'entends uniquement une respiration. J'ai immédiatement le sentiment de ne pas être seul. Cela m'arrive parfois. Quelqu'un a laissé une empreinte psychique chez moi. Je me glisse dans le salon. Les rideaux chatoient au soleil. J'ouvre la porte de la chambre, où le lit double me fait une moue de promesse non tenue. La salle de bains est sombre. Le bureau, qui, chez un homme de mon âge aux dispositions plus paternelles que moi, aurait servi de chambre d'enfants, croule sous les documents et les artefacts empruntés.

Je suis seul.

Pourtant cette sensation de présence étrangère est tenace. J'ouvre une bière, glaciale après des semaines dans le frigidaire. Je la bois en inspectant encore une fois l'appartement.

Ce n'est qu'au quatrième tour que je m'en aperçois. Mon ordinateur a été déplacé. Pas de beaucoup. De quelques centimètres seulement. Mais suffisamment pour que je finisse par remarquer les traces dans la poussière. Je m'affale lourdement sur la chaise de bureau et allume la bécane. Rien ne se passe. Ni bip ni sifflement. L'horripilant « ta-da », dont j'essaie de me débarrasser depuis le jour où j'ai acheté le PC, s'est enfin tu.

Je ne tarde pas à comprendre pourquoi.

La façade est dévissée. Du bout des doigts je la soulève et jette un œil sur l'imbroglio électronique qui constitue les organes, les lignes de vie et le cerveau de la machine. Je ne connais rien aux ordinateurs. Mais je saisis que quelqu'un a ôté mon disque dur.

Mon premier réflexe est la colère. Ils investissent mon appartement. Ils vont et viennent comme si je leur avais donné les clefs de mon existence.

Puis je m'apaise. J'ai encore le dessus. Ils n'ont pas trouvé ce qu'ils cherchaient. Par pure bravade, je téléphone à la police pour déclarer le cambriolage. Ensuite, je compose le numéro de la ligne directe du professeur Arntzen.

Il est essoufflé.

— Où est la châsse ? crie-t-il quand il comprend qui est à l'autre bout du fil.

— La châsse ? je répète d'un ton faussement étonné.

— Ne fais pas semblant de… commence-t-il.

Quelqu'un lui enlève le combiné des mains.

— Où est cette foutue châsse ?

La voix de Llyleworth vibre.

— Qu'est-ce qui vous fait croire que je l'ai ?

— Arrêtez vos conneries ! Où est-elle ?

— Je vais vous faire gagner beaucoup de temps en vous disant dès maintenant qu'il n'y a sur mon disque dur rien d'autre qu'une conférence, quelques débuts de poèmes et autres jeux divertissants.

— Où est la châsse ?

Je raccroche. Vais me chercher une autre bière. Et me demande ce qui va se passer.

Le téléphone sonne. J'ai envie de le laisser sonner. Je n'ai envie de parler avec personne. Mais il continue. Et, finalement, son entêtement l'emporte.

C'est un Anglais. Dr Rutherford *from London*, directeur du célèbre *Royal British Institute of Archaeology*. Il me propose de l'argent pour *the artefact* qu'il croit être en ma possession.

— Ce vestige est une acquisition norvégienne.

— Cinquante mille livres, réplique-t-il.

Cinquante mille livres, c'est beaucoup d'argent. Mais il ne me vient même pas à l'esprit de toper là. Mon opiniâtreté n'a jamais été ancrée dans le bon sens.

— Je ne l'ai plus.

— Non ?

Je lui explique qu'elle a été volée. La châsse a été volée lors d'un cambriolage dans mon appartement aujourd'hui.

Le docteur Rutherford manque de se trahir. Il est à deux doigts de me dire que la châsse n'était pas dans l'appartement. Qu'ils ne l'ont pas trouvée. Il se rattrape. J'entends à sa voix qu'il hésite : Et si les voleurs qu'il a engagés l'avaient effectivement prise ? Pour le rouler ? Comme pour s'en assurer, il demande :

— Vous êtes sûr, Monsieur Beltø ?

— Oui, oui, j'en suis *quite sure* [5].

Il hésite. Mon mensonge a instillé le doute.

— Seriez-vous prêt à envisager un échange ?

---

5.   *Tout à fait sûr.*

— Qu'avez-vous qui puisse m'intéresser ?

— Je peux vous raconter ce qui s'est passé quand votre père est mort.

Le temps s'interrompt brusquement. Les images de kaléidoscope affluent : le rocher, la corde, l'éboulis, le sang. Je me trouve dans un vide où le temps est arrêté depuis vingt ans.

Je garde les yeux dans le vague. Ce n'est que de nombreuses années après la mort de papa que je me suis rendu compte à quel point je le connaissais mal. Il est une image fugace dans ma mémoire, un homme pensif qui rarement me touchait ou m'invitait dans son univers. Papa fermait les portes de son existence et tirait les rideaux. En de rares occasions, j'ai vu la colère lacérer ses prunelles, mais la plupart du temps il était un homme qui rentrait du bureau, ou d'un chantier, pour disparaître au sous-sol, dans la pièce où il écrivait une œuvre scientifique, dont il ne parlait pas volontiers et que je n'ai jamais vue.

Quand je vois papa, c'est avec des yeux d'enfant.

Maman ne veut jamais parler de lui. Parce que le professeur se rembrunit. Comme s'il ne supportait pas l'idée que sa chère et tendre en ait un jour aimé un autre, profondément et sans retenue. Il lui faut vivre avec le fait de ne pas avoir eu la première part de gâteau.

Mais il est une pensée qui ne laisse pas de me surprendre : maman a été la femme du professeur pendant deux fois plus longtemps qu'elle n'a été celle de papa.

Papa me manque. Mais je me demande parfois si un fils peut regarder son père sans jamais songer qu'entre ses jambes sont suspendues les bourses où il a jadis été un spermatozoïde tout frétillant, qu'entre ses jambes pendille le sexe qui se gonfle pour emplir sa mère des secousses de la volupté. Parfois je ne suis pas tout à fait sain d'esprit. Quelqu'un peut-il me passer le gobelet en plastique avec les cachets roses ?

Il se peut que je me reconnaisse en papa. Cela n'aurait rien de très exceptionnel. Je ne l'ai jamais admiré. Parfois cela me tracasse. Quand je lis comment les pères forment leurs fils, je me demande ce que papa a laissé en moi. Le vague à l'âme ? Le fait d'être devenu archéologue, comme lui ? Un hasard. Une attirance pour la science interprétative, matière adaptée à mon esprit curieux et introverti. Quand je me risquais dans son bureau, il lui arrivait de lever le nez de ses papiers et artefacts pour m'adresser un sourire absent, me montrer un poids de métier à tisser ou une pointe en silex dont il semblait tout savoir. Je ne faisais pas la différence entre devinette qualifiée et interprétation empirique. Mais je comprenais que papa voyait dans le passé.

Son subit engouement pour l'escalade allait à l'encontre de tous ses instincts. Il était un être prudent. Exactement comme moi. D'un naturel un peu angoissé. C'était Trygve Arntzen qui avait entraîné papa sur les parois rocheuses. Ça tombait bien, si vous voulez mon avis. Peut-être est-ce pourquoi je ne pourrai jamais lui pardonner de ne pas avoir réussi à prévenir la chute. Si tant est qu'il ait essayé. Il a été particulièrement prompt quand il s'est agi de récupérer la belle occase qu'était la veuve de papa.

Le combiné à la main, je suis figé dans ma bulle temporelle. Le docteur Rutherford vérifie si je suis toujours là.

— Vous savez quelque chose sur papa ? dis-je rapidement.

— Nous pourrons y revenir. Quand j'aurai la châsse.

— Qu'entendez-vous par « ce qui s'est passé quand il est mort » ?

— Une fois encore : quand nous aurons la châsse.

— On verra.

Je m'éclaircis la voix et lui promets de réfléchir à sa proposition. Il me remercie, en hésitant, de mon attention et raccroche.

Je me précipite dans le couloir, descends l'escalier et sors dans la rue. La Range Rover rouge n'est plus là. Ce n'est pas très grave. Le chauffeur avait l'air d'être grand et fort. Et, après tout, il attendait peut-être sa copine.

Je ne sais pas qui est le Dr Rutherford, directeur du Royal British Institute of Archaeology. Ni pour quel pigeon il me prend. Mais je sais deux choses.

Un, il n'existe aucune institution de ce nom.

Deux, je croyais être seul au monde à soupçonner que le décès de papa n'avait pas été accidentel.

12

Papa est enterré au cimetière de Grefsen. Une simple stèle sous un vieux bouleau. Maman paie une redevance annuelle pour l'entretien de la sépulture.

Je m'accroupis devant la pierre en granit. Le nom de papa est gravé dans la roche rouge. Aucune date. Rien qui relie papa au temps. Juste son nom. *Birger Beltø*. Maman et moi le souhaitions ainsi.

Dans un sac en papier kraft, j'ai apporté un pot de narcisses. Je les plante devant la pierre tombale. Pour donner de la lumière à papa. Où qu'il puisse être.

Dans la forêt, entre la maison de vacances de Farmor et le monastère de Værne, se trouve un vieux cimetière sous les grands chênes. Sous la lourde plaque de fer, dont le temps a depuis longtemps effacé l'inscription, reposent des gens dont je me suis toujours demandé qui ils étaient. Ils possédaient jadis le monastère de Værne, m'a dit maman. C'est pour cette raison qu'ils ont obtenu le droit d'enterrer leurs morts dans la forêt. Je me souviens de m'être dit : tandis que le reste d'entre nous est relégué aux infrastructures municipales.

Sur le parking, deux hommes sont assis sur le capot d'une Range Rover rouge. Je l'avais dans mon rétroviseur en venant de chez moi. Au moment où ils m'aperçoivent, l'un d'eux s'élance à ma rencontre. Il ressemble à King Kong. Je réussis à me mettre dans la voiture et à fermer la portière avant qu'il arrive. Il tape sur la vitre latérale. Ses doigts sont gros et velus. Il porte une chevalière d'une école étrangère. Je démarre la Boulette et commence à sortir de mon créneau. Il saisit la poignée. Peut-être envisage-t-il de retenir la voiture de force. Je ne serais pas surpris qu'il y parvienne.

Heureusement, il lâche. Dans le rétroviseur, je le vois courir vers sa voiture.

La Boulette n'est pas conçue pour fuir d'autres voitures. Je n'essaie même pas. Je remonte tranquillement vers Kjelsåsvei. Quand le bus rouge arrive, je tourne derrière lui. Nous formons ainsi un petit cortège. Le bus. La Boulette. Et la Range Rover.

Au bout du cul-de-sac entre Kjelsås et Lofthus, je suis le bus à travers le sas de circulation. Puis je pile. Et, content de mon coup, je laisse la barrière se refermer entre la Range Rover et moi.

II

LA SAINTE CHÂSSE

1

— Lillebjørn ! C'est toi ?

Elle est devenue vieille. J'ai toujours pensé à elle comme à une femme d'un certain âge (encore que *mûre* soit sans doute le mot que je cherche), mais elle portait le poids des ans avec une dignité sophistiquée et juvénile. Quand je l'ai rencontrée, ses cheveux blonds cendrés étaient dynamiquement peignés en arrière, et elle s'habillait en jupe serrée et bas résille noirs. À présent, je vois combien ces dernières années l'ont malmenée. Sur son visage étroit, où ses yeux bien vivants se plissent vers moi, taches brunes et rides dessinent une carte de la dégradation. Ses mains sont grêles, tremblantes, comme les pattes d'un moineau. J'entrevois son cuir chevelu à travers ses cheveux blancs étincelants. Elle penche la tête. « Ça fait un moment… », fait-elle interrogative, dans l'attente. Sa voix est fragile, tendre. Il fut un temps où j'étais amoureux d'elle.

Elle a le même sourire, le même regard, mais ses

couleurs l'ont quittée. Elle esquisse un pas de côté et me laisse entrer.

Son appartement est tel qu'en mon souvenir : énorme, surmeublé, sombre et saturé de parfums lourds. Une enfilade de pièces. Des portes encadrées de larges chambranles. Des plafonds ceints de stucs. Sur des commodes et d'étroits rayonnages, elle a recréé les grands moments de l'histoire de la Bible avec des figurines. Moïse sur le mont Sinaï. Marie et l'enfant Jésus dans l'étable. Le sermon sur la montagne. La crucifixion. Dans de petits fauteuils en osier et berceaux en raphia sont installés des ours en peluche velus et des poupées au visage en porcelaine inexpressif. Peut-être est-ce ainsi que Grethe Lid Wøien retient cette enfance dont elle refuse de parler. Je ne crois pas qu'elle ait de famille. Personne qu'elle reconnaisse en tout cas. Je ne l'ai jamais entendue évoquer quelqu'un de proche. Grethe a comblé le vide avec les études. Et les hommes. Partout il y a des livres. Elle s'est cloîtrée dans son appartement d'une rue chic de Frogner pour pouvoir cultiver sa solitude.

Elle m'accompagne dans le salon. Nous passons devant sa chambre à coucher. La porte est entre-bâillée. J'entrevois le lit défait. Les lits des autres m'embarrassent. Gêné, je détourne les yeux.

Elle n'est plus la même. Elle est devenue une vieille dame. Même ses pas ont quelque chose d'usé, de traînant.

Un chat bondit d'un fauteuil pour disparaître sous le piano à queue. Je n'ai jamais aimé les chats. Et ils me le rendent bien.

D'un mouvement de tête, elle désigne le canapé.

— J'aurais dû t'offrir à boire, s'excuse-t-elle en s'affalant dans un fauteuil.

Quelque chose ne va pas. Je le sens. Et pourtant je ne me résous pas à lui poser de questions.

Elle me scrute. Avec un sourire en coin. Une solide horloge sonne deux coups pesants.

— J'ai besoin d'aide, dis-je en réprimant un éternuement.

Le canapé est couvert de poils de chat qui me chatouillent le nez.

— Je m'en doutais. Tu n'es pas du genre à débarquer chez les gens sans motif urgent.

J'ignore si c'est un léger reproche, une observation neutre ou une allusion à ce soir d'il y a douze ans où j'ai pris mon courage à deux mains pour lui dire que je l'aimais. J'avais 20 ans. Elle en avait 50 bien tassés. J'ai toujours été un cas à part.

— Tu trouves que je suis devenue vieille ?

Je ne lui ai jamais menti. C'est pourquoi je me tais. L'âge n'est qu'un point dans une chronologie. La mathématicienne Kathleen Ollerenshaw avait 86 ans lorsqu'elle a résolu l'ancestrale énigme mathématique du « carré magique ».

Quelle que soit la manière dont vous additionnez les chiffres, vous obtenez 30 :

0	14	3	13
7	9	4	10
12	2	15	1
11	5	8	6

Devant mon silence, Grethe soupire tristement.

— Je suis malade, lâche-t-elle de but en blanc. Cancer. Depuis deux ans maintenant. Je loue chaque nouveau jour.

J'attrape sa main. La main froide d'un enfant qui dort.

— Les médecins disent que je suis une coriace.

— Tu as mal ?

Elle hausse les épaules dans un mouvement pouvant tout aussi bien signifier oui que non. Puis dit :

— Surtout au mental.

Je serre sa main.

— Bon ! Alors, quel est ton problème ? s'enquiert-elle d'un ton professionnel en la retirant.

Dans sa voix résonne un peu de l'autorité qu'elle dégageait quand elle officiait en tant que professeur d'université. Elle n'exerce plus depuis sept ans. Et nous parlons encore d'elle.

— Si tu es malade, je ne vais pas te…

— Sottises !

— Je pensais juste…

— Lillebjørn !

Elle me fait ses yeux.

Je ne sais par où commencer. Elle me met sur la voie :

— Il paraît que tu participes aux fouilles du monastère de Værne.

C'était pareil à la fac. Elle était au courant de tout.

— Nous avons fait une découverte.

Puis le blocage revient. Je cherche mes mots. Finalement je m'exclame :

— J'essaie juste de savoir ce qui a pu se passer !

C'est probablement incohérent.

— Qu'avez-vous trouvé ?

— Une châsse.

Hésitante

— Oui ?

— En or.

Elle penche la tête sur le côté :

— Dis donc.

— Le professeur Llyleworth est parti avec.

Elle ne dit rien. Elle aurait dû se mettre à rire. Elle aurait dû secouer la tête. Mais elle ne dit rien. Elle se met à tousser. D'abord doucement, puis en râles bruyants. Ses poumons semblent ballottés dans sa cage thoracique. Elle tient ses deux mains devant sa bouche. Une fois la crise passée, elle essaie de reprendre son souffle. Sans me regarder. C'est bien. Ainsi elle n'a pas besoin de voir mes yeux.

Elle toussote et se racle la gorge à plusieurs reprises. Elle sort discrètement un mouchoir et crache.

— Pardonne-moi, chuchote-t-elle.

Pendant longtemps je garde les yeux braqués sur le chat qui sommeille sous le piano.

Quand j'étais l'étudiant et l'adorateur le plus assidu de Grethe, celui qui toujours était amené chez elle par une affaire urgente, elle avait un chat qui s'appelait Lucifer. Mais ça ne peut être le même. Quoiqu'il ait l'air tout à fait identique.

— Cette châsse est-elle authentique ? Ancienne ?

— À ma connaissance.

— Personne n'a salé les fouilles ?

Je secoue la tête. Le salage est un petit jeu qui nous amuse, nous autres archéologues. Nous glissons dans les couches d'occupation humaine des objets modernes — la télécommande d'un téléviseur parmi les trésors d'un roi préhistorique, une épingle à nourrice au milieu de tessons de vase et de pointes de flèches.

— Grethe, la châsse est ancienne. Et puis…

Je ris doucement.

— … nous parlons de fouilles dirigées par Graham Llyleworth. Personne n'aurait osé polluer ses tranchées !

Grethe s'en amuse avec moi.

— Et il savait ce que nous cherchions. Il savait que la châsse se trouverait là, quelque part. Il savait que nous la trouverions. Il le savait !

Elle médite un instant sur mes assertions.

— Tu t'imagines peut-être qu'il voulait voler la châsse ? Pour la vendre ensuite au plus offrant ? suggère-t-elle la voix enrouée.

— L'idée m'a effleuré. Mais ce n'est pas si simple.

— Ah, bon ?

— Le musée des Antiquités est dans le coup.

Elle me fixe en attendant la suite.

— Et vraisemblablement la direction du Patrimoine aussi.

Ses yeux s'amenuisent. Elle se dit sans doute que le pauvre Lillebjørn n'a plus toute sa tête.

— Je pense tout ce que j'ai dit, Grethe !

— Mais oui.

— Et je ne suis pas devenu fou !

Elle me sourit.

— Raconte-moi ce qu'ils fabriquent, alors.

— Je ne sais pas, Grethe, je ne sais pas…

— Donc pourquoi…

— Peut-être un vol à la commande, dis-je un peu trop vivement.

Elle se tait.

— Mais pourquoi ?

— Je ne sais. Llyleworth pourrait-il faire partie d'une bande internationale de trafic d'art ?

Elle rit froidement.

— Graham ? Il est bien trop égoïste pour faire partie de quoi que ce soit ! Et encore moins d'une bande !

Sa sortie est amère, à fleur de peau.

— Tu le connais ?

— Je… l'ai croisé.

— Ah ? Sur un chantier ?

— Ça aussi. Et puis à Oxford. Il y a vingt-cinq ans. Pourquoi es-tu aussi suspicieux ?

— Il a prévu de sortir la châsse clandestinement du pays.

— Jamais de la vie ! Il voulait sûrement juste…

— Grethe ! Je suis au courant de ses projets !

— Comment peux-tu en être aussi sûr ?

Par réflexe, je baisse la voix :

— Parce que je l'ai entendu.

Je laisse aux mots le temps de produire leur effet.

— Je l'ai entendu conspirer avec le professeur Arntzen.

Elle secoue la tête avec un ricanement exaspéré.

— C'est tellement typiquement Graham ! Et toi, tu as joué les Sherlock si je comprends bien.

— J'essaie juste de comprendre.

— Quoi donc ?

— Comment pouvait-il savoir que la châsse se trouverait dans les ruines d'un octogone de huit cents ans en plein milieu d'un champ de blé en Norvège ?

Les yeux de Grethe deviennent abyssaux. Pendant un moment je nage dans son regard.

— Dieu tout-puissant, s'écrie-t-elle, plus pour elle-même.

— Qu'est-ce qui ne va pas ?

— Un octogone ?

— Oui. Nous en avons déjà excavé une partie.

— Je croyais qu'il n'existait pas.

— Tu en avais entendu parler ?

Elle a une nouvelle quinte de toux. Je m'approche pour lui taper le dos. Il lui faut quelques minutes pour reprendre son souffle.

— Grethe ? Tu veux que j'appelle un médecin ? Tu veux que je te laisse ?

— Parle-moi de l'octogone.

— Je n'en sais pas long. Je n'ai jamais entendu parler d'un octogone au monastère de Værne.

— Peut-être pas dans les sources norvégiennes. Mais on en parle dans la littérature internationale, cela concerne l'ordre des chevaliers de Saint-Jean et les mythes chrétiens primitifs.

J'ai dû rater ce cours-là.

— Crois-tu que le professeur Llyleworth connaissait l'existence de l'octogone ?

— Je serais tentée de le croire.

Elle le dit avec une coquetterie perfide.

— Pourquoi n'a-t-il rien dit ? Pourquoi l'a-t-il gardé secret ?

— Ce n'était sans doute pas un secret. Tu lui as posé la question ?

— Il a dit que nous cherchions un donjon rond. Il n'a jamais parlé d'un octogone.

Elle hoche la tête avec lassitude, comme si cette conversation l'ennuyait. Elle joint les mains.

— Et que dit le professeur Arntzen de tout cela ?

Je regarde ailleurs.

— Lillebjørn ?

— Je ne lui en ai pas parlé.

— Pourquoi ?

— Il est l'un d'eux.

— L'un… d'eux ? répète-t-elle d'un ton dubitatif.

Je ricane parce que j'entends combien je dois sembler paranoïaque.

Doucement, je saisis sa main.

— Grethe, que se passe-t-il ?

— C'est à moi que tu le demandes ?

— Le professeur Arntzen et ce putain de profes-

seur Graham Llyleworth ! Des pilleurs de tombes ?
De simples pilleurs de tombes ?

Elle ferme les paupières avec un sourire rêveur.

— Qu'est-ce qui te fait sourire ?

— Rien n'est très surprenant. En réalité.

— Ah bon ?

— Ton père et Graham ont fait leurs études ensemble à Oxford, tu sais. Dans les années soixante-dix. En même temps que moi. Graham et Birger étaient les meilleurs amis du monde.

Je m'enfonce dans le canapé. Une hirondelle se balance sur une ligne électrique devant la fenêtre du salon. Elle s'arrête un instant avant de s'envoler.

— Trygve Arnzten ne te l'a pas raconté ? Ni Llyleworth ?

— Ils ont dû oublier de le mentionner. Je savais que papa avait travaillé à Oxford. Mais j'ignorais que Llyleworth aussi.

— C'est ton père qui a présenté Graham Llyleworth à Trygve Arntzen.

— Donc papa et Llyleworth étaient condisciples ?

— Ils ont travaillé ensemble sur une thèse qui a éveillé un certain intérêt.

Mes pensées se bloquent.

— Est-ce que tu l'as ?

Elle désigne la bibliothèque.

Lentement je me lève, et fais courir mon doigt sur la tranche des livres.

— Troisième rayonnage, dit-elle. À côté de l'atlas. Noir, dos collé.

Je sors la thèse. Elle est épaisse. Le papier commence à jaunir et à se craqueler.

Sur la couverture, je lis « *Comparative Socio-Archaeological Analysis of Inter-Continental Treasures and Myths.*[1] By Birger Beltø, Charles de Witt and Graham Llyleworth, University of Oxford, 1973. »

— De quoi ça parle ?

— Ils ont trouvé des points communs entre un certain nombre de mythes et de découvertes archéologiques de trésors.

Je me demande pourquoi le professeur et maman ont caché les exemplaires qu'immanquablement papa a laissés derrière lui.

Je feuillette la thèse au hasard. Page 2, je lis une dédicace barrée au feutre. Je tiens le papier à contre-jour. « *Les auteurs expriment toute leur gratitude et leur plus grand respect à leurs conseillers scientifiques: Michael MacMullin et Grethe Lid Wøien.* »

Je jette un regard déconcerté à Grethe. Elle me répond par un clin d'œil.

Page 54, je lis quelques paragraphes du chapitre sur la découverte des rouleaux de la mer Morte à Qumrân. Page 466 — ceci n'est pas une thèse modeste écrite à la va-vite — je tombe sur une note de dix pages esquissant un parallèle entre le trésor de Hon, trouvé à Øvre Eiker en 1834, et des artefacts issus de tombes d'Ajía Fotiá en Crète. Je cherche le monastère de Værne dans l'index, mais ne trouve aucune référence. Jusqu'à ce que je glisse mon doigt sur *Varna. Pages 296-301.*

Le chapitre s'intitule « *The Octagon of Varna : The Myth of The Shrine of Sacred Secrets* [2]».

En feuilletant, je fais tomber un marque-page. Une carte de visite. Classique, vénérable. « Charles DeWitt - London Geographical Association ».

---

1. Analyse socio-archéologique comparative des mythes et trésors intercontinentaux. (N.d.T.)
2. *L'Octogone de Varna : le mythe du reliquaire des secrets religieux.*

Comme par réflexe, je la glisse dans ma poche, tout en continuant de feuilleter.

Je suis un lecteur rapide. En quelques minutes, j'ai parcouru le texte, qui traite du mythe d'un temple à huit côtés — un octogone — que les chevaliers de Saint-Jean ont élevé autour d'une relique dont on disait qu'elle contenait, si j'ai bien compris, un message de nature divine. Peut-être du temps de Jésus. Peut-être du temps des croisades. Le tout n'est pas facile à saisir. Je pourrais m'être trompé. Ma lecture a été très superficielle.

— Puis-je l'emprunter ? fais-je en montrant la thèse. J'aimerais bien la lire plus attentivement.

— Oui, oui ! s'enthousiasme-t-elle.

Comme si, plus que tout, elle souhaitait que je l'emporte avec moi.

— Raconte-moi donc tout ce que tu sais là-dessus.

Elle cligne des yeux de contentement et s'éclaircit la voix. D'un timbre frêle, chevrotant, Grethe évoque le croisé qui a apporté une relique à l'ordre des chevaliers de Saint-Jean de Jérusalem en 1186. Cette relique a ensuite été connue sous le nom du *Reliquaire des secrets religieux.* Puis le pape Clément III a ordonné aux chevaliers de Saint-Jean de ne pas se contenter de garder la sainte châsse, mais de la cacher, loin des voleurs, des croisés et des chevaliers, des évêques, des papes et des rois. Lorsque Saladin a pris Jérusalem l'année suivante, et que les chevaliers de Saint-Jean ont fui, toutes les traces ont disparu. Tous ces aventuriers qui, au cours des siècles, ont cherché le trésor, ne disposaient que d'un seul fil conducteur : la sainte châsse se trouve dans un octogone, un temple à huit côtés.

— Au monastère de Værne ? dis-je d'un ton acide.

Enfoncée dans son fauteuil, elle me dévisage. La mine supérieure n'est pas loin.

— Et pourquoi pas au monastère de Værne ?

Je ne parviens pas à me retenir de rire.

Elle me tapote le genou.

— Lillebjørn, je sais ce que tu penses. Tu as toujours été si impatient, si incrédule, si hâtif dans tes conclusions. Que t'ai-je enseigné à la fac ? Ne t'ai-je pas appris à allier scepticisme et imagination ? Compréhension et interrogation ? Doute et ouverture d'esprit ? Il faut savoir écouter les mythes, les dires, les contes, les religions. Pas parce qu'ils disent la vérité, Lillebjørn. Mais parce qu'ils découlent d'une autre vérité.

L'intensité de sa voix et de son regard m'effraie. C'est comme si elle souhaitait me donner la clef de la vie éternelle avant de disparaître dans un nuage de fumée et d'étincelles. Elle n'en fait rien. Se penche en avant et prend un bonbon dans la coupelle sur la table. Le met dans sa bouche. Je l'entends cahoter derrière ses dents.

Elle penche la tête sur le côté.

— Le monastère de Værne n'était pas une cachette stupide. Il se trouvait aussi loin de la Terre sainte qu'on pouvait le concevoir. La Norvège était un avant-poste de la civilisation. Et les historiens n'ont jamais vraiment pu expliquer pourquoi les chevaliers de Saint-Jean avaient construit ce monastère en Norvège à la fin du XIIe siècle.

Elle secoue la tête d'un air songeur.

— Si vous avez réellement trouvé l'octogone, Lillebjørn, et réellement trouvé la châsse…

Elle laisse sa phrase flotter.

— Qu'y avait-il dans la châsse ?

— C'est précisément là qu'est la question. Qu'y a-t-il dans le Reliquaire ?

— Tu ne le sais pas ?

— Sûrement pas ! Je n'en ai pas la moindre idée. De nombreuses rumeurs ont circulé. On continue de dire que la dynastie mérovingienne aurait caché un trésor de dimensions insoupçonnées. De l'or et des pierres précieuses rassemblés par l'Église et cette famille royale au fil des siècles…

Je l'interromps en soupirant.

— Je t'en prie ! Des trésors cachés ? Ça se saurait, non ?

— Peut-être qu'il attend encore d'être découvert ?

— C'est du romantisme à la Indiana Jones !

— Lillebjørn, rétorque-t-elle avec une moue qui m'annonce ce qu'elle va dire, je fais là référence à des rumeurs qui courent dans les milieux académiques depuis des décennies. Je ne les cautionne pas. Mais je ne les rejette pas non plus catégoriquement comme certain jeune homme de ma connaissance.

— Et en quoi consistent ces… rumeurs ?

Je crache le mot comme une cerise gâtée.

— Il existe une carte. Et une généalogie. Des textes codés. Je ne connais pas l'histoire en détail. C'est un récit qui commence dans un village du sud de la France qui s'appelle Rennes-le-Château, où un jeune prêtre du siècle dernier a trouvé des rouleaux de parchemin qui, dit-on, l'ont rendu riche. Inconcevablement riche. Personne ne sait précisément ce qu'il a trouvé en voulant restaurer la vieille église où il officiait. On dit que les parchemins contenaient un secret inouï.

— Qui était ?

— Si je le savais, Lillebjørn, cela pourrait difficilement être un secret, non ? Certains ont parié qu'il s'agissait de mythes religieux. Il aurait trouvé l'Arche d'alliance, ce qui n'était pas si déraisonnable puisque l'église était élevée sur les ruines d'une église chrétienne du VIᵉ siècle. D'autres ont cru qu'il avait découvert des textes bibliques originaux. D'autres encore ont pensé qu'il avait tout bonnement trouvé les cartes qui montraient le chemin d'un trésor médiéval.

— Et quel rapport y a-t-il avec le monastère de Værne ?

— Je ne sais pas. Mais on pourrait imaginer que ce trésor, s'il existe, est caché sur le domaine du monastère. Ou que la châsse que vous avez trouvée contient des fils conducteurs pour la suite du chemin.

— Grethe, dis-je en soupirant avec mon regard de Bambi.

— Q ! s'écrie-t-elle soudain.

— Comment ?

— La source Q !

Perplexe, je me tourne.

Elle poursuit :

— C'est une supposition, pas une certitude. Pendant toutes ces années, je me suis interrogée sur ce qu'il pouvait y avoir de si important à trouver. Et quand je mets ensemble les petits bouts d'informations dont je dispose, les pièces du puzzle s'emboîtent. Peut-être.

— La source Q ?

— Q pour « *Quelle* ». Qui signifie « source ». En allemand.

— *Quelle* ?

— Tu n'en as vraiment jamais entendu parler ?

— En l'occurrence, non. De quoi s'agit-il ?

— C'est censé être un manuscrit original grec.

— Qui contient ?

— Ce que Jésus a dit.

— Jésus ? Vraiment ?

— Son enseignement sous forme de citations. Texte sur lequel Matthieu et Luc auraient fondé leurs Évangiles, en plus de l'Évangile de Marc.

— J'ignorais tout de l'existence de cette source Q.

— Elle n'existe peut-être pas. C'est une théorie.

— Pourquoi aurait-elle échoué au monastère de Værne ?

— Demande à ton beau-père.

— Il est au courant ?

— En tout cas plus que moi, finit-elle par dire.

— Mais comment…

— Lillebjørn ! me coupe-t-elle en éclatant d'un rire enjoué.

Puis elle m'observe songeusement :

— As-tu envie d'aller faire un tour à Londres ?

— Londres ?

— Pour moi.

J'hésite. Elle ajoute :

— Et à mes frais.

— Pourquoi ?

— Pour démêler une vieille histoire.

Je ne dis rien. Grethe non plus. Elle se redresse péniblement sur ses jambes, marche en traînant des pieds jusqu'à sa chambre. Revient avec une enveloppe. Je l'ouvre et compte 30 000 couronnes.

— Eh ben !

— Ça devrait suffire, non ?

— C'est bien trop !

— Ne dis pas ça. Tu auras peut-être d'autres voyages à faire…

— Tu es folle de garder des sommes pareilles chez toi !

— La banque ne mérite pas mon argent.

Je ris, perplexe, interrogateur.

— De quoi s'agit-il au juste ?

— C'est ta mission de le découvrir.

— Grethe.

J'essaie de capturer son regard, mais il m'échappe.

— Pourquoi un tel engagement ?

Elle fixe le vide. Puis croise enfin mes yeux.

— J'aurais pu faire partie de tout cela.

— Faire partie de quoi ?

— De ce dont tu grattes la surface.

— Mais ?

— Mais il s'est passé quelque chose…

Des larmes roulent de ses yeux, elle se mord la lèvre inférieure. Elle peine à dompter cette bousculade de sentiments.

Je sais que je n'en tirerai pas plus de sa part. Mais ses motifs ne sont pas importants. Pas maintenant. Tôt ou tard je les percerai à jour.

— Tu veux y aller ?

— Bien sûr.

— Society of International Science, SIS, Londres. Whitehall. Demande le président, Michael MacMullin. Il détient les réponses.

— À quoi ?

— À tout !

Nous nous dévisageons.

Elle agrippe ma manche.

— Sois prudent !

— Prudent ? je reprends effrayé, la voix cassée.

— MacMullin est un homme qui a beaucoup d'amis.

Cela sonne comme une menace voilée.

— Beaucoup d'amis… Des amis comme Charles DeWitt ?

Le tressaillement de son visage est presque imperceptible.

— Charles ?

86

Sa voix est absente.

— Charles DeWitt ? Que sais-tu de lui ?

— Rien.

Elle évolue un moment dans une sphère à laquelle je n'ai pas accès. Puis elle dit :

— Tu n'as rien à craindre de lui.

Sa voix abrite une tendresse lointaine.

— Que sais-tu de l'accident ?

— Une bagatelle, dit-elle. Une écorchure au bras. La plaie s'est gangrenée.

Je ne comprends pas.

— Il est mort en tombant…

Elle me dévisage, plisse le front. Puis saisit.

— Ah, ton père ?

Seul son regard trahit son agitation intérieure.

— Il n'y a rien à en dire, articule-t-elle les dents serrées.

Je reste immobile.

— Mais Grethe…

— Rien ! aboie-t-elle.

Son effort déclenche la toux. Une longue minute passe avant qu'elle se reprenne.

— Rien, répète-t-elle à voix basse, sur un ton plus doux cette fois. Rien que tu aies besoin de savoir.

2

Douze minutes, c'est le temps qu'il me faut pour rejoindre en voiture Domus Theologica, dont le nom a des consonances de centre commercial méditerranéen, mais qui est simplement le nom ronflant de la faculté de théologie, sise à Blindernveien. Je connais un assistant de recherche au département d'études hébraïques. Je crois qu'il peut m'être utile.

Gert Vikerslåtten mesure presque deux mètres. Il est maigre comme un clou, c'est à se demander si rester en équilibre ne lui demande pas un effort de concentration. Non sans ressemblance avec un échassier. Il a une peau à problèmes et une barbe qui semble accrochée trop serré derrière les oreilles et sous le menton. Tout en lui — doigts, bras, nez, dents — est un peu trop long et dégingandé.

Nous passons quelques minutes à nous remémorer l'époque où nous étions à la fac ensemble. Nous évoquons des connaissances communes, des mauvais profs, des filles dont nous rêvions, mais que nous n'avons jamais eues. Comme moi, Gert est célibataire. Comme moi, il masque ses petites névroses sous une patine d'arrogance universitaire.

Il me demande pourquoi je suis venu. J'explique que je suis à la recherche de quelqu'un qui pourrait me parler de la source Q.

Ses yeux s'animent. Sa pomme d'Adam s'emballe. Rien ne réjouit davantage un expert que de pouvoir briller.

— Q ? *Oh yes, baby* ! Un manuscrit qui n'existe pas !

— Mais qui a dû exister à un moment donné ?

— C'est en tout cas un avis que beaucoup partagent.

— Dont toi ?

— Absolument.

Il balance ses longs bras ; l'ampleur du geste est telle que je crains qu'il ne brise les murs de son étroit bureau.

— Q rappelle un trou noir, expose-t-il en formant un cercle avec son pouce et son index.

— Même avec les télescopes les plus puissants, tu

88

ne peux pas le voir. Mais, grâce à la trajectoire des autres corps célestes, tu sais qu'il est là.

— Exactement comme de la limaille de fer t'indique qu'il y a un aimant sous une feuille de papier.

Il acquiesce et je poursuis :

— Tout ce que je sais de la source Q, c'est qu'elle a été écrite en grec. Et est censée contenir de nombreuses paroles de sagesse de Jésus sous forme de citations, telles qu'elles ont ensuite été rendues par Luc et Matthieu. Et qu'elle est considérée comme une écriture sainte.

— Alors tu sais l'essentiel.

— Mais explique-moi… pourquoi cela a-t-il une importance qu'elle ait existé ou pas ?

— Éclairage. Compréhension.

Il hausse les épaules.

— Si l'on envisage les choses ainsi, le fait que vous, les archéologues, ayez trouvé le bateau de Gokstad n'a pas d'importance non plus. Mais c'est tout de même sacrément chouette !

— Mais en pratique, est-ce que Q fera une différence ?

— Bien sûr !

— Pourquoi ? Comment ?

— Q pourrait modifier notre compréhension et notre interprétation des textes de la Bible. Tu le sais bien, aujourd'hui encore, la chrétienté a une influence directe sur notre quotidien. Sur notre vision de l'humanité. Tout est lié.

— Nous sommes bien d'accord, mais es-tu en train de dire que Q pourrait changer quelque chose sur ce plan-là ?

— Q peut nous aider à en savoir plus sur la genèse du Nouveau Testament. Et, par conséquent, sur l'interprétation des textes. Origène, le théologien de l'église primitive, affirmait que la parole de la Bible n'était pas à interpréter à la lettre, comme beaucoup le font aujourd'hui, mais comme des signes ou des métaphores de quelque chose de plus grand. Il faut comprendre la Bible comme un tout. Quand la Bible fait le récit d'une montagne d'où l'on peut voir le monde entier, ce n'est évidemment pas au sens propre ! Même si certains insistent pour interpréter chaque mot littéralement.

— Quel âge a-t-elle ?

— Bientôt deux mille ans. Nous pensons que Q a été rédigée juste avant que Paul écrive ses toutes premières lettres, donc pas plus tard que vingt ans après la crucifixion de Jésus.

— Par qui ?

— Ça, nous ne le savons pas.

Il se penche en avant et baisse la voix :

— Ce qui est intéressant, c'est que cette datation remonte à vingt ans avant que Marc écrive son Évangile !

Il hausse les sourcils dans un mouvement éloquent. Plein d'espoir, il attend une réaction de ma part. Elle ne vient pas. Je ne saisis pas quel intérêt cette datation peut présenter. Ses sourcils retombent, sa mine est déconfite.

— Comme tu le sais, poursuit-il en détachant bien chaque syllabe, frisant ainsi la condescendance, c'est l'Évangile de Marc qui est considéré comme le plus ancien, donc le premier, même s'il est donné comme numéro deux dans le Nouveau Testament. Il a vraisemblablement été rédigé quarante ans après la crucifixion, c'est-à-dire autour de l'an 70.

— Donc, d'une certaine façon, la source Q est plus authentique que les Évangiles ultérieurs ?

— Plus authentique ?

90

— Oui, parce que plus proche des événements.

— Eh bien…

Gert laisse sa phrase en suspens. Il exhibe dans une grimace ses longues dents et ses gencives roses.

— Établir deux mille ans plus tard un palmarès de l'authenticité de manuscrits anciens, bibliques ou non, est relativement stérile. C'est aussi une question de foi. Mais il est évident que plus tu t'éloignes des sources et des événements, plus tu risques l'imprécision du compte rendu.

— Dans un sens, les anciens évangélistes étaient une sorte de journalistes.

— À peine des journalistes. Des acteurs de la société, des prédicateurs, des missionnaires…

— C'est ce que je disais ! Des journalistes ! insisté-je en riant. Et les évangélistes ont eu accès à Q ?

— Ce n'est pas inconcevable. Nous pensons que Q a circulé au sein des communautés chrétiennes les plus précoces du Ier siècle.

Ses lèvres se recourbent comme s'il se réjouissait de quelque chose qu'il ne devrait pas dire.

— Ce qui prête à controverse, dans ce manuscrit, c'est que des chercheurs estiment que certaines sociétés chrétiennes ne voyaient absolument pas Jésus comme une divinité, mais comme un philosophe intelligent. Qui souhaitait apprendre aux gens comment vivre pour être des Juifs heureux. Si tu élimines les Évangiles et Paul du Nouveau Testament, tu te retrouves avec un bout de judaïsme réformé.

— C'est une opinion largement répandue, non ?

— Mais il faut garder en tête que Q, si jamais on la retrouve un jour, bénéficie d'une autorité prodigieuse du simple fait qu'elle a été écrite aux lendemains du séjour de Jésus parmi nous. Par des témoins oculaires. Pas par des évangélistes ayant vécu longtemps après.

Q est quasiment un rapport journalistique, bien plus que les Évangiles, colorés et adaptés. Q dépeint le rôle de Jésus en tant que rebelle apocalyptique et homme de société. Un révolutionnaire en quelque sorte. Q ne prend pas position sur la question de savoir s'il était le fils de Dieu ou non.

— Donc, que démontre-t-elle ?

— Q ne peut rien démontrer. Mais les manuscrits de cette époque doivent se lire avec une compréhension fondamentale du temps dans lequel ils ont été écrits. Des rapports sociaux en vigueur.

— Je me figurais que les théologiens avaient une confiance aveugle dans ce qui était écrit dans la Bible ?

— Ha ! La théologie est une science, pas une croyance ! Dès le XVIIIᵉ siècle, des théologiens critiques se sont interrogés sur les dogmes. Le professeur Herman Samuel Reimarus a réduit Jésus à une figure de la politique juive. En 1906, Albert Schweitzer enchaînait avec une vaste œuvre scientifique qui mettait largement en cause la vision théologique en vigueur. Ces théologiens distinguaient le Jésus historique du Jésus prédicateur. La théologie critique s'est développée jusqu'à nos jours. En combinant les connaissances historiques, sociologiques, anthropologiques, politiques et théologiques, une nouvelle image de Jésus peut apparaître.

— Quelle image ?

— Jésus est né à une époque turbulente. On a usé et abusé de son enseignement. De nombreuses communautés chrétiennes primitives n'insistaient nullement sur la mort de Jésus et sa Résurrection. Elles le voyaient comme un leader fédérateur. Une sorte de Lénine ou de Che Guevara. Tandis que d'autres se concentraient exclusivement sur la crucifixion et l'Ascension pour quasiment faire l'impasse sur le Jésus historique.

— Q ne raconte donc rien sur un Jésus divin ?

— *No sir* ! Rien du tout. Il ne semble même pas que les auteurs du manuscrit aient connu les circonstances de la mort de Jésus. Ou alors ils ont fait totale abstraction de la crucifixion. Sans parler de l'Ascension. Tu comprends ? Même si Q confirmait beaucoup de ce que Luc et Matthieu écrivent, la découverte de la véritable source Q pourrait aussi influencer et altérer notre vision de Jésus. Les auteurs du manuscrit n'ont jamais considéré Jésus comme le Fils de Dieu, mais comme un sage itinérant et un agitateur. Un rebelle ! Ce sont les évangélistes qui, par la suite, ont ajouté le dogme de l'Ascension de Jésus. Ce qui l'a transformé en divinité. Certains pensent même que les disciples ont volé le corps de Jésus après la crucifixion pour ensuite inventer toute l'histoire de l'Ascension. Ils ne voulaient pas reconnaître cette défaite — que leur sauveur soit simplement mort sans que le règne de Dieu soit venu. Jésus lui-même a longtemps cru que le règne de Dieu viendrait de son vivant.

— Je ne comprends toujours pas ce qui vous convainc que Q a existé ?

Gert se frotte les joues et le menton avant de tirailler sur sa barbe de prêtre.

— Imagine que nous traduisions tous deux un texte anglais en norvégien. Nos versions se ressembleraient. Mais elles ne seraient pas tout à fait pareilles. Il en va de même des Évangiles de Matthieu et de Luc en de nombreux points. Les chercheurs ont conclu que pas moins de deux cent trente-cinq vers de Luc et de Matthieu sont si proches qu'ils doivent reposer sur la même source. Même si les deux Évangiles ont été écrits indépendamment l'un de l'autre, de nombreuses paroles de Jésus sont identiques. Mot pour mot.

— Et alors ?

— Le Jésus historique parlait l'araméen, qui a remplacé l'hébreu comme langue vernaculaire en Palestine pendant quatre cents ans. Il ne parlait pas grec, comme dans ces manuscrits. C'est pourquoi les évangélistes ont dû disposer d'un manuscrit original grec à citer et auquel se référer. Q ! *Quelle* ! Source !

— Luc et Matthieu ne peuvent-ils pas tout simplement s'être plagiés l'un l'autre ?

Gert sourit largement.

— Si encore c'était aussi simple. *No way* [3]. Ils ont écrit à des époques différentes. En des lieux différents. Pour des lectorats très différents. Luc et Matthieu ont trop de différences profondes pour avoir pu se lire l'un l'autre. Dans ce cas, ils auraient adapté leurs histoires. Corrigé et ajusté. Mais nous pouvons tout de même affirmer que leurs sources sont les mêmes.

— C'est fou ce qu'on peut savoir, dis-je laconiquement.

— Ce que nous croyons savoir !

Gert bascule sur sa chaise. J'imagine l'étendue des conséquences s'il perd son équilibre.

— Les chercheurs ont la conviction que Marc a écrit son Évangile en premier. Et que Luc et Matthieu ont rédigé les leurs à partir de Marc et de Q, mais avec des ajouts personnels. Par exemple, tu retrouves environ 90 % des thèmes de Marc chez Matthieu.

— Depuis combien de temps les théologiens connaissent-ils l'existence de Q ?

— Dès le début du dix-neuvième, les biblistes ont affirmé que Luc et Matthieu avaient dû avoir une

---

3.   *Pas question.*

autre source commune. Outre Marc. Mais ce n'est qu'en 1890 que cette source a été identifiée.

— Comme étant Q ?

Gert acquiesce.

— Tout le monde n'accueille pas l'idée de Q avec le même enthousiasme. Et c'est compréhensible. Ce qui n'existe qu'en théorie n'électrise pas toujours les foules.

Il se lève. Semble voir un amphithéâtre bondé de jeunes étudiantes conquises, qui plus que tout rêvent d'un cours particulier de théologie et de physiologie appliquée avec Gert, tard le soir, après un bon dîner arrosé d'une bouteille de vin.

— En 1945, il s'est produit un événement intéressant. Des frères égyptiens ont trouvé une grande jarre scellée dans la terre au pied des falaises de la région de Nag Hammadi.

— De laquelle est sorti un esprit qui exauçait trois vœux : de la gnôle, des femmes et un chameau tout neuf ?!

Gert me fait un clin d'œil malicieux.

— Presque ! En réalité, il se trouve que les frères étaient terrorisés à l'idée d'ouvrir la jarre, précisément parce qu'elle risquait de renfermer un esprit. Un mauvais esprit. Les cruches ont cette fâcheuse tendance en Égypte. Comme le sait tout archéologue qui se respecte.

Nous gloussons. Gert a un rire d'une gaieté pétillante.

— Mais le désir d'argent des frères a fini par triompher, poursuit-il. Après tout, il était envisageable que la jarre soit exempte d'esprits, et pleine d'or et de diamants. Ils ont donc tenté leur chance et l'ont brisée.

— Pas d'esprit ?

— Pas l'ombre d'un fantôme !

— Qu'ont-ils trouvé, alors ?

— Treize livres. Treize volumes reliés en cuir de gazelle.

Je penche la tête.

Gert fait claquer sa main sur le bureau.

— La découverte était retentissante ! Pour les archéologues comme pour les théologiens. La bibliothèque de Nag Hammadi ! Les manuscrits contenaient entre autres l'intégralité de l'Évangile de Thomas !

Je plisse les yeux en essayant de situer l'Évangile de Thomas. Certes je n'ai jamais lu la Bible très attentivement. Mais je pensais connaître tous les Évangiles.

— L'Évangile de Thomas n'a jamais été intégré dans la Bible, explique Gert.

— Ce n'est tout de même pas accordé à tout le monde d'être refusé par Dieu. L'Évangile de Thomas était-il connu de vous, les spécialistes ?

— *Yes* ! Jusqu'à un certain point en tout cas. Mais personne n'avait vu la version complète. Pas avant 1945. Un fragment de l'Évangile de Thomas, écrit en grec, avait été retrouvé auparavant à Oxyrhynchos en Égypte, mais la version de Nag Hammadi était complète. Et ce n'est pas tout : les écrits contenaient aussi ce qu'on appelle l'Évangile de Philippe et des transcriptions de conversations entre Jésus et les disciples. Quasiment un « nouveau testament » en soi, mais très différent de l'original. Et maintenant suis bien, parce que ceci est passionnant et important ! C'était écrit en copte !

— Non, arrête ! En copte ?

Mon émerveillement est du pur chiqué. Gert saisit instantanément ma plaisanterie.

— En copte ! répète-t-il. C'est-à-dire dans la langue égyptienne parlée à la fin de l'Empire romain.

— Je crois que je pige, dis-je en marmonnant, même si c'est peut-être légèrement au-delà de la vérité.

Gert m'adresse un sourire compréhensif. Probablement celui qu'il destine aux étudiantes de première année peu sûres d'elles, qui ont des tresses et des t-shirts moulants.

— À partir de ce texte, les chercheurs ont pu reconstruire l'Évangile de Thomas dans sa langue originale, le grec. Contrairement aux Évangiles, qui ont trouvé leur place dans la Bible, et à l'instar de Q, l'Évangile de Thomas contient peu ou pas d'éléments sur la naissance, la vie et la mort de Jésus. Il contient ses paroles. Cent quatorze paroles qui toutes commencent par « Jésus dit ». Souvent d'une ressemblance confondante avec celles que l'on trouve dans Matthieu et Luc. Pour les chercheurs, il est évident que Thomas a eu recours aux mêmes sources. Tu me suis toujours ?

— À peine.

— L'Évangile de Thomas confirme indirectement que Matthieu et Luc, ainsi que Thomas, ont dû disposer d'une source écrite commune. Un recueil d'écrits qu'ils ont copiés, puis arrangés au gré de leurs besoins, afin de rendre leur version de la vie et de l'enseignement de Jésus plus convaincante. Ce qui est intéressant, c'est que les auteurs de Q, et vraisemblablement aussi ses contemporains, ont interprété la parole de Jésus complètement différemment des auteurs et lecteurs de la Bible.

— Autrement dit, l'affaire est plutôt délicate.

Gert se mord la lèvre inférieure en acquiesçant.

— Et comment ! En 1989, une équipe a entrepris de reconstruire le manuscrit Q en confrontant les textes bibliques de Matthieu et de Luc avec l'Évangile de Thomas. Ce simple travail a donné lieu à une vive controverse sur l'origine du christianisme.

J'observe Gert, Gert m'observe. Il doit se demander vers quoi nous nous dirigeons.

— Que se passerait-il si quelqu'un trouvait la source Q ?

Il secoue la tête d'un air absent.

— Je n'ose même pas y songer. Cela reléguerait les découvertes des rouleaux de la mer Morte et de Toutankhamon au second plan. Nous serions tout bonnement obligés de réécrire l'histoire religieuse.

Je ne peux m'empêcher de me demander si c'est le manuscrit Q qui se cache dans la châsse d'or entourée de bois pourrissant, enveloppée dans du plastique, dans un sac, dans l'appartement du Roger.

Si j'étais le personnage principal d'un film, j'aurais arraché le bois et forcé la châsse pour satisfaire ma curiosité (et celle du public). Mais je suis un être pensant — un chercheur sérieux qui s'entoure de précautions. Une châsse aussi ancienne, ayant de surcroît passé tant d'années dans la terre, ne s'ouvre pas comme la première boîte de conserve venue. Elle doit être ouverte avec un soin et une prudence infinis. Par des hommes de l'art. Comme une huître dont on cherche la perle, sans blesser le mollusque. Si je me lançais dans une quête hâtive et frénétique du contenu, je risquerais de provoquer une catastrophe. Dans le meilleur des cas, j'abîmerais ce qu'elle recèle sans même comprendre ce que j'aurais trouvé. Je ne suis pas particulièrement doué en grec ancien, en hébreu, en araméen ou en copte. Dans le pire des cas, le tout pourrait partir en ruine. Du jour au lendemain, un parchemin ancien pourrait être réduit en poussière.

Je sais toutefois ceci : le Reliquaire doit être
protégé.

3

Certaines femmes ont un magnétisme qui me va
droit à l'hypophyse.

Elle est grande, a une chevelure qui tend vers le
roux, les yeux verts, les lèvres fines, une tendance
aux taches de rousseur. Sa jupe volette autour de ses
longues jambes, une large ceinture d'argent enserre
sa taille. Sous son chemisier en coton, je devine le
poids de ses seins.

Deux ans durant, j'ai été amoureux d'elle. J'espère
qu'elle ne le sait pas, mais je crois que si. À présent,
elle se tient devant moi sur le pas de la porte, avec
ce même sourire en coin qui jadis m'avait ensorcelé.
Elle s'appelle Kristin. Elle est la femme de Caspar.
Quelqu'un qui ne la connaîtrait pas penserait que
Kristin est mannequin, top model, voire trapéziste
dans un cirque itinérant. Mais Kristin est écono-
miste. Directrice de département aux Statistiques de
Norvège. Quand nous étions étudiants à Blindern,
Kristin et Caspar vivaient en colocation, à Maridal-
sveien. Grosse baraque. Jazz et blues rock. Fêtes nuit
et jour le week-end.

Je ne suis absolument pas fait pour la vie en colocation. Cette entente forcée. Les rengaines. Le monceau
de chaussures dans l'entrée. Les slips mouillés des
autres qui sèchent sur l'étendage dans la buanderie.
Les disputes. Les longs après-midi dans les pièces
communes, avec le soleil qui entre par les fenêtres.
Toujours quelqu'un qui s'occupe de vos affaires. Qui

vous entend quand vous êtes aux toilettes. Qui veut discuter d'un livre ou d'un film, ou jouer aux cartes, ou qui vous envoie promener quand vous voulez lui taxer une roulée. Qui fait en sorte que ce soit votre tour de faire la vaisselle. Les signatures illisibles sur la liste du ménage. Les réunions pour faire le point, la communauté, la solidarité, les étincelles, la tension érotique, les votes, l'autocritique. Je ne suis absolument pas fait pour cela.

Un week-end où je passais la nuit dans leur chambre, Caspar et Kristin ont fait l'amour, sans bruit, sur le matelas par terre à côté de moi. C'était l'aube. La chambre était saturée de lumière douce. Je faisais semblant de dormir. Ils faisaient semblant de croire que je dormais. Je me souviens des couinements étouffés de Kristin, du tangage des corps, de Caspar qui soufflait fort par le nez, des bruits, des odeurs. Le matin nous avons tous fait comme si de rien n'était.

Ils étaient anarchistes. Je n'ai jamais compris leur révolte. Aujourd'hui, leur engagement s'est rafraîchi. Ils sont devenus sociaux-démocrates. La seule chose qui sépare Kristin et Caspar des masses, c'est une singularité notable maintenue après leurs années de vie en colocation : ils n'ont pas de télé. N'en veulent pas. C'est un principe. On ne peut que les admirer.

— Bjørn ! s'exclame Kristin avec exubérance en m'attirant dans l'entrée, tout en me scrutant des pieds à la tête. Tu n'as pas changé du tout !

Nous nous étreignons. Longtemps. Je ne trouve pas que Kristin ait beaucoup changé elle non plus. Et, soudain, je me rappelle pourquoi j'étais amoureux d'elle.

Sur la table à manger, Caspar a étalé des copies des papiers concernant les fouilles du monastère de Værne. Des piles de lettres, documents, tableaux, formulaires, cartes ; le tout assaisonné de l'arsenal de tampons et de cotes d'archives que toute administration déploie pour justifier son existence. Il y a ici demandes d'autorisation et réponses, descriptions et précisions, dans un joyeux mélange de norvégien et d'anglais.

— J'avais l'impression de me rendre coupable de haute trahison en faisant les photocopies, dit Caspar avec nervosité.

Je ne sais pas s'il plaisante. Je ne crois pas. Les années passant, il est devenu d'une telle droiture. L'État produit cet effet sur ses loyaux serviteurs. Ils ont l'impression de faire corps avec le système. Comme si le système, c'était eux. Ce qui n'est pas très loin de la vérité.

Autour de nous, Kristin lévite comme une fée affairée. Elle allume mille petites bougies, qui transforment l'appartement en un monastère de la Grèce antique perdu dans la montagne. Elle verse du thé dans de gigantesques mugs en céramique. M'épie constamment. Ses regards furtifs, intrigués, laissent entendre qu'elle attend que je dise quelque chose de libérateur. Mais je n'en ai pas l'intention. Elle a préparé des petits gâteaux et des gaufres. Tout au fond d'elle, derrière la directrice de département, derrière la féministe sexy, derrière le chercheur en sciences économiques et sociales, derrière la rebelle, derrière cette belle façade civilisée, vit une femme attentionnée qui nous veut du bien à tous.

J'attrape au hasard une lettre signée Caspar Scott. Sous le logo de la direction du Patrimoine et le lion héraldique, je lis :

« Vu la loi sur les monuments historiques du 9 juin 1978, et de ses amendements, le dernier daté du 3 juillet 1992, la Society of International Sciences (SIS), représentée par son président, Michael MacMullin [ci-après dénommé l'opérateur], est autorisée à entreprendre des fouilles archéologiques, la responsabilité des opérations étant confiée au professeur Graham Llyleworth, sur la parcelle définie (NGO/référence cartographique 1306/123/003). Les plans relevant du domaine de responsabilité des autorités de protection des monuments historiques, l'opérateur s'engage à respecter les prescriptions fixées par leur représentant archéologique sur place (contrôleur). La recherche d'un donjon relève du domaine de compétence de la direction du Patrimoine (cf. directives sur la répartition du travail par secteurs de spécialité), mais le travail ayant une visée supplémentaire, une juridiction déléguée est confiée au musée archéologique régional local (musée des Antiquités d'Oslo). »

Il fut un temps où Caspar écrivait de la poésie. En 1986, l'un de ses poèmes a été publié dans l'édition du samedi de *Dagbladet*. Longtemps il a rêvé d'être écrivain. Peut-être aurait-il pu y parvenir. Curieux ce que le service public peut faire à l'expression écrite des gens.

Il y a d'autres papiers — sur l'objectif des fouilles, sur la question de savoir si les éventuels vestiges doivent être archivés ou exposés, sur la publicité exigée. Je lis que le professeur Graham Llyleworth — « *professeur d'archéologie renommé, auteur de nombreux manuels et d'articles scientifiques publiés par les universités du monde entier* » — se voit attribuer la direction technique des fouilles. Je lis quelque chose au sujet des chances de trouver un donjon rond et les casernes attenantes. Je lis le commentaire du professeur Arntzen, qui se porte garant de quasiment tout, y compris de mes capacités de contrôleur, je note le tampon et la signature illisible de l'administrateur de l'institut d'Archéologie, le directeur Frank Viestad.

Je pose toutes les photocopies et déclare :

— C'est un paravent !

— Cachant quoi ? demande Kristin.

Je connais suffisamment bien Caspar pour savoir qu'il lui a tout raconté, et je connais suffisamment bien Kristin pour savoir que la curiosité la dévore.

— Ils savaient qu'ils ne trouveraient jamais de donjon rond.

— Parce que ce n'était pas un donjon rond qu'ils cherchaient, complète Caspar.

— Exactement ! Ils cherchaient quelque chose de bien plus grand.

Les yeux de Kristin me quittent pour se porter sur Caspar, avec ce regard inquiet qui dit : « Cela pourrait-il être ses nerfs ? »

— Plus grand qu'un donjon ? s'étonne Caspar.

Je fais un clin d'œil à Kristin avec mon sourire le plus malin qui dit : « Frais comme un gardon. »

— Plus important qu'un donjon rond.

Kristin se tourne pour attraper un petit gâteau, et la façon dont son chemisier se tend me déconcentre, parce que le bout de ses seins se dessine à travers le tissu. Caspar suit mon regard et je rougis profondément.

— Que font ces Anglais dans cette histoire ? demande Kristin en ajoutant vite : Tu as chaud ?

— Ils étaient bien sûr au courant que la châsse était là, dit Caspar. Llyleworth. MacMullin. La SIS. Sinon pourquoi auraient-ils voulu fouiller le champ ?

— Tout à fait ! Ils savaient…

Je m'interromps, car ses paroles ont sonné l'alarme.

Je feuillette la pile jusqu'à la lettre que je viens de lire. Le nom y est, là encore. Noir sur blanc. Michael MacMullin. Ce sont ces trois « M » qui enfin ravivent mon souvenir. MacMullin est l'homme que Grethe m'a prié d'aller trouver à Londres. Le directeur scientifique que Llyleworth, DeWitt et papa remerciaient dans leur thèse. La vie est pleine de coïncidences.

Je martèle mon index sur la lettre.

— Voyez-vous cela ! Tu sais qui est ce gars, Michael MacMullin ?

— Le président de la SIS, tente Caspar.

— … et le conseiller de mon père et de Graham Llyleworth à Oxford en 1973 !

Je lui raconte la thèse et sa dédicace.

— Vraiment ? ! J'ai autre chose sur ce type ! Regarde ce que j'ai trouvé en fouinant dans nos archives aujourd'hui.

Caspar ouvre un dossier et en tire la *Revue Norvégienne d'Archéologie* n° 4 de 1982. Page 16, il trouve le compte rendu d'un symposium pluridisciplinaire sur la coopération internationale de recherche. L'hôte norvégien du symposium était l'institut d'Archéologie. Mais il a été financé par la SIS. Au feutre jaune, Caspar a surligné trois noms : les conférenciers Graham Llyleworth, Trygve Arntzen, et le modérateur Michael MacMullin.

— De bons vieux compères, commente Caspar.

— Il s'est passé un truc à Oxford en 1973, dis-je pensivement.

— Llyleworth et ton père ont dû tomber sur quelque chose de retentissant.

— Après tout, leur thèse traitait quand même des mythes et des trésors. Ils ont dû faire une découverte. Avec DeWitt, qui que soit cette personne.

— Une découverte qui les a conduits au monastère de Værne, ajoute Caspar d'une voix lointaine.

— Vingt-cinq ans plus tard.

— Alors, ma parole, ça a dû être autre chose qu'une pointe de flèche, observe Kristin.

Même après dix ans de mariage avec Caspar, elle conserve une image quelque peu simpliste des motivations des archéologues.

— As-tu entendu parler du mythe de l'octogone ?

Caspar fouille dans sa mémoire.

— C'est en rapport avec les chevaliers de Saint-Jean, non ? Ils auraient caché une relique dans un temple à huit côtés ? J'ai lu quelque chose de ce genre quelque part.

Il en faut peu pour écailler le vernis qui protège l'image que j'ai de moi. Caspar aussi connaît le mythe. C'est démoralisant. J'étais contrôleur pendant les fouilles. J'aurais dû mesurer la portée de l'événement lorsque Irène a mis au jour les fondations. Mais je n'avais jamais entendu parler de l'octogone.

— C'est dans un octogone que nous avons trouvé le Reliquaire.

— Tu plaisantes ?

Caspar me fixe.

— Un octogone ? Au monastère de Værne ?

Il secoue la tête, les yeux braqués dans le vide.

— Tu as peut-être aussi entendu parler des rumeurs liées à Rennes-le-Château ?

Il plisse le front.

— Ça, je n'en suis pas sûr du tout. Est-ce là qu'on a découvert des parchemins en faisant des travaux dans l'église ?

Je soupire.

— Pourquoi suis-je le seul à avoir été absent pendant les cours marrants ?

Caspar rigole.

— Parce que tu étais tellement occupé à courir après les profs de sexe féminin, peut-être ?

Mes joues deviennent cramoisies. Kristin adresse un regard réprobateur à Caspar. Bien entendu, je m'en rends compte.

— Que sais-tu de la SIS ? dis-je en tentant de dissimuler mon rougissement derrière ma main.

— Pas grand-chose. J'ai commencé à me renseigner pendant que nous examinions la demande d'autorisation. C'est une fondation dont le siège est à Londres. Ils ont des liens avec la Royal Geographical Society, la National Geographic Society et leurs pairs. Et toutes les équipes de recherche et universités du monde. Ils financent des projets intéressants dans toutes les régions du globe. En fonction d'objectifs idéaux.

— Des objectifs idéaux ? Ha ! rit Kristin. Ça n'existe pas les bonnes fées dans la recherche.

Je leur parle de Q. De l'Évangile de Thomas.

Ensuite, nous évoquons surtout le bon vieux temps, nos vies. Même pour les gens du métier, mes théories peuvent être un peu excessives. Je les abandonne au moment où Kristin commence à préparer le dîner, du foie à la crème. Bon appétit.

4

Le policier est grand, maigre et débordant de suspicion contenue. Il a le teint blafard et des yeux légèrement globuleux. Comme un poisson qui aurait été remonté un peu trop rapidement du fond de l'eau. Un chabot. Quand il me regarde, je me dis qu'il ne doit pas y avoir grand-chose qui échappe à ces yeux-là. Ses lèvres sont pincées, autoritaires. Mais chaque fois qu'il parle, c'est avec une voix suraiguë d'eunuque, ce qui explique pourquoi il travaille à la Crime, dans un bureau, et pas dans la rue au milieu de dangereux bandits. Il a avec lui un gros attaché-case noir et un agent zélé qui a passé deux minutes à brosser ma porte avec un pinceau à maquillage.

Quand j'ai déclaré le cambriolage, j'ai pris la liberté de sous-entendre que je représentais l'université d'Oslo. Et que le vol pourrait avoir un rapport avec une infraction à la loi sur les monuments histo-riques qui ne manquerait pas d'intéresser la presse. En général, ça aide. Je n'avais pas eu le temps de suspendre mon coupe-vent qu'on sonnait à la porte. Comme s'ils m'avaient attendu dans leur voiture.

Le propos évasif, car ce policier est du genre à interpréter hâtivement mes hypothèses comme des théories de la conspiration paranoïaques, j'explique que les voleurs ont pu croire que le disque dur de mon ordinateur contenait des informations sur la découverte d'une châsse d'or vieille de plus de huit siècles.

Le policier siffle. Huit siècles, ça paraît très vieux, et pour lui tout ce qui est vieux est cher, en tout cas quand c'est très vieux, comme huit cents ans, et en or de surcroît.

— Vous m'en direz tant.

Il n'a pas l'air de me croire.

— Pouvez-vous me parler un peu de cette châsse ?

En termes vagues, car tout en souhaitant qu'il me croie, je ne voudrais pas trop en dire, je lui raconte les fouilles dans l'Østfold. Il m'écoute attentivement. Sort un formulaire qu'il remplit au stylo-bille. Il est appliqué. Aujourd'hui encore, son écriture lui vaudrait les compliments de l'institutrice. Point par point, il effectue son interrogatoire, pose des questions précises.

Chaque fois qu'il me lance un regard, je me sens comme une somme de mauvaises réponses.

— Quelle est votre fonction au monastère de Værne ?

— Je suis contrôleur. Je suis le représentant des autorités des monuments historiques. Vous savez, les formalités, c'est important, renchéris-je pour le mettre de mon côté.

À ce moment-là, je me rends compte que ce n'est pas de moi qu'il tient que les fouilles se déroulaient au monastère de Værne.

— D'autres personnes ont-elles les clefs de votre appartement ? se renseigne l'agent au pinceau de maquillage.

— Ma mère, dis-je en pensant : et mon beau-père.

— La porte n'a pas été forcée.

— Cette châsse, pépie le chef, a-t-elle de la valeur en elle-même ?

— Beaucoup.

— Où est-elle actuellement ?

J'hésite. Comme il est policier, j'ai le réflexe mental de dire la vérité. Mais quelque chose me retient.

— Dans le coffre de l'université.

— Vraiment ?

Il avance la mâchoire inférieure et aspire de l'air entre ses dents et sa lèvre supérieure avec un gargouillis. Puis il souffle, et ce doit être mon imagination, mais son haleine sent la marée.

— Expliquez-moi, ce qui vous fait croire que c'est à cause de cette châsse d'or que quelqu'un est entré par effraction dans votre appartement privé ?

C'est un bon policier. Ils peuvent être pénibles

et poser des questions difficiles, particulièrement si vous avez quelque chose à cacher. Je regrette depuis longtemps de les avoir appelés. Comme s'ils pouvaient changer quelque chose autrement qu'en me pourrissant l'existence avec leurs questions odieuses et en faisant en sorte que la châsse atterrisse dans des mains où elle n'a pas du tout sa place.

J'explique que le cambriolage est pour moi un mystère et leur propose du café. Ils n'en veulent pas.

— Y a-t-il des personnes extérieures qui soient au courant de cette découverte ?

— Pas à ma connaissance. Nous avons trouvé la châsse hier.

— Et elle a aussitôt été enfermée dans le coffre de l'université ?

J'acquiesce si imperceptiblement que cela peut à peine être considéré comme un mensonge.

— Par vous ?

Quelque chose me trouble. J'ai déclaré un cambriolage. Ici, dans mon appartement. Mais il n'y a que la châsse qui l'intéresse.

— Non. Pas par moi.

— Par qui ?

— Est-ce important ? Le cambriolage a eu lieu ici. Pas dans le coffre. La châsse est en sûreté.

— *La châsse est en sûreté,* répète-t-il en imitant ma voix, mon ton, de façon si exemplaire que je songe que cet homme aurait pu faire une carrière d'imitateur si la justice ne lui avait pas mis les menottes.

Songeur, distrait, voix de fausset appuie le sommet de son stylo sur son menton et fait sortir et entrer la mine.

— Si je vous comprends bien, vous pensez donc que le cambriolage a un rapport avec la châsse d'or ?

— Certaines puissances iraient loin pour la voler.

— Quelles puissances ?

— Je ne sais pas. Des pros du marché noir international ? Des collectionneurs d'art ? Des chercheurs corrompus ?

— Mais la châsse ne risque rien tant qu'elle se trouve en sûreté dans le coffre de l'université, si ?

Il me défie du regard.

— Il n'existe en tout cas aucune autre raison logique de voler mon disque dur.

— Parce que vous y aviez enregistré des informations sur la châsse ?

— Non ! Mais ils ont dû le croire. Je ne vois aucune autre explication.

Il appuie plus rapidement sur son stylo.

— Que vous voulez-vous dire ?

— Qu'ils ont dû croire que j'avais des données sur la châsse dans mon ordinateur. Et plutôt que de disséquer mon disque dur sur place et risquer de se faire pincer, ils l'ont volé. Je ne vois pas d'autres raisons.

— Pourquoi s'être contentés du disque dur ?

— C'est plutôt aux voleurs que vous devriez le demander, non ?

— Mais quelle est votre opinion ?

— Peut-être espéraient-ils que je ne découvrirais pas le vol ?

— Aviez-vous autre chose sur ce disque qui aurait pu intéresser des criminels ?

— Mes poèmes ?

— Ou des photos de gentils petits enfants nus sur la plage ?

Sa voix dégouline de sucre. Il est de ceux qui imaginent toujours le pire au sujet de nous autres qui avons un physique différent. Foutu chabot ! J'ai envie de vider toute l'eau de l'aquarium vert d'algues, où il passe indubitablement ses longues nuits de solitude.

— Je croyais vous avoir appelé à propos d'un cambriolage, dis-je d'un ton acerbe, et j'étais loin d'imaginer faire l'objet d'une enquête sur la cyber-pédophilie.

— Une plainte a été déposée contre vous, explique-t-il en laissant ses yeux de poisson s'attarder mollement sur mon visage pour sonder ma réaction.

D'abord je suis tétanisé. Puis je secoue la tête avec incrédulité.

— On a porté plainte contre moi ? Moi ?

— C'est exact.

— Pour pédophilie ? Ou trafic de données pornographiques ?

— Non, vous m'avez mal compris. Pour le vol de la châsse d'or.

On sonne à la porte. Intensément. Comme si quelqu'un essayait d'enfoncer la sonnerie de l'autre côté du mur avec son pouce. Nous échangeons un rapide coup d'œil. Je vais ouvrir.

Dans le couloir se tient le professeur Graham Llyleworth. Ainsi que son vieux compagnon King Kong.

D'abord ils ne disent rien. Se contentant de me fusiller du regard.

— Espèce de connard ! Où est-elle ?

Ce n'est pas une question. C'est un ordre.

— Mais entrez donc ! Je vous en prie, ne restez pas dehors dans le froid !

Déconcertés par ma feinte obligeance, ils pénètrent dans l'entrée. Llyleworth d'abord, puis King Kong, encore plus hésitant, comme s'il attendait un ordre de son maître. Qui sera sans doute de me briser les doigts et de m'arracher les ongles, un par un, jusqu'à ce que je leur donne la châsse.

Puis ils aperçoivent les deux policiers.

— Tonton la police, dis-je gaiement en traduisant :
Uncle police !

Bjørn, interprète simultané.

Les policiers me toisent avec indifférence. Jusqu'à
ce que je leur présente Llyleworth.

— Donc vous êtes le professeur Graham
Llyleworth, dit voix de fausset dans un anglais exemplaire en tendant la main. Enchanté.

— *My pleasure* [4], répond Llyleworth en la lui
serrant.

Je m'efforce de ne pas béer d'étonnement, mais je
ne suis pas sûr d'y parvenir.

— Avez-vous réussi à tirer quelque chose de lui ?
s'enquiert le professeur.

Le policier promène son regard de Llyleworth à
moi puis à Llyleworth.

— Il prétend que la châsse se trouve dans un coffre
à l'université.

Le professeur Llyleworth plisse le front.

— Vraiment, c'est ce qu'il prétend ?

— Que se passe-t-il ? dis-je, même si je me doute
de la réponse.

— Vous avez volé le Reliquaire, répond le professeur.

— Écoutez…

Je m'adresse au policier.

— … ils prévoyaient de le sortir du pays ! Sans
autorisation. Ils prévoyaient de le voler !

Un blanc s'ensuit.

— Si j'ai bien compris, articule lentement le policier, le professeur Graham Llyleworth dirige les
fouilles du monastère de Værne ?

— Oui.

---

4. *Tout le plaisir est pour moi.*

— Ne serait-ce pas surprenant qu'il ait lui-même l'intention de voler ce qu'il trouve ?

— C'est précisément ce que...

— Attendez !

Le policier sort l'un des documents dont j'ai vu une copie chez Caspar.

— Ceci est l'autorisation de la direction du Patrimoine...

— Vous ne comprenez pas ! Nous cherchions un donjon rond. Lisez ! Ils ont demandé l'autorisation de chercher un donjon. Ils n'ont jamais dit qu'il était question de trouver une châsse d'or !

Le policier incline la tête.

— Les archéologues savent donc à l'avance ce qu'ils cherchent et ce qu'ils vont trouver ?

— Non ! Pas dans ce sens-là ! Mais, en réalité, c'était la châsse que le professeur cherchait ! Depuis le début ! La châsse d'or ! Le Reliquaire ! Le donjon rond était un canular ! Il voulait trouver la châsse et l'emmener hors du pays ! Vous ne comprenez pas ? Le donjon rond est une opération paravent !

Le policier ne dit rien. Llyleworth n'essaie pas de protester.

Le silence est efficace. J'entends moi-même le timbre hystérique de mes propos.

— Messieurs.

Llyleworth a pris son ton le plus aimable et le plus professoral.

— Excusez-moi, puis-je vous dire un mot ?

Il entraîne les deux policiers dans la cuisine. À travers la porte vitrée, je le vois leur glisser sa carte de visite. Elle est toute petite, avec de longs chapelets de titres académiques et, dans les paluches des policiers, elle pèse une tonne.

Llyleworth explique quelque chose. Les policiers

l'écoutent avec recueillement. Voix de fausset m'observe avec ses yeux de poisson. Sa bouche s'ouvre et se ferme sans bruit.

Au bout d'un moment, ils reviennent. Llyleworth fait signe à King Kong, qui lui emboîte le pas, comme attiré par un régime de bananes.

— J'aurais bien insisté pour une perquisition de l'appartement, me confie le professeur, mais vous n'êtes pas assez stupide pour avoir gardé la châsse ici.

— Vous le savez uniquement parce que vos sbires l'auraient trouvée quand ils ont fouillé l'appartement.

— Donc vous reconnaissez que la châsse est en votre possession ? m'interroge le policier.

— Je ne reconnais rien du tout.

— Nous vous contacterons, conclut Llyleworth — sans que je sache si ces mots s'adressent à moi ou à la police — avant de partir en entraînant King Kong.

— Bon, bon, fait voix de fausset en rangeant le formulaire dans sa mallette.

— Que vous a raconté le professeur ?

Il se contente de me dévisager. Comme si j'étais un pauvre garçon à problèmes. Ce qui n'est pas entièrement faux.

Les policiers se dirigent vers l'entrée.

— Beltø, ajoute le chef en s'éclaircissant la voix, la police a toute raison de croire que la châsse se trouve en votre possession.

— Est-ce une question ? Ou une accusation ?

— Je vous conseille de coopérer avec nous.

— Je ferai tout ce qui est en mon pouvoir pour sauver la châsse d'or des mains de voleurs.

Il médite quelques secondes sur ma réponse

— Que va-t-il se passer maintenant ?

— Du fait de la singularité de l'affaire, je dois

conférer avec mes supérieurs hiérarchiques avant de poursuivre l'enquête et d'envisager des inculpations.

— Et le cambriolage ?

— Si cambriolage il y a eu...

— Classé, n'est-ce pas ?

— Vous aurez de nos nouvelles.

Cela sonne comme une réplique standard que les élèves de l'École supérieure de Police répètent devant un miroir en salle de cours. Un mensonge si répandu et manifeste qu'il peut à peine être considéré comme tel, mais plutôt comme une phrase dans la lignée de « je t'appelle un de ces jours » ou « il faut absolument qu'on se voie ».

Je leur ouvre la porte et reste sur le seuil jusqu'à ce que l'ascenseur entame sa descente. Depuis le balcon, je les observe qui regagnent leur voiture. De l'appartement du Roger, au-dessous, afflue un tonnerre de basses.

Pour avoir un crime, il faut une infraction, une victime. Dans le cas présent, il n'y a ni l'un ni l'autre.

Je suis pris dans un tissu de contradictions. J'essaie de prévenir un crime qui, d'un point de vue pénal comme pratique, n'a pas été commis. Un crime sans victime. Un crime qui, à proprement parler, ne nuit à personne. La légitimation de mon intervention est la loi sur les monuments historiques. Un produit technocratique, un recueil d'articles assommants. Personne n'est propriétaire de la châsse d'or. Elle a passé huit siècles dans la terre, tel un diamant dans les profondeurs d'une faille rocheuse, tel un filon d'or caché. Elle aurait pu en passer huit de plus si le professeur Llyleworth n'avait pas su où creuser.

Et, ironie du sort, le criminel, c'est moi.

5

C'est une soirée claire et douce, respirant le bonheur tranquille. Au-dessus des haies de cotonéaster luisant planent des nuées de minuscules moustiques. Les asperseurs diffusent une bruine légère. Je gare la Boulette sur une marelle dessinée à la craie, à l'ombre d'un dôme de verdure. Par le toit décapoté, je perçois une odeur d'herbe tondue, de barbecue et de crépuscule.

J'emprunte un étroit sentier et ouvre un portail en fer forgé, dont les gonds ont besoin d'être graissés. Le gravier crisse sous mes pas. Je monte les marches d'ardoise. La sonnette fait ding-dong avec un timbre digne et grave, comme les cloches d'une cathédrale médiévale. Il met du temps pour ouvrir. Je jette un œil à ma montre. Bientôt sept heures. Il doit avoir bien des salles de bal à traverser.

Il porte une robe de chambre ornée d'un monogramme sur la poche de poitrine. Ses cheveux gris sont lissés par la lotion. À la main, il a un verre de cognac. Il ne dit pas un mot, m'observe, interdit.

Il est au courant. Je le vois dans son regard. Il est au courant pour la châsse. Et de tout ce qui s'est passé.

— Bjørn ? finit-il par s'étonner.

Comme s'il venait de se souvenir de qui j'étais.

— *Yes, Sir* ! Soi-même.

Pour une raison que j'ignore, je me sens comme un messager en retard ou un serviteur insubordonné.

— Il faut que je vous parle.

Il me laisse entrer. Son haleine sent le Martell. Il ferme la porte derrière moi. À clef.

Je n'ai jamais rencontré l'épouse du directeur Vies-

116

tad, mais je lui ai souvent parlé au téléphone. Sa voix frôle toujours l'hystérie. Même si son appel concerne simplement le dîner. À présent, elle se tient au milieu du vestibule sur le tapis, intriguée, les mains jointes sur le buste. Elle a vingt-cinq ans de moins que lui et est encore une belle femme. Ces étudiantes talentueuses et séduisantes qui craquent pour leur maître grisonnant ne laissent pas de me surprendre, quoique je devrais être le dernier à pouvoir porter un jugement en la matière.

Comment s'occupe-t-elle dans cette maison blanche au grand jardin ? Nos regards s'épousent une seconde ou deux, et c'est tout le temps qu'il me faut pour m'introduire dans son monde de regrets, d'ennui et d'amertume. Je lui souris poliment lorsque nous passons devant elle. Elle me répond. Son sourire pourrait facilement m'induire à penser que je ne la laisse pas indifférente.

Aux murs sont accrochées des lithographies de Kaare Espolin Johnson et des aquarelles colorées aux signatures illisibles. Nous passons devant un petit salon dont Viestad a l'habitude de parler comme de la bibliothèque. Un lustre tinte joyeusement.

Son cabinet de travail est exactement tel que je l'imaginais. Des étagères archipleines. Un bureau en acajou. Des boîtes en carton et des sachets en plastique transparents abritant des artefacts. Un globe. Là où naguère trônait sans doute une véritable moissonneuse-batteuse de machine à écrire Remington noire, un iMac.

— Ma caverne, annonce-t-il avec gêne.

Sa fenêtre donne sur des pommiers et sur le voisin, qui a une tête à s'appeler Preben et se contrefout des asthmatiques et de l'effet de serre, qui arrose allègrement son feu de brindilles d'une pluie de feuilles.

Le directeur Viestad me présente un fauteuil à dossier haut de style dragon et je prends place, tandis qu'il s'installe à son bureau.

— Vous devez savoir pourquoi je suis ici.

Sa mimique me confirme que j'ai raison. Le directeur Viestad n'a jamais été bon comédien. En revanche, il est considéré comme un administrateur de l'institut d'Archéologie talentueux et apprécié. Il a le sens de l'ordre, des responsabilités, de la loyauté. Et respecte les étudiants.

— Où avez-vous caché la châsse, Bjørn ?

— Que savez-vous à ce sujet ?

— Pratiquement rien.

Je le scrute.

— C'est vrai. Rien ! répète-t-il.

— Pourquoi demandez-vous où elle est, alors ?

— Vous l'avez volée dans le bureau de votre père.

Il a toujours parlé du professeur Arntzen comme de mon père. Bien que je l'aie prié plusieurs fois de ne pas le faire.

— La question de savoir qui l'a volé est résolument ouverte.

Il penche la tête en arrière.

— Bjørn, vous êtes obligé de la rapporter.

— Et puis ce n'est pas mon père.

Ses yeux se voilent de lassitude.

— Cognac ? propose-t-il.

— Je conduis.

Il va chercher une bouteille de cidre et un verre, me sert et se rassied sur son siège. Il s'appuie contre le dossier et se masse le coin des yeux du bout des doigts. Il lève son verre de cognac dans ma direction. Nous trinquons.

— Quand j'étais nouveau à l'université, j'ai vite appris qu'il était des choses contre lesquelles il ne servait à rien de lutter. Les moulins à vent, vous savez. Les puissances et les vérités académiques. Les dogmes scientifiques. Je ne comprenais pas forcément. Ça ne me plaisait pas vraiment. Mais je me suis rendu compte que certaines choses sont plus grandes que moi-même. Certaines choses sont plus grandes qu'on ne le soupçonne.

Je ne suis pas sûr de saisir son propos.

— Vous croyez en Dieu ?

— Non.

Ma réponse le prend de court.

— Peu importe. Vous êtes sûrement capable de comprendre que les croyants croient en Dieu sans mesurer sa toute-puissance.

La conversation a pris un tour qui me désoriente.

— Essayez-vous de me dire que ceci a un rapport avec le mythe du *Reliquaire des secrets religieux* ? Ou la source Q ?

Ma question lui fait l'effet d'une impulsion électronique dans le cerveau. Il se redresse sur son siège.

— Écoutez-moi, cette histoire n'est pas aussi simple que vous le pensez. Avez-vous déjà fait ces puzzles Ravensburger de cinq mille pièces ? Avec la photo d'une forêt et d'un château sur fond de ciel bleu ? En ce moment précis, vous en savez assez pour assembler trois pièces. Mais il vous en reste encore 4 997 avant de voir l'intégralité, avant d'avoir une vue d'ensemble.

Je le dévisage. Parfois, mes yeux rutilants sont légèrement hypnotiques. Et font parler les gens plus qu'ils ne le souhaitaient.

Il poursuit :

— Oui, le vieux mythe de la sainte châsse fait partie du tableau général. Et, oui, l'octogone fait partie du tableau général.

— Quel tableau général ?

— Je ne sais pas.

— Ils se sont introduits chez moi. Ça non plus, vous ne le saviez pas ?

— Non. Mais il faut que vous compreniez que la châsse est importante pour eux. Plus importante que vous ne le croyez.

— Je voudrais simplement savoir pourquoi.

— Je ne peux pas vous le dire.

— Parce que vous ne le savez pas ? Ou parce que vous ne le voulez pas ?

— Les deux, Bjørn. Le peu que je sais, j'ai prêté serment de ne jamais le révéler.

Je le connais suffisamment bien pour savoir que les serments sont quelque chose qu'il prend très au sérieux.

Dehors, quelque part dans le voisinage, une tondeuse à gazon électrique se tait. C'est seulement maintenant, le bruit ayant disparu, que je la remarque. Le silence envahit aussitôt la pièce.

— Mais ce que je peux vous dire, poursuit-il, c'est qu'il vous faut restituer la châsse. Il le faut ! Vous pouvez me la donner à moi si vous voulez. Ou à votre père. Ou au professeur Llyleworth. Il n'y aura pas de suites. Aucune réprimande. Aucune remarque. Aucune plainte contre vous. Je vous le promets.

— Il y a déjà une plainte contre moi.

— Déjà ?

— Oh oui ! La police est venue fouiner chez moi.

— La châsse a beaucoup de valeur.

— Mais je ne suis pas un bandit.

— Et eux non plus.

— Ils se sont introduits chez moi.

— Et vous, vous avez volé la châsse.

Égalité.

— Pourquoi leur avez-vous accordé l'autorisation d'entreprendre les fouilles ?

— À proprement parler, c'est la direction du Patrimoine qui a donné l'autorisation. Nous étions simplement un organe consultatif.

— Mais pourquoi ont-ils eu le droit ?

— Bjørn…

Il soupire.

— Nous parlons de la SIS. De Michael MacMullin. De Graham Llyleworth. Étions-nous censés dire non aux plus grands archéologues du monde ?

— Connaissez-vous bien Llyleworth ?

— Je le connais depuis quelques années.

Sa voix suggère davantage.

— Vous vous livrez à une véritable enquête, dites-moi ?

— Je n'ai pas besoin de beaucoup me forcer. Apparemment, tout le monde en sait un petit peu. Si je parle avec suffisamment de monde, je comprendrai peut-être de quoi il s'agit.

Il rit doucement.

— Ce n'est sans doute pas un hasard si chercheur rime avec enquêteur. À qui avez vous parlé jusqu'à présent ?

— Grethe entre autres.

— Et elle sait de quoi elle parle !

— Que voulez-vous dire ?

— Elle était très active à Oxford. À bien des égards.

Il me lance un regard furtif.

— Elle était professeur invitée et dirigeait des thèses quand votre père, votre vrai père, a écrit la sienne avec Llyleworth et Charles DeWitt.

Il frémit. Du regard il suit une mouche au plafond.

— C'est un vestige norvégien, dis-je. Quel que soit son contenu, quelle que soit son origine, ce Reliquaire reste et demeure un vestige norvégien. Dont la place est en Norvège.

Viestad inspire.

— Vous êtes comme un petit terrier hargneux, Bjørn. Vous aboyez contre un bulldozer sans comprendre à quoi vous vous mesurez.

— Ouah !

Il sourit.

— C'est l'indignation complaisante de la jeunesse ! Mais vous ne connaissez pas l'ensemble du contexte.

— En tout cas, je connais la loi sur les monuments historiques, qui interdit l'exportation d'artefacts archéologiques norvégiens !

— Inutile de me le préciser. Vous ne saviez pas que j'avais participé à son élaboration avant qu'elle passe au Storting ? Je connais chaque article en détail.

— Donc, vous devriez savoir que ce que Llyleworth a tenté est en violation de la loi norvégienne.

— Ce n'est pas aussi simple. C'est un hasard que la châsse ait été retrouvée ici. Elle n'est pas norvégienne.

— Et comment l'expliquez-vous ?

— Ne pouvez-vous pas juste me faire confiance ? Et donner la châsse à votre père ?

— Arntzen n'est pas mon père !

— À Llyleworth, alors.

— Le professeur Llyleworth est un con !

— Et moi, alors ? Que suis-je ?

— Je ne sais pas. Je ne sais plus que penser de quiconque. Qu'êtes-vous ?

— Une pièce du puzzle.

Viestad frappe ses jointures contre le bureau.

— Je ne suis qu'une pièce du puzzle. Nous sommes tous des pièces du puzzle. Des pièces insignifiantes.

— De quel puzzle ?

Il remplit son verre de cognac. Pour la première fois de toutes ces années où nous avons travaillé ensemble, je vois pourquoi il fait craquer tant de jeunes étudiantes. Quand son visage perd son masque sombre et désabusé, il ressemble à un acteur américain de l'entre-deux-guerres. Le menton solide. Les pommettes hautes. Les sourcils comme deux arcs-en-ciel incolores sur son front. Avec ses yeux sombres, il voit jusqu'au fin fond de mon âme.

— D'un puzzle qui n'est pas de notre niveau, à vous et moi, Bjørn.

Sa soudaine connivence m'embarrasse. Je fais semblant de tousser.

— J'ai quelques questions.

Il se tait, me lance un regard interrogateur.

— Ah oui ?

— Comment le professeur savait-il où creuser pour trouver l'octogone ?

— Quelqu'un a dû tomber sur une carte. Ou sur de nouveaux renseignements.

— Pourquoi a-t-il prétendu que nous cherchions un donjon rond ?

— Vous en cherchiez un aussi. Il a été érigé vers 970.

— Mais nous étions à la recherche de l'octogone, n'est-ce pas ?

— Oui.

— Et Llyleworth savait qu'une châsse s'y cachait ?

— Vraisemblablement.

— Saviez-vous qu'elle était en or ?

À en juger par sa réaction, il l'ignorait.

— Que savez-vous de Rennes-le-Château ?

Il semble sincèrement stupéfait.

— Pas grand-chose. C'est un village de France où

la découverte de prétendus parchemins a éveillé un intérêt pseudo-scientifique.

— Vous ne savez donc rien d'un trésor historique ?

L'expression de son visage est de plus en plus déconcertée.

— Un trésor ? Vous voulez dire à Rennes-le-Château ou au monastère de Værne ?

— Llyleworth connaît-il le contenu de la châsse ?

— Vous en posez des questions. Mais il faut que vous compreniez que je suis une pièce encore plus petite que les autres. Je suis la pièce bleue tout en haut à droite du puzzle. Celle qui ne sert qu'à compléter l'image du ciel.

Il se penche sur son bureau, hilare.

— Bjørn, commence-t-il à voix basse, mais le téléphone sonne.

Il décroche avec un « oui » bref. Passe ensuite à l'anglais. Non, il ne sait pas. Suivent plusieurs « yes », et dans ses yeux je perçois que l'un de ces « yes » est une réponse à la question de savoir si par hasard je ne me trouverais pas chez lui en ce moment. Il raccroche. Je me lève.

— Vous partez déjà ?

— J'ai cru comprendre que vous alliez avoir de la visite.

Il fait le tour de son bureau et pose une main sur mon épaule.

— Faites-moi confiance. Restituez la châsse. Ce ne sont pas des bandits. Ils ne sont pas malfaisants. Ils ont leurs raisons. Croyez-moi. Ils ont leurs raisons. Mais ceci n'est pas un jeu pour des gens comme nous.

— Des gens comme nous ?

— Des gens comme nous, Bjørn.

Il me raccompagne dans l'entrée, sa main ne quitte pas mon épaule. Peut-être envisage-t-il de me retenir de force. Mais quand je chasse cette main, il n'exerce aucune résistance. Il se tient sur le seuil et m'observe tandis que je me hâte de partir.

Derrière un rideau, au premier — j'ai la conviction que c'est la fenêtre de la chambre à coucher — sa femme me salue de la main. En descendant vers la Boulette, je fabule et me dis qu'en fait, ce n'était pas un signe d'adieu, mais un signe de la rejoindre. Ma perception de la réalité n'est pas toujours irréprochable.

6

Une pièce blanche de quatre mètres sur trois. Un lit. Une table. Un placard. Une fenêtre. Une porte. Pendant six mois, ce fut mon univers.

Pendant les premiers temps, à la clinique, je n'ai pas fait un pas hors de la chambre. Je passais de longs moments à me balancer, assis sur le lit ou par terre, le visage entre les jambes et les bras au-dessus de la tête. Sans avoir la force de croiser le regard des infirmières qui venaient avec leurs médicaments dans de petits gobelets en plastique transparent. Quand elles me passaient la main dans les cheveux, je me repliais comme une anémone de mer.

Tous les jours, à la même heure, elles m'emmenaient voir le docteur Wang qui, assis dans son fauteuil, disait des choses intelligentes. Je ne le regardais jamais. Quatre semaines se sont écoulées avant que je lève les yeux et rencontre les siens. Et, cependant, il continuait de parler. J'écoutais.

Au bout de cinq semaines, je lui ai coupé la parole : qu'est-ce que j'ai ?

Il faut chercher *dans* l'enfance, avait-il coutume de dire.

Très original.

Au cours de l'enfance, vous vous formez en tant que personne. C'est alors que la vie affective se pétrit dans le cerveau.

J'étais un enfant heureux.

Toujours ?

Je lui ai raconté que j'avais grandi comme un prince choyé dans un palais de pourpre et de soie.

Jamais d'événement douloureux ?

Jamais, ai-je menti.

Vous battaient-ils ?

Avez-vous été maltraité ?

Sexuellement abusé ?

Vous enfermaient-ils dans des pièces obscures ?

Vous disaient-ils des méchancetés ?

Vous harcelaient-ils ?

Blablabla…

Dans le couloir, devant son bureau, se trouvait une horloge. La tyrannie du temps. Toutes les horloges du monde s'enchaînent les unes aux autres dans le tic-tac du consensus général. Mais cette horloge était différente. C'était l'un de ces modèles télécommandés par ondes radio à partir de l'horloge atomique d'Hambourg. Je pouvais passer des heures à suivre le vol plané de la trotteuse sur le cadran.

Cette année, à la fin du printemps, je suis retourné voir le docteur Wang. Je voulais de l'aide pour travailler quelques souvenirs qui m'étaient revenus à pas de loup au creux de la nuit. Sur les circonstances de la mort de papa. Toutes ces petites étrangetés, qu'enfant, je n'avais pas vraiment comprises. Chaque petit épisode est un fil dans un écheveau embrouillé. Le docteur était content que je lui parle enfin de ce qui s'était passé l'été de la mort de papa. Quelque chose avait dû se débloquer en moi.

Il a dit qu'il en saisissait davantage à présent. Tant mieux pour vous, lui ai-je répondu.

C'est le docteur Wang qui m'a conseillé de coucher mes souvenirs sur le papier. Cela permet de rendre les choses plus réelles, a-t-il observé. Vous y voyez plus clair, comme si vous voyagiez dans le temps et reviviez tout cela.

Ah bon ! ai-je dit. Et j'ai écrit.

7

Quand j'étais enfant et qu'on me traitait de visage pâle ou me jetait une brique à la figure, c'est auprès de maman que je me réfugiais.

Je gare la Boulette sur le revêtement rouille de l'allée. Une lumière chaleureuse et le *Roméo et Juliette* de Prokofiev se déversent par la fenêtre ouverte. Je discerne maman qui jette un œil dehors. Une fée dans le rayonnement.

Je serais injuste de prétendre que maman a essayé de m'oublier ou de me repousser. Mais à son amour s'est substituée une prévenance lointaine. Elle me donne l'impression d'être un cousin cher qui vient passer ses vacances dans le vieux pays.

Elle m'attend à la porte quand j'arrive en haut des marches.

— Tu es en retard.

Elle a cette voix cuivrée qui me raconte que c'est le soir, qu'elle a picolé toute la journée et ajouté quelques petits verres après le retour du professeur pour faire le plein.

— J'avais un certain nombre de choses à régler.

— Tu sais pourtant que nous dînons toujours à dix-neuf heures trente !

— Maman, le professeur Arntzen a-t-il déjà prononcé les mots « source Q » devant toi ?

— Trygve ! rectifie-t-elle d'un ton enjoué.

Quand il s'agit d'essayer de nous rapprocher, sa patience ne connaît aucune limite.

— La source Q.

— Cul ? ! Arrête tes bêtises ! pouffe-t-elle.

Nous entrons. Le professeur a vissé ses commissures de lèvres en ce large sourire de nouveau converti qu'il s'évertue à afficher depuis vingt ans, dans l'espoir qu'il me convaincra de l'accepter comme mon nouveau papa et comme l'ami fidèle et l'amant dévoué de maman.

— Bjørn, dit-il.

Froid, distant. Tout en continuant de sourire pour faire plaisir à maman.

Personnellement, je me tais.

— Où est-elle ? siffle-t-il entre ses dents.

— Les garçons, carillonne maman, vous avez faim ?

Nous avançons jusqu'au salon, cette oasis de tapis épais, canapés mœlleux, tentures en velours, vitrines et lustres qui vibrent joyeusement dans la brise d'été. Au milieu de la pièce s'étire un tapis persan sur lequel il est défendu de marcher. La porte double entre le salon et la salle à manger est ouverte. Sur la table brillent les bougies d'un candélabre et trois assiettes en porcelaines peintes à la main. Dans la cuisine j'entends un chien se hisser péniblement sur ses pattes, il est à moitié sourd et vient de se rendre compte de l'arrivée d'étrangers à la maison.

— Où est Steffen ?

— Au cinéma, répond maman. Avec une jeune fille. Une jeune fille absolument délicieuse.

Elle glousse.

— Ne me demande pas qui elle est ! Il y en a une nouvelle tous les mois…

Elle le dit avec coquetterie, fierté, comme pour souligner que c'est là une joie que je ne lui ai jamais faite. En contrepartie, je n'ai pas non plus attrapé le sida ni de chancres génitaux suppurants.

Ma relation avec mon demi-frère n'a jamais été affectueuse. C'est un inconnu. À l'instar de son père, il a pris le commandement de ma maman. Pour me laisser sur le perron, dehors, dans le froid.

Le professeur et moi nous asseyons. Nous avons des places attribuées dans cette maison.

Lui et maman chacun à un bout de la table, moi au centre, un rituel.

Quand maman ouvre la porte et disparaît parmi ses marmites, le braque du professeur émerge péniblement de la cuisine. Il a 14 ans et s'appelle Breuer. Ou Brøyer. Je n'ai jamais pris la peine de me renseigner. On affuble les chiens de noms hautement ridicules. Il me regarde en remuant la queue. Puis la queue s'arrête. Il ne me reconnaîtra donc jamais. Ou alors il s'en fout. L'indifférence est réciproque. Il s'affale au milieu de la pièce, comme si quelqu'un avait retiré un fil d'acier de son échine. Il bave. Me regarde avec ses yeux malades. Purulents. Qu'on puisse aimer un chien me dépasse.

— Il faut que tu rendes la châsse !

Le professeur chuchote les mâchoires serrées.

— Tu ne sais pas ce que tu fais !

— Vous m'avez demandé de surveiller.

— Justement !

— Professeur, dis-je de mon ton le plus glacial

passablement réfrigérant, c'est précisément ce que je fais.

Maman apporte le rôti, puis se précipite dans la cuisine pour chercher les pommes de terre, la sauce et enfin mon gratin.

— Ce n'est pas de ma faute si c'est froid, prévient-elle sur un ton de reproche enjoué.

Elle promène son regard de moi au professeur.

— Qu'est-ce que tu me demandais sur Trygve et le cul ?

Le professeur me lance un coup d'œil surpris.

— C'est un malentendu.

Maman a fêté ses 50 ans l'an dernier, mais on lui donnerait à peine quelques années de plus que moi. Steffen a eu de la chance d'hériter de ses traits à elle plutôt que de ceux du professeur.

Le professeur découpe le rôti pendant que maman verse du vin pour elle et lui et de la bière sans alcool pour moi. Je me sers de gratin de brocolis. Maman n'a jamais compris pourquoi j'étais devenu végétarien, mais elle cuisine bien les légumes.

Le chien me fixe. Il a déroulé ses cinquante centimètres de langue mouillée sur le tapis.

Le professeur raconte une blague que j'ai déjà entendue. Il rit artificiellement de sa propre facétie. Comment maman a pu choisir de partager sa vie et son corps avec lui m'échappe. Ce sont des pensées de cet ordre qui parfois perturbent mes bonnes manières.

— Tu es allée sur la tombe aujourd'hui ?

Le regard de maman croise celui du professeur, mais n'y trouve aucun repaire. Il partage une pomme de terre en deux et se coupe un petit morceau de viande, puis il le met dans sa bouche et mastique. Son flegme m'a toujours impressionné.

— Tu n'y es pas allé, toi ? rétorque-t-elle d'une petite voix.

Papa a été enterré un jeudi, une semaine après l'accident. Autour du cercueil le sol était couvert de fleurs. J'étais au premier rang avec maman et Farmor. Chaque fois que je levais les yeux sur le crucifix de l'autel, je pensais à la hauteur où papa s'était trouvé quand il avait perdu prise. Des couronnes avec des messages sur des rubans mortuaires étaient posées devant le cercueil qui était blanc avec des poignées dorées. Papa avait les mains jointes, les yeux paisiblement fermés. Dans un sommeil éternel. Son corps était enveloppé de soie. Et, par ailleurs, maltraité jusqu'au méconnaissable. Le crâne brisé. Tant de fractures que ses bras et ses jambes étaient devenus mous et inarticulés.

— Le gratin de brocolis est délicieux.

Inutile de m'étendre davantage. Avec ma question, j'ai réussi à leur rappeler à tous deux que c'est un décès absurde qui les avait réunis et que c'est en réalité un autre homme qui aurait dû être assis à la table de maman.

— Elle était entretenue ? La tombe ?

Je considère maman avec stupéfaction. Sa question a un accent de colère. D'habitude elle ne riposte pas quand je suis désagréable.

— J'ai planté des narcisses.

— Tu m'en veux de ne jamais y aller !

Le professeur toussote et promène ses légumes dans son assiette.

Je sais très bien faire l'innocent.

— Mais maman, enfin !

Elle déteste aller sur la tombe de papa. Je ne crois pas qu'elle y soit allée depuis l'enterrement.

— Ça fait vingt ans, Lillebjørn ! Vingt ans !

Elle me fixe depuis le bout de la table. Ses yeux brillent de colère, elle est atteinte dans son apitoiement sur son propre sort. Ses doigts se referment brutalement autour de son couteau et de sa fourchette.

— Vingt ans ! répète-t-elle, vingt ans, Lillebjørn !

Le professeur lève son verre de vin rouge et boit.

— C'est long, reconnais-je.

— Vingt ans, dit-elle en me resservant encore.

Pour maman, excès et apitoiement sur son propre sort sont un art à cultiver.

Le chien tousse et crache une cochonnerie qu'il s'empresse de lécher avec délectation.

— Est-ce qu'il t'arrive de penser à lui ?

Ce n'est pas une question. C'est une accusation malfaisante. Je le sais. Elle le sait.

Le professeur s'éclaircit la voix :

— La sauce est bonne, chérie. Très bonne !

Elle ne l'entend pas. Elle me dévisage.

— Oui, dit-elle d'un ton sec, dont la colère contenue m'est étrangère, je pense à lui.

Maman pose ses couverts, plie sa serviette.

— Je sais quel jour nous sommes, va, fait-elle, exaspérée.

Elle passe en dialecte du Nord.

— Tous les ans ! Tous les étés ! Ne va pas croire que j'ai oublié quel jour nous sommes.

Elle se lève et quitte la pièce.

Le professeur ne sait pas vraiment s'il doit la suivre ou me faire des remontrances. Il devrait sans doute faire les deux, mais il reste assis à mastiquer. Regarde la chaise vide de maman. Me regarde. Baisse les yeux sur son assiette. Pas un instant il ne cesse de mastiquer.

— Il faut que tu la rendes ! dit-il.

Je me tourne vers le chien. Quelque chose dans

mes yeux lui fait pencher la tête et tendre les oreilles. Il couine. De sa gueule à demi-ouverte s'écoule de la bave qui fait une vilaine tache sur le tapis clair. Il se redresse à demi et puis il pète et s'en va.

8

La première chose que je remarque en me garant devant l'immeuble est la Range Rover rouge. Elle est vide.

Ils doivent croire que je suis bête ou aveugle.

La seconde, c'est le Roger qui fume devant l'entrée, assis sur la caisse de sable à répandre en cas de verglas.

La lumière de l'appartement du rez-de-chaussée l'éclaire latéralement et crée des ombres sur son visage. Si je ne le connaissais pas, j'aurais à peine fait attention à lui. Dans toutes les banlieues, des mecs comme lui zonent ainsi. Avec ses cheveux longs et son t-shirt Metallica froissé, il ressemble à n'importe quel criminel juvénile qui attend la première occasion de tirer le sac d'une vieille dame marchant avec une canne et de séduire votre fille de 13 ans. Mais comme le Roger ne traîne jamais devant l'immeuble, comme il est tard le soir, et comme une Range Rover vide est garée sur le parking, cette vision m'alarme.

Quand il m'aperçoit, il saute de la caisse.

— T'as des invités ? demande-t-il en m'ouvrant la porte.

Je l'interroge du regard.

Il appuie sur le bouton de l'ascenseur.

— Y a du monde dans ta turne ! Ils t'attendent.

Nous sortons au huitième et nous rendons chez le

Roger. J'emprunte son téléphone et appelle chez moi. Le répondeur est éteint. Quelqu'un décroche sans un mot.

— Bjørn ?

— Oui ? me répond-on.

Je raccroche.

Sur le canapé, le Roger se roule une cigarette.

— Ils ont débarqué il y a quelques heures.

Je me laisse tomber dans un fauteuil.

— Merci de m'avoir attendu.

Du bout de ses doigts jaunes, il roule et roule sa cigarette. Il humecte la colle du papier, roule une dernière fois et l'allume.

— Je ne sais pas quoi faire.

— Ben, t'as qu'à appeler les keufs ? suggère le Roger en ricanant.

Nous attendons à la fenêtre que la voiture de police quitte le périphérique et vienne jusqu'à notre immeuble.

Le Roger reste dans son appartement pendant que je retrouve les policiers dans l'escalier, au neuvième. Ils sont jeunes, sérieux, ont de l'autorité. Et viennent du Sunnmøre. Je leur tends la clef et reste dans le couloir. De toute évidence, le central n'a pas fait le lien entre mon appel d'urgence et l'enquête dont je fais l'objet. Cela n'arrivera sans doute pas avant que quelqu'un de la Crime feuillette la main courante au petit matin.

Quelques minutes plus tard, ils ressortent.

Ils sont trois. Le premier est fort, avec une expression rebelle dans les prunelles. Mon pote King Kong.

Le deuxième est un monsieur raffiné en costume et aux ongles manucurés.

Le troisième est le professeur Graham Llyleworth.

Tous trois pilent en m'apercevant.

— Ils vous attendaient, m'informe le policier. Dans le salon. Vous les connaissez ?

Son ton est sidéré, légèrement accusateur, comme si j'étais responsable de leur présence chez moi.

Je scrute longuement chacun des hommes. Puis je secoue la tête.

— Ils sont anglais, poursuit le policier.

Il attend une explication que je ne lui donnerai jamais.

Les yeux du professeur Llyleworth sont minces et profonds.

— Ça, vous allez le regretter ! grogne-t-il.

Les policiers les poussent vers l'ascenseur, brutalement, même si les trois hommes s'y rendent de leur plein gré.

Puis les portes se referment.

9

Quand il se rend compte qu'il n'y a pas d'échappatoire possible, un insecte replie les pattes et fait le mort. Parfois, je ressens le même besoin.

Peur et adversité ont un effet paralysant. En moi se déclare en cet instant une réaction nouvelle et inattendue : la colère. Je n'en accepterai pas davantage. Tel un insecte, j'ai l'intention de faire le mort juste un court instant. Puis je ramperai à l'abri d'un brin d'herbe pour rassembler forces et courage.

J'observe le Roger pendant si longtemps qu'il en est gêné.

— Est-ce que je peux dormir chez toi ?

Je ne suis ni courageux ni téméraire. Ils vont revenir. Ils ne vont pas tarder à perdre leur patience et leur bonne humeur.

— Bien sûr.

— Je vais partir faire un tour à l'étranger. Demain matin.

Le Roger n'est pas du genre à fouiner en posant des questions.

Nous descendons chez lui. Il me demande si j'ai sommeil. Je n'ai pas sommeil. Je suis complètement réveillé. Il met un CD, c'est Metallica, va chercher quelques bouteilles de bière Mack dans le réfrigérateur, puis allume une bougie noire qui dégage une odeur de paraffine.

Nous restons assis ensemble à boire des bières en écoutant Metallica et en attendant l'aurore.

III

L'AMANT

1

Je suis un homme qui en appelle davantage aux instincts des femmes qu'à leurs désirs. Elles voient en moi un fils perdu.

Quand j'avais 21 ans, maman m'a demandé de venir un dimanche pour parler de quelque chose. Nous étions seuls dans la grande maison. Le professeur et mon demi-frère avaient été expédiés en promenade. Maman avait fait des petits gâteaux et du thé. De la cuisine s'échappait un fumet de rôti et de choucroute. Et de gratin au fromage pour moi. Maman m'a installé sur le canapé et s'est assise dans un fauteuil en face de moi. Elle a posé les mains sur mes genoux et m'a regardé. À ses yeux injectés, j'ai compris qu'elle avait passé la matinée à se donner du courage. Elle était exceptionnellement belle. J'ai cru qu'elle allait m'annoncer que les médecins lui avaient découvert une tumeur et qu'il ne lui restait pas plus de six mois à vivre.

Et puis maman m'a demandé si j'étais homo-sexuel.

Elle devait s'interroger depuis longtemps. Pour elle, mon albinisme était invisible. Je pense qu'elle n'a jamais perçu le handicap que c'est, pour un albinos aux yeux rouges qui cherche à obtenir les faveurs d'une demoiselle, de rivaliser avec des garçons au teint doré, aux yeux bleus et aux cheveux blonds comme les blés.

Je me souviens du sourire soulagé qui a plissé son visage quand je lui ai garanti que j'étais attiré par les filles. Je me suis abstenu d'ajouter que les filles étaient attirées par moi dans une mesure un peu moindre.

Souvent, je me demande si c'est moi ou maman qui, sans autre forme de procès, a fermé les portes qui coulissaient entre nos existences. Après la mort de papa, on aurait dit qu'elle ne voulait plus entendre parler de moi. J'avais l'impression d'être un souvenir douloureux, une ancre flottante dans sa vie, et j'ai docilement endossé le rôle de l'exclu, du pathétique malheureux qui ne veut pas déranger là où il n'est pas désiré.

D'aucuns estimeront sûrement que j'ai été déraisonnable envers elle. Ai-je jamais — ne serait-ce qu'une seule fois — essayé de me mettre à sa place ? Ai-je jamais songé que sa vie était partie en lambeaux et qu'elle s'était efforcée de la rapiécer à l'aide de leurres alcoolisés et de l'amour d'un homme qui prenait ce qu'il pouvait avoir ?

À Londres je descends dans un hôtel de Bayswater. N'était la vue sur Hyde Park, il aurait aussi bien pu se situer à Ludwigstraße, à Munich, ou sur Sunset Boulevard, à Los Angeles. J'éprouve une certaine compassion pour les pianistes de concert et les stars de rock qui, après quatre mois de tournée, n'ont pas la moindre idée du pays où ils se trouvent.

La chambre est étroite, avec des murs crème et des reproductions sans caractère. Lit, fauteuil, bureau avec téléphone et classeur d'informations contenant aussi du papier à lettres satiné. Minibar. Télé. Penderie aux cintres esseulés. Salle de bains à carreaux blancs et petits savons emballés qui embaument l'hystérie de la propreté. Je ne suis jamais venu ici, et pourtant j'en ai l'impression. J'ai séjourné dans de nombreux hôtels dans ma vie. À la longue, ils deviennent tous identiques. Certains hommes disent la même chose des femmes.

Certes quelques femmes ont craqué pour moi, par curiosité, dévouement ou compassion, mais leur point commun à toutes c'est qu'elles ne savaient pas ce qu'elles faisaient. Aucune ne s'est beaucoup attardée à mes côtés. Je ne suis pas spécialement facile à aimer.

Je plais à un type particulier de femmes. Elles sont plus âgées que moi, portent des prénoms comme Mariann, Nina, Karine, Vibeke et Charlotte, ont fait de bonnes études, sont intelligentes et un brin névrosées. Profs. Attachées culturelles. Bibliothécaires. Assistantes sociales. Infirmières en chef. Vous voyez le genre. Elles portent leur sac à main en bandoulière, un châle et des lunettes, et débordent de prévenance et de bonté à l'égard des losers de la société. Fascinées, elles passent le bout de leurs doigts sur ma peau livide, et puis elles me racontent ce que les femmes trouvent délicieux.

La respiration saccadée, elles me montrent comment procéder. Comme si je ne l'avais jamais fait. Je ne les détrompe pas.

Une heure durant, je reste allongé sur le lit pour

me délasser après le voyage. Les mains jointes sur le ventre, je me repose, nu sur les draps frais et tendus. Le bruit de Bayswater Road et la musique de fanfare de Hyde Park se mêlent en une cacophonie étrangère qui m'accompagne au pays des rêves.

Mais je ne dors que quelques minutes.

2

— Charles *Who* ?

— Charles DeWitt !

Ses lunettes demi-lunes ont glissé sur le bout de son nez, et, avec un regard extirpé des tréfonds les plus obscurs de son congélateur, la femme de la réception m'observe par-dessus ses montures. Le nom a déjà ricoché six fois entre nous. Nous sommes tous deux en train de perdre patience. Elle a mon âge, mais fait dix, vingt ans de plus ! Sa queue-de-cheval est si serrée que ses traits en sont tirés, comme si elle avait subi plusieurs opérations ratées chez un chirurgien alcoolisé de Chelsea. Elle porte un tailleur ajusté rouge. Elle est le genre de femmes dont j'imagine qu'elles s'adonnent peut-être aux joies du sado-masochisme au creux de la nuit.

— M. DeWitt n'est pas là ?

Je suis extrêmement poli. Face à un dragon de son calibre, ne servent que les ronds de jambe et les sarcasmes.

— Je vais articuler, pour - que - vous - compre-niez...

Elle remue les lèvres comme si j'étais sourd.

— ... Il - n'y - a - personne - ici - qui - se nomme - Charles - DeWitt.

Je sors de ma poche la carte de visite trouvée chez Grethe. Le carton est jauni, les lettres sont frêles, mais le texte reste lisible : Charles DeWitt, London Geographical Association.

Je lui tends la carte. Elle ne la prend pas, mais fixe ma main d'un air indifférent.

— Se pourrait-il qu'il ait cessé de travailler ici ? Avant que vous ne commenciez ?

À son expression je comprends aussitôt que, tactiquement, cette question est un désastre. Derrière son comptoir briqué, dans son bureau d'accueil lambrissé, dont la moquette ne souffrirait pas d'un passage de tondeuse à gazon, avec un téléphone de standardiste sur sa droite, une vieille machine à boule IBM sur sa gauche, et devant elle des photos en couleur de son mari distingué, de ses merveilleux enfants et de son schnauzer nain, elle est la Maîtresse Incontestée de l'Univers. Ceci est son empire.

D'ici, elle règne sur le monde entier, du coursier au directeur général. La qualifier de réceptionniste ou de standardiste serait une monstruosité. Sous-entendre qu'elle ne sait pas tout de la London Geographical Association serait un blasphème.

— Cela, répond-elle, j'en doute.

Je me demande à quoi ressemble sa voix le soir, quand elle se glisse contre son mari, toute câline et émoustillée.

— Je suis venu de Norvège pour le rencontrer !

Elle me dévisage à travers une membrane de glace. C'est cette sensation qu'elles devaient avoir, les pauvres victimes humaines qui regardaient la grande prêtresse au fond des yeux quelques secondes avant qu'elle leur plonge un couteau dans le cœur.

Je me rends à l'évidence que la bataille est perdue. J'emprunte un stylo sur son bureau. Elle tressaille

Sur sa chaise, calcule vraisemblablement combien d'encre j'utilise.

— Eh bien, Madame, si néanmoins quelque chose vous revenait, voudriez-vous avoir l'amabilité de prendre contact avec moi...

Je lui tends ma propre carte de visite, où j'ai inscrit le nom de l'hôtel.

— ... à cette adresse ?

Elle sourit. Je n'en crois pas mes yeux. Un sourire pur sucre, sans doute dû au fait qu'elle comprend que je suis sur le départ.

— Bien entendu ! roucoule-t-elle en posant ma carte de visite tout au bord de son bureau.

Au-dessus de la corbeille à papier.

3

Autour d'un détail de construction apparemment simple, comme une colonne, s'articulent un savoir architectonique, une typologie et un jargon époustouflants.

Les deux colonnes en marbre que je suis en train d'admirer appartiennent à l'ordre ionique, vieux de deux mille cinq cents ans. À propos d'une colonne ionique, un historien de l'art pourra trouver à dire que « les extrémités des enroulements des volutes couvrent partiellement l'échine » et que la « base du fût est une alternance de scoties et d'astragales ». Bingo ! Toute science, tout domaine de spécialité, s'emmure dans une terminologie absconse. Nous autres restons à l'écart, bouches bées.

Les colonnes soutiennent un chapiteau et, dans le tympan, l'espace triangulaire du chapiteau, des chérubins et des séraphins s'ébattent autour des chiffres de l'année 1900.

Sur le mur en briques, de part et d'autre de l'entrée, sont vissées des plaques en laiton, si bien astiquées qu'elles renvoient l'image du bus rouge à deux étages qui passe derrière moi. Les lettres gravées sont argentées. Personne ne pourra accuser la Society of International Sciences de craindre la dépense.

La double porte est en hêtre rouge sang. Le heurtoir sert avant tout à rappeler qu'on n'entre pas ici comme dans un moulin. À ma droite — deux mètres sous la caméra de surveillance fixée au plafond — un interphone en plastique noir est encastré dans le mur. Comme pour s'excuser de cette abominable rupture de style, la sonnette est une fleur (ou un soleil ?) en or.

Je sonne. On m'ouvre. Sans question.

La grande réception évoque une banque où il faut prendre rendez-vous pour déposer de l'argent. Elle résonne d'un bourdonnement de voix basses et de pas rapides. Les murs sont lambrissés de boiseries brun profond à hauteur d'épaule, au-dessus desquelles sont accrochées des huiles probablement empruntées à la National Gallery. La céramique vernie du sol en mosaïque étincelle. Au centre du hall, partant d'une ouverture carrée dans le sol pour monter vers la verrière sous les nuages, un palmier semble se languir du Sahara.

Le seul élément qui détonne, c'est grand-mère.

Derrière un bureau si grand qu'on pourrait y jouer au ping-pong tricote une vieille dame aux cheveux gris. Elle me regarde. Gaie comme un pinson. Tricote bon train. C'est sûrement parce que le cadre s'harmonise mal avec une grand-mère tricotant que je suis déconcerté.

— Puis-je vous aider ? s'enquiert-elle d'un ton enjoué.

Ses aiguilles cliquettent l'une contre l'autre.

— Qu'est-ce que vous tricotez ?

Cela m'a échappé.

— Des chaussettes ! Pour mon petit-fils. *A darling !* Y avait-il autre chose ?

Sa question est posée sur le ton de la plaisanterie. Je l'adore. Dans les mains de quelqu'un qui a le sens de l'humour, je pourrais déposer mon cœur battant.

Je me présente et explique que je viens de Norvège.

— *The land of the midnight sun*[1]...

Elle sourit avec une mine experte, avant de poursuivre.

— ... Vous connaissez peut-être Thor Heyerdahl ?

Son rire est pétillant.

— Quel homme charmant ! Il passe régulièrement nous voir. Que puis-je faire pour vous ?

— J'espérais pouvoir rencontrer Michael MacMullin.

Ses yeux s'arrondissent. Elle pose son tricot. Je me sens comme un demandeur d'asile non attendu. De la planète Jupiter. Qui vient de demander de la monnaie pour le parcmètre où il vient de garer sa soucoupe volante.

— Grand Dieu...

— Quelque chose ne va pas ?

— Il... Je crains que M. MacMullin ne soit à l'étranger. Je suis franchement navrée ! Aviez-vous vraiment rendez-vous avec lui ?

— À proprement parler, non. Quand rentre-t-il ?

— Je ne sais pas. M. MacMullin ne dit jamais

---

1. *Le pays du soleil de minuit.*

quand… Mais peut-être que quelqu'un d'autre peut vous aider ?

— Je suis archéologue.

Ma langue a du mal à rester accrochée dans les virages, en anglais, archéologue compte un peu trop de consonnes qui s'enchaînent. « Rrrr… kay… olo… gist ».

— MacMullin est impliqué dans un programme de fouilles en Norvège.

— Ah ! vraiment ?

— Et il faut que je lui parle. Est-il joignable ? Sur un téléphone portable ?

Elle émet un petit rire découragé.

— Hélas. C'est vraiment impossible. *Quite impossible !* Vous comprenez, MacMullin a son bureau ici en sa qualité de président du conseil, mais il va et vient sans nous rendre de comptes à nous qui…

Elle s'approche et baisse la voix.

— … sommes chargés de l'ordre pour ces têtes en l'air. Mais, notre directeur pourrait peut-être vous assister ?

— Avec plaisir.

— M. Winthrop ! Un instant.

Elle compose un numéro interne et explique que M. Beltø est venu de *Norway* à seule fin de bavarder avec M. MacMullin — « *yes, really ! No, no rendez-vous ! Yes, isn't it ?* » — lui serait-il possible d'obtenir une audience chez M. Winthrop à la place ? Elle dit plusieurs fois « *aha* » avant de remercier et de raccrocher.

— Malheureusement M. Winthrop n'est pas disponible pour l'instant, mais son secrétariat m'a informée qu'il le serait demain. À neuf heures. Cela pourrait vous convenir ?

— Bien sûr.

— Et tout ce chemin depuis la Norvège, en plus !

La bibliothèque de la fondation est fermée aujourd'hui, mais grand-mère me donne la permission d'aller jeter un œil.

Ma fascination pour les bibliothèques remonte à mon enfance, quand maman me chassait dehors après l'école, pour que j'aille jouer au foot ou à la conquête du monde avec les garçons au teint hâlé et à la vue parfaite, et que je me réfugiais à la filiale locale de la bibliothèque Deichman. Quelque chose dans ces mètres et ces mètres de tranches de livres sur leurs rayons me plonge dans le recueillement. Le silence. Le classement alphabétique et thématique. L'odeur de papier. Contes, théâtre, vécu. Je peux passer des heures à errer dans la Deichman, regardant quelques livres pour en choisir un qui m'interpelle et m'asseoir avec, parcourant les notices dans les longs tiroirs étroits, faisant des recherches sur les ordinateurs.

Dans la bibliothèque de la SIS aussi règne un calme inexplicable. Comme dans une église. Je m'arrête au milieu de la salle et reste les bras croisés à contempler, ressentir.

— Je suis désolée, mais c'est fermé.

Sa voix est claire, un peu aiguë. Je me tourne dans sa direction.

Elle a dû rester sans un bruit à m'observer. Elle espérait, vraisemblablement, que je m'en irais. Si seulement elle se tenait coite. Elle est assise près des meubles d'archives. Sur sa jupe en tweed repose une pile de notices.

— La dame de la réception m'a permis de jeter un œil.

— Pas de problème !

Son sourire métamorphose son visage de jeune fille en quelque chose de plus mûr. Je devine qu'elle a autour de 25 ans. Elle a les cheveux mi-longs, blond vénitien et une tendance aux tâches de rousseur. Mignonne. Ce qui attire mon regard, ce sont ses yeux. Comme dans un kaléidoscope, ses iris chatoient en technicolor. Il m'est arrivé de songer qu'il existe des couleurs que je suis seul à connaître. Les couleurs ne se décrivent pas. Un chercheur pourra dire quelque chose sur la composition spectrale de la lumière, sur le rouge qui a une longueur d'onde comprise entre 723 et 647 nanomètres, mais en fin de compte chaque couleur est une expérience subjective. C'est pourquoi il est bien possible que nous voyions tous des couleurs connues de nous seuls. C'est une idée séduisante.

Comme le sont ses yeux.

Elle soulève la pile de notices pour la poser sur une table roulante. Elle est mince, pas très grande. Ses ongles sont très longs et pointus et vernis de rouge profond. Je n'ai jamais envisagé les ongles comme sensuels. Mais je ne peux voir les siens sans les imaginer me labourant le dos.

— Puis-je vous être utile ?

Son ton, son regard, sa frêle constitution — quelque chose en elle tend le ressort hélicoïdal qui me fait avancer. Elle a une présence nerveuse, une énergie inlassable.

— Je ne sais pas tout à fait ce que je cherche, dis-je.

— Et dans ces cas-là, ce n'est pas si facile de trouver non plus.

— Je me pose tellement de questions... Vous n'auriez pas une bonne réponse sous la main ?

— Quel genre de questions ?

— Je ne sais pas. Mais si vous trouviez une seule réponse, j'arriverai toujours à formuler une question.

Elle penche la tête sur le côté en riant, et, ici et là je succombe. Il m'en faut si peu.

— D'où venez-vous ?

— *Norway* [2].

Elle hausse les sourcils.

— *What do you mean - nowhere* [3] ?

Je roule le r :

— *Nor-way ! I'm an* [4]...

Je prends mon élan pour prononcer correctement.

— *archae-olo-gist* [5].

— En mission pour la SIS ?

— Pas précisément, non. Bien au contraire, si on veut.

Mon rire est tendu.

— Vous êtes ici pour faire des recherches ?

— Je suis venu pour rencontrer Michael MacMullin.

Elle me lance un regard furtif, surpris.

— Oh ! dit-elle finalement.

Ce son façonne ses lèvres en une jolie petite bouche en cœur.

— J'ai quelques questions à lui poser.

— Nous en avons tous.

Je souris. Elle sourit. Je rougis.

— Quel genre de bibliothèque est-ce ?

— Surtout des ouvrages spécialisés. Histoire. Théologie. Philosophie. Archéologie. Histoire culturelle. Mathématiques. Physique. Chimie. Astronomie. Sociologie. Géographie. Anthropologie. Architecture. Biographies. Et ainsi de suite...

---

2.   *Norvège.*
3.   *Que voulez-vous dire... de nulle part ?*
     Quasi homophonie entre *Norway* et *nowhere*, d'où la méprise.
4.   *Nor-vège ! Je suis...*
5.   *Arché-olo-gue.*

— Ah ! Les trivialités de l'existence, en somme...

Elle rit encore et me considère avec curiosité, se demande sans doute quelle sorte de créature je suis, et qui m'a libéré en soulevant la pierre.

— Et vous êtes la bibliothécaire ?

— L'une d'elles. Bonjour, je m'appelle Diane !

Elle me tend sa main aux ongles rouges. Je la serre.

— Je suis Bjørn.

— Ah ? Comme le joueur de tennis ? Borg ?

— Vous trouvez que je lui ressemble ?

Elle me jauge du regard, mordille son crayon.

— Eh bien, répond-elle d'un ton taquin, il avait peut-être à peine plus de couleurs que vous...

4

Je dîne à la cantine des végétariens sérieux de Londres. Dans mon élan, je choisis l'un des plats les plus chers du menu, une composition autour du chou de Bruxelles, du champignon de Paris et de l'asperge, avec une sauce à la crème aillée.

Je devrais penser à la châsse. À la manœuvre culottée de Llyleworth. Je devrais m'interroger sur le mystère qui entoure Charles DeWitt. Je devrais appeler Grethe. Elle aurait franchement pu m'expliquer. DeWitt a peut-être démissionné. Sa carte de visite ne semble pas des plus récentes.

Au lieu de quoi, je pense à Diane.

Je vois en toute femme une petite amie et future épouse potentielle, ce qui explique peut-être pourquoi je tombe si facilement amoureux. Un sourire, une voix, un effleurement... Je ne suis pas repoussant. Je suis pâle, mais je ne suis pas laid. On dit que j'ai des yeux gentils. Des yeux rouges, d'accord, mais des yeux rouges gentils.

Mes pensées naviguent autour des représentations que j'ai de mes énigmes intérieures, tandis que je mange mes choux, mes champignons et mes asperges en éclusant un pichet de vin.

Puis je rote et m'en vais.

5

Un jour, une prof de norvégien m'a posé une question.

— Si tu n'étais pas un humain, Bjørn, mais une fleur, quelle fleur aurais-tu voulu être ?

Elle trouvait toujours des questions des plus étranges. Je crois que ça l'amusait de jouer avec moi. J'étais une proie facile. J'avais 17 ans, elle en avait le double.

— Une fleur, Bjørn ?

Sa voix était douce, chaleureuse. Elle s'est penchée au-dessus de ma table. Je me souviens encore de son odeur ; chaude, épicée, pleine de secrets moites.

La classe se taisait. Tous se demandaient quelle fleur Bjørn aurait voulu être, ou alors ils espéraient que je bafouillerais en rougissant, comme j'en avais l'habitude quand elle se penchait au-dessus de moi avec tous ses parfums et ses tentations qui ballottaient.

Mais, pour une fois, j'avais une réponse à ses sempiternelles questions.

Je lui ai parlé du sabre d'argent.

Il pousse dans les cratères de volcans hawaïens. Vingt ans durant, il n'est qu'une pauvre boule couverte d'un duvet gris brillant. Il glane des forces. Soudain, un été, il explose en une somptueuse floraison jaune et pourpre. Et puis il meurt.

Ma réponse l'a épatée. Pendant un long moment elle est restée à ma table à me dévisager.

Mais qu'est-ce qu'elle croyait que j'allais répondre ? Un cactus ?

6

Le message est rédigé à la main avec une écriture d'adolescente, toute en boucles et fioritures, sur un papier de l'hôtel où est imprimé *Message à l'attention de nos clients* en lettres gothiques :

Pour M. Bulto, chambre 432 :
Veuillez appeler Mme Grett Linwoyen sans tarder !
Linda/Réception/Mardi 14h12

— C'est vous Linda ?
— Désolée ! Linda a terminé son service à trois heures.

Alors Linda doit être ce félin aux longues jambes qui était à la réception quand je me suis enregistré. *Linda, la fouine sexy.* Elle a sûrement de nombreuses qualités. Elle est certainement gentille et affectueuse. Elle est belle. Entre les mains habiles d'un tortionnaire, je ne nierais pas que son minois a attiré mon regard. Mais son point fort n'est pas l'orthographe.

Le message et ma carte magnétique à la main je monte l'escalier et vais dans ma chambre.

Je compose le numéro et laisse sonner longtemps.

Dehors, les bruits ont changé de nature par rapport à ce matin. Un bus, ou peut-être un camion, fait vibrer la vitre. Je suis assis sur le lit. La lumière du soleil ruisselle sur la tapisserie. J'éjecte mes chaussures, ôte mes chaussettes et me masse les pieds. J'ai des bouloches entre les orteils.

À l'autre bout, quelqu'un décroche le combiné. S'ensuit un long silence.

— Grethe ?

— Allô ?

La voix de Grethe. Lointaine, repliée sur elle-même.

— C'est Bjørn.

— Ah !

— Je viens d'avoir ton message.

— Oui.

Elle soupire.

— Je ne voulais pas…

Elle soupire encore.

— Grethe ? Quelque chose ne va pas ?

— Hein ? Non, rien.

— Tu sembles très absente.

— C'est… les médicaments. Peux-tu rappeler plus tard ?

— Bien sûr. C'était écrit que c'était urgent ?

— Oui. Mais je… ça ne tombe pas très bien.

— Grethe ? Qui est Charles DeWitt ?

Elle se met à tousser. Une quinte de râles. Elle pose le combiné sur la table avec un bruit sec et je m'imagine entendre quelqu'un lui taper le dos. Après une longue pause, elle reprend le combiné et chuchote :

— Peux-tu rappeler plus tard ?

— Grethe, tu te sens mal ?

— Ça… va… passer.

— Il y a quelqu'un chez toi ?

Elle ne répond pas.

— Il faut que tu appelles ton médecin !

— Je… me… débrouille.

— Qui est chez toi ?

— Lillebjørn, je… n'ai pas vraiment… la force de parler maintenant.

Puis elle raccroche.

En grandissant, je suis devenu attentif. Quand vous êtes un albinos introverti, vous apprenez à détecter les pulsations du langage. Même à l'autre bout d'une ligne téléphonique qui s'étire de Bayswater, Londres W2, à Thomas Heftyes gate, 0264 Oslo, en passant par des câbles sous-terrain et un satellite de télécommunications en orbite géostationnaire, j'ai perçu l'angoisse de Grethe. Elle mentait.

Je m'étends de tout mon long sur le lit et allume la télévision. À l'aide de la télécommande, je titube de chaîne en chaîne.

Au bout d'une heure, je rappelle Grethe.

Elle ne répond pas.

Je prends une douche rapide et regarde la fin d'un épisode ancestral de *Starsky & Hutch* avant de refaire le numéro. Je laisse sonner vingt fois.

Je passe une heure à feuilleter l'ouvrage de papa, Llyleworth et DeWitt. On a vu mieux comme somnifère. Leurs thèses vont chercher si loin que je ne suis pas sûr qu'il faille véritablement tout prendre au sérieux. Scénario extrême, la découverte du *Reliquaire des secrets religieux* risquerait de mettre fin à l'ordre social actuel, prétendent-ils, avant d'émettre, avec la prudence d'usage des chercheurs, tant de réserves que cette allégation perd tout son sens.

Lorsque j'arrive à la page 232, une lettre tombe. Elle est écrite à la main. Datée du 15 août 1974. Elle n'est pas signée. N'a pas de destinataire. D'abord je crois que c'est papa. L'écriture est identique à la sienne. Mais c'est impossible ! Si ce n'est que je reconnais les boucles de ses g et j et les traits au-dessus de ses u. Dans cette lettre, il raconte un projet d'expédition au Soudan. Ce que je ne saisis pas, c'est ce qu'une lettre de papa fait dans une thèse qui a passé vingt-cinq ans dans la bibliothèque de Grethe Lid Wøien.

C'est quelque chose dans la nuit.

Pour moi, la nuit est un espace de temps dont je préférerais me débarrasser en dormant. La nuit amplifie tout. Je me sens plus malade. Je ressasse les trivialités du quotidien, qui deviennent complètement disproportionnées.

Je devrais être fatigué. Épuisé. Mais je reste les yeux grands ouverts, braqués sur l'obscurité de la chambre d'hôtel. Dehors s'écoule lentement le flux régulier des voitures. Des touristes d'humeur festive braillent. Je pense à Grethe. À la châsse que j'ai cachée chez le Roger. Au professeur Llyleworth et au professeur Arntzen, à Charles DeWitt et à Michael MacMullin. À papa. Et à maman.

Mais avant tout je pense à Diane.

À deux heures et demie, je me réveille en sursaut et allume la lampe de chevet. Engourdi de sommeil, je compose le numéro de Grethe.

Dans un petit pays, dans une petite ville, dans

un appartement d'un immeuble de Frogner, un téléphone sonne dans le vide.

7

Il y a les façons agréables de se réveiller. Un baiser sur la joue. Le chant des oiseaux. Le *Quintette à cordes en do majeur* de Schubert. Le teuf-teuf du moteur d'un bateau en bois.

Et puis il y a les désagréables. La majorité. Comme la sonnerie d'un téléphone qui résonne.

Je tâtonne vers le combiné.

— Grethe ?

Il est huit heures et quart. Je me suis rendormi après le réveil.

— M. Beltø ? demande une femme.

Cette voix me dit quelque chose, mais je ne réussis pas à la situer.

— Oui ?

Elle hésite.

— l'appelle de la London Geographical Association.

Sa voix est tendue, froide, distante, et au même moment m'apparaît l'image de la furie derrière son bureau. La dominatrice SM a laissé sa jupe en cuir et son fouet à la maison pour revêtir sa petite tenue de secrétaire et son ton de mégère.

— Oui ?

Elle hésite encore. C'est là une conversation dont elle se serait bien passée.

— Il semblerait qu'il y ait eu un malentendu.

— Ah oui ?

— C'est vous qui cherchiez… Charles DeWitt ?

— Oui ?

Un rictus malfaisant courbe mes lèvres.

— *I'm terribly sorry* [6]...

Son ton est si sec que je pourrais décortiquer les mots et réduire chaque lettre en poussière.

— ... mais il semblerait qu'il y ait effectivement un Charles DeWitt rattaché à nous.

— Sans blague ?

J'exagère ma surprise pour prolonger son humiliation.

Sa façon de respirer m'indique qu'elle fait la moue. Je m'en délecte.

— Vous l'aviez oublié, peut-être ?

Elle toussote. Je comprends que quelqu'un à côté d'elle l'écoute.

— M. DeWitt serait ravi de vous rencontrer. Il n'est hélas pas à Londres pour l'instant, mais devrait atterrir dans la matinée. Il m'a demandé de prendre rendez-vous avec vous.

— Comme c'est gentil. Peut-être voulez-vous vous joindre à nous ? Pour faire sa connaissance ?

C'est un problème chez moi. Parfois je suis sarcastique.

Elle ne se donne pas la peine de répondre.

— Vous pouvez vous présenter à...

— Un instant !

J'ai envie de me faire prier. Je n'ai jamais caché que je pouvais être tout à fait diabolique.

— M. DeWitt n'aura qu'à me contacter quand il sera de retour. J'ai un programme chargé.

— M. Beltø ! Il m'a expressément demandé de...

— Vous aurez certainement l'amabilité de lui transmettre le numéro de l'hôtel. Il pourra m'y joindre cet après-midi ou ce soir.

---

6. *Je suis terriblement navré.*

— M. Beltø !

— La réception peut toujours prendre un message.

— Mais...

— Et transmettez toutes mes salutations à M. DeWitt, voulez-vous ! J'ai hâte de lui parler.

— M. Beltø !

Je raccroche en m'esclaffant et saute hors du lit. Dans ma valise, je trouve slip, chaussettes et chemise. Je m'habille avant d'appeler Grethe. L'absence de réponse a cessé de me surprendre.

Je vais dans la salle de bains. Mon urine sent les asperges de la veille. J'ai été sidéré d'apprendre que très peu de gens avaient un odorat leur permettant de détecter l'asperge dans l'urine. Je me raccroche à tout ce qui me rend unique.

8

— *Ah ! The mysterious M. Beltø* [7]...

Anthony Lucas Winthrop Jr. est un homme corpulent, de petite taille, avec une tête ronde et lisse comme une bille et un rire pétillant qui le fait ressembler à ces clowns dont on loue les services pour divertir des enfants gâtés aux anniversaires mondains. Il me tend la main. Ses doigts courts ont l'air de saucisses velues ornées d'anneaux en or. Ses yeux se plissent joyeusement vers moi, son visage irradie la chaleur et la prévenance paternelle.

Il ne m'inspire pas confiance. C'est quelque chose dans sa voix.

---

7. *Ah ! Le mystérieux M. Beltø !*

Guidé par la grand-mère au tricot, j'ai emprunté le large escalier en marbre jusqu'au deuxième étage, puis la longue enfilade de colonnes où résonnent les pas et les voix basses, avant d'arriver au secrétariat de Winthrop.

Il m'emmène dans son bureau.

« Bureau » n'est pas le mot. C'est un univers.

Au loin, près des bow-windows, je distingue sa table de travail. À l'autre extrémité, près de la porte, se trouve un salon. Entre les deux planent des nébuleuses, des comètes et des trous noirs.

— Faut-il en déduire, dis-je avec un ricanement taquin, que vous aimez jouer à Dieu ?

Son rire est hésitant.

— Je suis astronome. De profession.

Il fait un geste des mains, la mine gênée, comme pour laisser son métier expliquer le regrettable fait qu'il ait transformé cette pièce en espace miniature.

Il y a quelque temps, j'ai lu une brève sur la découverte d'un corps céleste qui émettait une matière à la vitesse apparemment supérieure à celle de la lumière. La nouvelle avait fait sensation au congrès scientifique de Cospar à Hambourg, mais, pour les journaux, une affaire aussi abstraite que la vitesse de la lumière n'était évidemment pas digne des gros titres. Ce mystérieux corps céleste avait été observé par une équipe internationale d'astronomes au radiotélescope, à 30 000 années lumières de la Terre. À un bon bout de chemin autrement dit. Si l'observation est correcte, se trouve ainsi torpillée la limite la plus absolue des lois de la nature : la vitesse de la lumière. Les perspectives sont étourdissantes. C'est aussi pourquoi les médias n'en ont pas fait leur une.

Nous déambulons à travers le système solaire et nous enfonçons dans le cosmos, au-delà de Proxima

Centauri et de la nébuleuse d'Andromède, jusqu'à sa table de travail. Mes mouvements ont fait vaciller les galaxies au bout de leurs fils de nylon.

— Si j'ai bien compris, vous allez voir Charles DeWitt plus tard dans la journée ?

— Je vois que vous êtes bien informé !

Avec un petit rire nerveux, Winthrop s'assied sur une chaise remarquablement haute. Je m'affale sur un siège remarquablement bas. Je pourrais aussi bien m'asseoir par terre. Dans l'un de mes accès récurrents de malfaisance pure, je songe que derrière un bureau astiqué, même un clown peut s'élever au rang de dieu.

— M. Beltø ! s'exclame-t-il d'un air guilleret en se balançant sur sa chaise et en tapant des mains, comme s'il attendait ce jour depuis des lustres. Alors… Que pouvons-nous faire pour vous ?

— Je cherche quelques renseignements.

— C'est ce que j'avais cru comprendre. Et qu'est-ce qui vous amène à la SIS ? Et à Michael MacMullin ? Oui, vous l'avez compris, il n'est pas là.

— Nous avons trouvé un vestige.

Oui ?

— Et je crois que MacMullin sait quelque chose dessus.

— Vraiment ? Qu'avez-vous trouvé ?

— M. Winthrop, dis-je d'un ton exagérément poli, ne perdons pas notre temps avec des conneries.

— Je vous demande pardon ?

— Nous sommes deux hommes intelligents. Mais de mauvais acteurs. Arrêtons donc de jouer la comédie.

Son humeur subit une altération presque imperceptible, mais palpable tout de même.

— Très bien, M. Beltø.

Sa voix s'est refroidie pour devenir strictement professionnelle, suspicieuse.

— Vous savez, bien entendu, qui je suis ?

— Vous êtes assistant de recherche à l'université d'Oslo. Contrôleur norvégien sur le chantier du professeur Llyleworth.

— Et vous savez donc, bien sûr, ce que nous avons trouvé ?

Il sursaute. Winthrop supporte mal la pression. Je l'aide.

— Nous avons trouvé la sainte châsse.

— C'est ce que j'avais cru comprendre. Franchement fascinant !

— Que pouvez-vous me dire sur le mythe du *Reliquaire des secrets religieux* ?

— Pas grand-chose, je le crains. Je suis astronome, pas historien. Ni archéologue.

— Mais vous connaissez le mythe ?

— Superficiellement. Comme l'Arche d'alliance. *Le Reliquaire des secrets religieux ?* Un message ? Un manuscrit ? Voilà ce que je sais.

— Et vous savez, bien entendu, que c'était cette sainte châsse que Llyleworth cherchait ?

— M. Beltø, la SIS ne donne pas dans la superstition. Je ne crois guère que Llyleworth ait espéré trouver une sainte châsse.

— Et si en l'occurrence ceci n'était pas de la superstition ? Mais par exemple une châsse d'or ?

— M. Beltø...

Il pousse un soupir défensif et lève ses deux chapelets de saucisses.

— Avez-vous emmené avec vous... l'artefact ? Ici ? À Londres ?

Je fais claquer ma langue en signe de négation.

— Il est en lieu sûr, j'espère.

— Bien entendu.

— Est-ce, demande-t-il la voix lointaine, une question d'argent ?

— D'argent ?

Parfois je suis long à la détente. Il me fixe. Je le fixe. Il a les yeux gris-bleu et des cils drôlement longs. J'essaie de lire dans ses pensées.

— Quelle somme envisagiez-vous ?

Au même instant, je saisis pourquoi cette voix m'est familière. Je lui ai parlé au téléphone. Il y a deux jours. Quand il s'est présenté comme le docteur Rutherford du Royal British Institute of Archaeology.

Je me mets à rire. Il m'observe, déconcerté. Puis joint son rire de clown au mien. Et nous restons ainsi à glousser dans la méfiance réciproque.

Derrière nous, à l'autre bout de l'univers, une porte s'ouvre. Un ange arrive en planant derrière nous, avec deux mugs et une théière en porcelaine sur un plateau en argent. Il nous sert sans un mot avant de disparaître.

— Je vous en prie, dit Winthrop.

Je lâche un morceau de sucre dans mon thé, mais passe sur le lait. Winthrop fait exactement l'inverse.

— Pourquoi refusez-vous de vous séparer de l'artefact ?

— Parce que le vestige est une propriété norvégienne.

Écoutez, commence t il avec agacement, avant de se ressaisir. M. Beltø, le professeur Arntzen n'est-il pas votre supérieur hiérarchique ?

— Si.

— Pourquoi n'obéissez-vous pas aux ordres de votre supérieur hiérarchique ?

Ordres, décrets, ordonnances, diktats, lois, règles, instructions, injonctions… la plupart des Britanniques trouvent quelque chose de rassurant dans toutes les réglementations de la vie. Mais tout en moi s'y oppose.

— Je n'ai pas confiance en lui.

— Vous n'avez pas confiance en votre propre beau-père ?

Mon échine se glace. Même cela, ils l'ont découvert.

Winthrop cligne des yeux et fait un bruit de cliquetis avec sa langue. Il a le regard vif.

— Dites-moi, M. Beltø, vous ne souffririez pas par hasard d'un brin de délire de persécution ?

Je ne serais pas surpris qu'il ait lu mon dossier médical. Et mon journal. Parfois, les paranoïaques eux-mêmes peuvent avoir raison.

— Qu'y a-t-il dans la châsse ?

— Je vous le redis, M. Beltø, il est de votre devoir de restituer ce qui, en aucun cas, ne vous appartient.

— Je vais la restituer.

— Merveilleux !

— … dès que je saurai ce qu'elle contient et pourquoi tant de personnes sont si fichtrement motivées pour la sortir en douce de Norvège.

— M. Beltø, allons !

— J'étais contrôleur pendant les fouilles !

Winthrop fait claquer ses lèvres.

— Certes. Mais je suppose que personne ne vous a dit ce qu'on cherchait ?

J'hésite. Je comprends qu'il va lever le voile sur une information que je ne suis pas censé connaître. Mais je sais aussi qu'il va vraisemblablement me servir un mensonge bien assaisonné, une voie sans issue séduisante.

— Une carte au trésor ?

Ses sourcils forment deux parfaits accents circonflexes.

164

— Une carte au trésor, M. Beltø ?

— Êtes-vous allé à Rennes-le-Château ces derniers temps ?

— Où ça ?

Il me regarde l'air innocent.

Je soigne ma prononciation.

— Rennes-le-Château ! Vous savez, l'église médiévale ? Les cartes au trésor ?

— Je suis navré. Je ne vois vraiment pas de quoi vous parlez.

— Dites-moi toujours ce qu'ils cherchaient vraiment.

Mal à l'aise, il tressaille, baisse la voix.

— Ils avaient une théorie.

— Une théorie ?

— Rien de plus. Une simple théorie.

— Qui consistait en… ?

Winthrop fait une drôle de grimace, sans doute destinée à donner l'impression de pensées profondes, mais ne ressemblant, au bout du compte, qu'à une drôle de grimace.

— N'est-ce pas stupéfiant de constater à quel point les civilisations anciennes n'étaient nullement aussi primitives qu'on aurait pu le croire ?

— Tout à fait.

— Elles possédaient un savoir, à la fois technologique et intellectuel, que des peuples, à leur stade de développement, ne sont absolument pas censés détenir. Elles connaissaient l'univers mieux que bien des astronomes amateurs d'aujourd'hui. Maîtrisaient les mathématiques abstraites. Comptaient d'excellents ingénieurs. Pratiquaient la médecine et la chirurgie. Avaient une fabuleuse notion des distances et des proportions, de la géométrie et de la perspective.

Je le scrute, essaie de lire son visage, ses yeux.

— Par exemple, vous êtes-vous déjà demandé pourquoi les pyramides avaient été construites ?

— À vrai dire non.

— Donc, vous savez pourquoi ?

— N'étaient-elles pas des tombeaux ? La grandiloquente gloire posthume des pharaons ?

— Représentez-vous la pyramide de Khéops, M. Beltø. Pourquoi une civilisation primitive s'est-elle lancée dans un projet d'une ampleur aussi phénoménale, il y a presque cinq mille ans ?

— Ils n'avaient sans doute rien d'autre à faire dans le désert à cette époque, dis-je pour faire le malin.

Il me gratifie d'un léger rire.

— On a émis bien des théories. Prenez le plus célèbre de ces somptueux tombeaux. La pyramide de Khéops, donc. Cent quarante-quatre mètres de haut lorsqu'elle a été érigée par le roi égyptien Khéops de la quatrième dynastie. Les archéologues et les pilleurs de tombes ont révélé une chambre de roi, une chambre de reine, des tranchées, des galeries, des conduits. Tout compris, les chambres creuses connues constituent 1 % du volume des pyramides. Vous me suivez ?

Je le suis.

Il se penche sur son bureau.

— Grâce aux technologies modernes, les chercheurs ont entrepris de scanner la pyramide. Ils n'ont pas tardé à découvrir bien plus de chambres creuses. Près de 15 % du volume en l'occurrence.

— Pas très surprenant.

— Certes non. Mais 15 %, M. Beltø ! C'est plutôt beaucoup. Mieux encore : cet équipement sensible a perçu des réflexions indiquant qu'un gros objet en métal était localisé à sept mètres sous la base de la pyramide.

— Un trésor ?

— Je vois que les trésors vous préoccupent. Et l'on pourrait sans doute dire que tout ce qui se trouve à l'intérieur d'une pyramide est, par définition, à considérer comme tel. En soi, la présence de métal dans une pyramide égyptienne n'est pas pour surprendre. Mais il n'était pas question d'un cercueil en or ou d'une collection d'objets en cuivre ou en fer. La taille et la masse de l'objet en métal étaient d'un ordre tel que les chercheurs ont dû vérifier leurs mesures à maintes reprises avant d'être assurés de la justesse des chiffres. Et en plaçant le matériel de radiographie dans différents angles et positions, ils ont réussi à présenter une silhouette de l'objet en métal. Ses contours, donc.

— Et qu'ont-ils vu ?

Winthrop se lève et marche jusqu'à un placard qui abrite un coffre-fort. Il tape un code. La porte s'ouvre dans un souffle. Winthrop sort une sacoche noire, l'apporte sur son bureau et descend la fermeture éclair.

— Ceci est une copie de la silhouette de ce qu'ils ont trouvé.

Il me tend une feuille dans une pochette en plastique transparent. À première vue, le dessin numérique ressemble à une navette spatiale.

Puis je me rends à l'évidence que, en effet, il représente une navette spatiale.

Coque oblongue, petites ailes, gouverne de profondeur.

Je lève les yeux vers Winthrop.

— L'an dernier nous avons creusé jusqu'à la galerie où se trouve l'engin.

— Qu'est-ce que c'est ?

— Vous ne le voyez pas ?

— Ça ressemble à un vaisseau spatial.

— Un astronef.

— Un astronef ?

— Tout juste.

— Attendez un peu. Un astronef, ratant son atterrissage dans le désert, a eu le malheur de s'échouer sous la pyramide de Khéops ?

Mon ton est caustique.

— Non, non, vous ne comprenez pas. C'est un astronef au-dessus duquel la pyramide a été construite.

Je lui octroie mon regard de chien battu. Celui qui dit : « Vous ne pensez tout de même pas que je vais avaler ce tissu d'âneries ? » Et puis je pousse un profond soupir.

— Vous connaissez peut-être les théories controversées du Suisse Erich von Däniken ?

— Oui ! Sur la visite d'extraterrestres sur Terre par le passé ?

— C'est exact.

Je baisse les yeux sur le dessin de l'engin aux allures de navette spatiale. Je regarde Winthrop.

— Vous n'êtes pas sérieux ? !

Il sort de la sacoche noire des schémas couverts de formules mathématiques.

— Des calculs, explique-t-il en poussant les papiers vers moi. La NASA a évalué les propriétés aérodynamiques du véhicule, afin d'adapter les futures navettes spatiales à partir de ce modèle.

Je croise les bras. Je ne me sens pas bien. Pas parce que je le crois, mais parce que ses mensonges sont de nature à cacher un secret certainement plus effrayant encore.

— Un astronef sous la pyramide de Khéops…

Mon inflexion sarcastique le laisse de marbre.

— Ce n'est certes pas facile à croire, concède-t-il.

Comme s'il avait déjà réussi à me convaincre.

Je bascule la tête vers la gauche, et puis vers la droite, comme si j'avais un torticolis. Je bois une gorgée de thé. Il est tiède et a le goût d'une boisson qu'on pourrait s'attendre à se faire servir dans la tente d'un riche Bédouin, au milieu du désert.

— Vous voulez donc me faire croire que la pyramide de Khéops a été érigée au-dessus d'une navette spatiale préhistorique ? dis-je lentement.

— Je le répète : un astronef. Nous supposons qu'il s'agissait de l'un des modules d'atterrissage d'un vaisseau mère plus grand, en orbite autour de la Terre.

— Oui, bien sûr.

— Vous semblez sceptique.

— Sceptique ? Moi ? Absolument pas. Mais dites-moi, comment expliquez-vous que les Égyptiens aient construit une gigantesque pyramide au-dessus du véhicule ? Le concept de « garage » n'existait guère il y a cinq mille ans ?

— Ils considéraient l'astronef comme sacré. Le vaisseau céleste des dieux.

— Quand ils ont fini par revenir, les extraterrestres ont dû être bien marris de trouver une pyramide gigantesque, et lourde qui est plus est, au-dessus de leur véhicule !

Il ne sourit même pas. Il s'imagine avoir ma confiance.

— Quelque chose a pu mal tourner au départ. Peut-être se sont-ils écrasés. Peut-être que le véhicule n'a pas pu décoller. Du sable dans le mécanisme ? Ou encore leurs astronautes ont pu mourir au contact de l'atmosphère terrestre. Ou de notre environnement bactériologique. Nous n'avons pas de certitudes. Nous en sommes encore au stade des devinettes.

— Donc vous n'avez pas essayé de tourner la clef de contact ?

— Pas tout à fait.

Il hésite.

— Il y a encore une théorie.

— Je n'en doute pas.

— Il se pourrait que l'astronef n'ait jamais été destiné à repartir. Que sa vocation ait été de transporter un groupe d'êtres, sans aucun doute humanoïdes, qui allaient rester sur Terre.

— Pour quoi faire ?

— Peut-être souhaitaient-ils coloniser notre belle planète ? Si cela se trouve, ils cherchaient à se reproduire. Certains pensent que ces êtres ont servi de modèles pour les récits de la Bible sur les beaux anges de grande taille. Ils étaient plus forts, plus grands que les hommes. Et d'une beauté inouïe. L'histoire religieuse nous a enseigné qu'il était parfois advenu que des anges fécondèrent nos femmes terrestres. Donc, d'un point de vue génétique, nous devons avoir une origine commune.

Je ris.

Il ne réagit pas.

— Et vous y croyez ?

— Il faut savoir reconnaître les faits, M. Beltø.

— Ou les mensonges.

Je l'observe. Longuement. Ses deux joues rondes finissent pas s'empourprer.

— Et la châsse ? Quel est le lien ?

— Cela, nous le découvrirons peut-être lorsque vous nous la restituerez.

Je ris en soufflant par le nez.

— Nous avons l'espoir que le contenu de la châsse

nous mène à ces extraterrestres. Pas nécessairement ceux qui ont atterri, ils ne sont sûrement pas immortels, enfin qui sait ?

Il lève les yeux au ciel.

— Mais leurs successeurs. Leur descendance. Il est possible que nous trouvions un message. Qu'ils nous auraient destinés.

Je nous laisse dans le silence.

Récemment, j'ai lu un article sur le médecin finlandais Rauni-Leena Luukanen, qui est spécialiste non seulement de maladies terre à terre comme la sinusite et les hémorroïdes, mais en outre de la philosophie pacifiste d'êtres de systèmes solaires étrangers. Elle a des contacts télépathiques réguliers avec les humanoïdes qui traversent la voûte céleste au-dessus de nos têtes. Parmi toutes les confidences qu'elle a reçues, m'émerveille surtout le fait qu'ils opèrent en six dimensions et voyagent dans le temps et l'espace, et la présence d'une délégation pour saluer Neil Armstrong lorsqu'il a fait ses premiers pas sur la Lune. Mais le plus fascinant découle néanmoins de ce que, tout comme moi, les humanoïdes sont végétariens : leur péché mignon est la glace à la fraise.

Je hennis. Peut-être perçoit-il chez moi un brin de méfiance.

— Pensez ce que vous voudrez, lâche-t-il d'un ton cinglant.

— C'est ce que je fais.

— Je vous ai présenté des faits. Tout ce que nous savons. Et croyons. Je ne peux rien faire de plus. Vous n'avez qu'à croire ce que vous voulez. Ou ne pas croire.

— Soyez-en assuré.

Il toussote et change de position sur sa chaise.

— Qu'est-ce que la SIS ?
— Ah !

Il tape dans ses mains. La question lui est agréable. C'est une question inoffensive. L'une de celles sur lesquelles il peut tenir pendant une heure ou deux dans les cocktails auxquels il assiste en compagnie de sa belle jeune femme qui, à coup sûr, a une liaison avec son professeur de tennis.

— La S-I-S, articule-t-il en reprenant son souffle avant chaque lettre. La SIS est une fondation scientifique. Établie en 1900 par les meilleurs chercheurs et scientifiques de l'époque. Le but était de coordonner le savoir de nombreuses branches scientifiques, afin de créer une banque collective de connaissances.

C'est comme s'il avait enclenché la cassette des visites de groupes scolaires.

— Remontez dans le temps !

Il gesticule.

— Jusqu'au début du XXᵉ siècle. Un nouvel optimisme ! Croissance. Idéalisme. Le monde économique connaissait l'essor des grandes industries. Une nouvelle ère s'épanouissait. Mais savez-vous où était le problème ?

— Non.

— Chacun ne pensait qu'à son petit domaine particulier. Et c'est là l'esprit qui a présidé à la fondation de la Society of International Sciences : surveiller le développement scientifique, coordonner, mettre en relation les chercheurs qui pouvaient tirer parti les uns des autres. Bref, penser global dans cet imbroglio de détails.

— Cela semble formidable. Et la SIS d'aujourd'hui ?

— Nous offrons soutien économique et expertise

dans toutes les branches scientifiques. Nous sommes financés sur le budget de l'État et par nos propriétaires, ainsi que par des dons d'universités et d'équipes de recherche du monde entier. Nous sommes plus de trois cent vingt employés en CDI. Plus une foule de chercheurs contractuels. Nous avons des contacts dans les plus grandes universités. Nous sommes représentés partout où s'effectuent des travaux importants.

— Je n'ai jamais entendu parler de vous.

— Ça alors, c'est étrange !

— Pas avant de découvrir que la SIS se tenait derrière les fouilles archéologiques qu'on m'avait chargé de — ha ! ha ! — surveiller.

Winthrop feuillette machinalement des papiers sur son bureau.

— Que pouvez-vous me dire sur Michael MacMullin ?

Winthrop lève le nez de ses papiers.

— C'est un grand homme, répond-il avec recueillement. Président de la SIS. Un homme d'un certain âge, très aisé, un gentleman, un cosmopolite ! Nommé professeur à Oxford juste après la guerre. Il s'est retiré de la recherche en 1950 pour consacrer sa vie à la SIS.

— Où est-il actuellement ?

— Nous l'attendons d'une minute à l'autre. Vous aurez bientôt l'occasion de le voir. Il a très envie de vous rencontrer.

— Quel est son domaine ?

Winthrop hausse les sourcils. À cause de son crâne chauve, on dirait qu'ils sont hissés sur le haut de son front par des élastiques fixés à l'arrière de sa tête.

— Vous ne le savez pas ? Il est archéologue. Comme vous. Et c'est votre père.

Diane est à son poste de travail et lit, les yeux plissés, le texte vert d'un ordinateur. Elle est mignonne quand elle plisse les yeux. Elle est mignonne quand elle ne plisse pas les yeux aussi.

Le soleil s'épanche par de grandes fenêtres et inonde la bibliothèque d'une douce clarté. Je me tiens tout près de la porte. Dans mes mains, je serre une brochure de la SIS enroulée. C'est Winthrop qui me l'a donnée. Lorsque nous nous sommes séparés, il a ri de son rire de clown idiot et s'est félicité que je sois aussi coopératif. Coopératif ? Il se figurait manifestement avoir rempli sa mission : j'allais courir droit au bercail pour lui rapporter cette maudite châsse. Il doit croire que je suis facile à convaincre. Et plus que légèrement stupide.

Avec un léger toussotement, qui génère de l'écho dans ce silence de cathédrale, j'avance d'un pas dans la salle. L'esprit ailleurs, Diane me lance un regard. Sa concentration se convertit en un sourire. La lumière me joue un tour : je crois la voir rougir.

— Vous revoici.

— Je viens de voir Winthrop.

Elle se lève et marche à ma rencontre. Ce matin, elle a sélectionné ses vêtements (je la vois d'ici) avec le plus grand soin : elle porte un chemisier en soie blanc écru, une jupe noire étroite qui sied à sa silhouette, des bas noirs et des chaussures à talons.

— On l'appelle « L'homme de la Lune », pouffe-t-elle en posant la main sur mon bras.

Je force un ricanement. Sous mon crâne, son effleurement a déclenché une averse d'hormones.

— Diane, pouvez-vous m'aider ?

Elle hésite un instant avant de répondre :

— Bien sûr.

— Ce n'est peut-être pas tout à fait évident.

— Je ferai de mon mieux. Mais l'impossible prend plus de temps.

— Il s'agit de renseignements que vous avez dans votre réseau informatique.

— Sur quel sujet ?

— Y a-t-il un endroit où nous puissions parler ? Sans…

Je baisse la voix d'un cran supplémentaire.

— … être obligés de chuchoter.

Elle attrape ma main (doucement, tendrement) et me guide dans la bibliothèque jusqu'à un bureau avec une porte en verre dépoli. Il est impersonnel. Des rayonnages couverts de larges classeurs. Une table anté-diluvienne rehaussée d'un écran d'ordinateur resplen-dissant sur un socle design. Un clavier relié par un câble spiralé au terminal posé sur le sol. Un cendrier vide. Un gobelet en plastique contenant une giclée de café et des mégots. Une chaise bancale. Diane s'assied dessus. Elle lève les yeux vers moi. Je déglutis et suis submergé par la conscience d'être seul avec elle et de pouvoir (tout à fait hypothétiquement) me pencher en avant et l'embrasser. Et, si elle me rend mon baiser, en soupirant tendrement peut-être, je pourrai (toujours en théorie) la hisser sur la table et lui faire sauvagement l'amour. Et le raconter ensuite au courrier des lecteurs d'un magazine pour hommes.

— Alors… Quel est votre problème ?

Mon problème est que j'ai un peu trop de problè-mes.

La chaise à barreaux grince sous mon poids.

— Vous êtes bonne en recherches ?

Je désigne l'ordinateur de la tête.

— Hmm, oui… C'est plus ou moins mon boulot.

— Il faut à tout prix que j'en sache plus sur MacMullin.

Elle me regarde. Je n'arrive pas vraiment à interpréter ce regard.

— Pourquoi ? fait-elle froidement.

— Je ne sais pas ce que je cherche, dis-je honnêtement.

Ses yeux ne lâchent pas prise. C'est seulement quand elle comprend combien je me sens oppressé qu'elle tire le clavier à elle, appuie sur F3 pour *Rechercher* et écrit à toute vitesse *Michael &! MacMullin*. La bécane goûte la question en bourdonnant avant de répondre *16 documents trouvés. 11 protégés.*

— Vous voulez une impression ? Des fichiers inaccessibles.

— Inaccessibles ?

— Onze fichiers sont protégés. Il faut un mot de passe pour accéder aux informations.

— Vous n'en avez pas ?

— Si, bien sûr. Mais regardez...

Accès interdit. Niveau 55 requis répond la machine.

— Qu'est-ce que ça veut dire ?

— Nous opérons à plusieurs niveaux. Le niveau 11 est celui auquel tous les utilisateurs ont accès, y compris les personnes extérieures. Le niveau 22 protège les données qu'on ne peut sortir sans prouver un besoin légitime. Par exemple, sur des programmes de recherche en cours. Le niveau 33 protège les fichiers de données non publiques, c'est l'autorisation que nous avons à la bibliothèque. Le niveau 44 concerne les renseignements sur le personnel et l'administration interne. Et puis il y a le niveau 55, dont seuls les dieux savent ce qu'il protège. C'est-à-dire la direction de la SIS.

— Êtes-vous reliés à une base de données ?

Diane me regarde comme si c'était une question stupide. C'est une question stupide.

— Nous sommes une base de données. Vous n'avez jamais entendu parler de nous ? SIS Bulletin Board [8]. Ou *www.soinsc.org.uk*. La plus grande du monde dans ce domaine. Nous avons des abonnés dans les universités et les institutions de recherche de la terre entière.

— Quel genre de données ?

— Tout ! Tout ce qui se rapporte à la science et à la recherche et ce dans quoi la SIS a été impliquée. C'est-à-dire tout. Notre base de données est constituée de notre propre matériel, classé chronologiquement, mis à jour et assorti de références connexes. Tous les rapports et les descriptifs de chantiers sont entrés. En outre, nous enregistrons des articles pertinents publiés par Reuter, Associated Press, *The Times*, *The New York Times* et d'autres médias sérieux.

— Vous pouvez chercher n'importe quoi ?

— À peu près.

— Essayez *Le Reliquaire des secrets religieux*.

— Quoi donc ?

— Une relique.

— *Le Reliquaire de quoi ?*

Je répète. Elle tape. Nous obtenons neuf résultats. Le premier nous renvoie à la thèse que papa, Llyleworth et DeWitt ont écrite en 1973.

Le deuxième résume le mythe :

Le Reliquaire des secrets religieux : mythe d'une relique ou d'un message dans une châsse d'or. D'après le philosophe Didactdemus (env. 140 après J.-C.), le message n'était destiné qu'au « cercle d'initiés le plus intime ». Le contenu du message est incertain.

---

8. Bulletin d'informations. (N.d.T.)

Le Reliquaire était conservé au monastère de la Sainte-Croix, env. 300-954 après J.-C., quand il a été volé. Les croisés auraient confié cette châsse à l'ordre des chevaliers de Saint-Jean en 1186, mais il n'existe aucune trace certaine de la châsse après la chute d'Acre en 1291. Des traditions orales laissent entendre que la châsse aurait été cachée par des moines dans un octogone.

D'après divers récits, l'octogone pourrait se trouver à Jérusalem (Israël), Acre (Israël), Khartoum (Soudan), Ayia Napa (Chypre), Malte, Lindos (Rhodes), Varna (Norvège), Sebbersund (Danemark).

Références connexes :
Arntzen/DeWitt/Llyleworthréf. 923/8608hg
Bérenger Saunièreréf. 321/2311ab
Rouleaux de la mer Morteréf. 231/4968cc
Varnaréf. 675/6422ie
Ordre des chevaliers de St-Jeanréf. 911/1835dl
Monastère de la Ste-Croixréf. 154/5283oc
Cambyse roi des Persesréf. 184/0023fv
Rennes-le-Châteauréf. 167/9800ea
Suaire de Turinréf. 900/2932vy
Clément IIIréf. 821/4652om
Institut Schimmerréf. 113/2343cu
Prophète Ézéchielréf. 424/9833ma
Qréf. 223/9903ry
Nag Hammadiréf. 223/9904an

L'accès aux autres documents — un joyeux mélange d'anciens mythes européens, de dynasties royales, de lignées aristocratiques, d'occultisme, de savoir hermétique et de références insaisissables — nécessite un mot de passe. Diane tape le sien. *Accès interdit. Niveau 55 requis*, répond la machine.

— Bizarre. D'habitude nous ne protégeons jamais les données générales avec un mot de passe. Uniquement les renseignements concernant le personnel. Se pourrait-il que certains de ces rois et prophètes soient employés chez nous ? glousse Diane.

Elle lève les yeux vers moi.

— Qu'est-ce que c'est que cette relique ?

— Dieu seul le sait. Faites une recherche sur le prophète Ézéchiel.

Elle obtient quatre résultats. Trois sont verrouillés. Le seul accessible renvoie à l'institut Schimmer.

— Vous savez ce qu'est l'institut Schimmer ?

— Un centre qui allie la recherche fondamentale en archéologie et en théologie. Entre autres.

— Essayez Varna. V-a-r-n-a.

Nous trouvons sept documents. L'un renvoie à la thèse de papa. L'autre aux chevaliers de Saint-Jean. Le troisième à un monastère à Malte. Le quatrième concerne les fouilles en cours du professeur Llyleworth. Le cinquième l'institut Schimmer. Les autres sont bloqués.

— Cherchez Rennes-le-Château !

Elle me regarde.

— Rennes-le-Château ?

Elle toussote et met un moment pour écrire le nom correctement et trouver le caractère « â ».

Nous obtenons dix-huit résultats. La plupart exclus de la consultation.

Diane imprime toutes les informations accessibles à propos de ce jeune prêtre pauvre qui avait trouvé des parchemins, dont le contenu demeure inconnu mais était de nature à faire sa fortune. Il est fait allusion à des liens avec les croisades, les ordres de chevaliers et à des conspirations ayant trait aux francs-maçons et aux diverses familles spirituelles.

— Pouvez-vous trouver toutes les fouilles auxquelles la SIS a participé ?

— Vous êtes fou ! Nous y serions encore demain.

— Et celles que MacMullin et Llyleworth ont dirigées pour la SIS ?

— Bien sûr. Mais ça peut prendre du temps.

Ça prend du temps. La liste de lieux et d'années est longue. En l'écumant, je tombe par hasard sur Ayia Napa à Chypre, Hsi feng-kow en Chine, Tioumen en Sibérie, Karbala en Irak, l'Aconcagua au Chili, Thulé au Grœnland, Sebbersund au Danemark, Lahore au Pakistan, Coatzacoalcos au Mexique et Khartoum au Soudan.

Dans la marge, apparaît plusieurs fois la mention « ASSSA », suivie d'une date. Diane m'explique qu'ASSSA signifie « *Archaeological Satellite Survey Spectro-Analysis Available* [9] ». C'est une photo-satellite réalisée à partir de mesures magnétiques et électroniques provenant de la terre. Ces images géophysiques peuvent révéler des ruines situées à plusieurs mètres sous le niveau actuel du sol. Cette référence se trouve aussi à côté de *Varna (Værne kloster) Norvège*. La photo satellite a été prise l'an dernier. J'ai lu des articles sur cette technique dans des revues spécialisées internationales.

— Le satellite a été lancé l'année dernière en janvier, commente Diane.

— Pouvez-vous me montrer la photo de Varna ?

Avec un soupir patient et un sourire qui n'est sûrement pas accordé à tous les chercheurs qui la sollicitent à ce point, Diane descend chercher la photo-satellite dans le magasin au sous-sol. Mais elle n'y est pas.

---

9.   *Analyse spectrale d'un relevé par satellite d'archéologie disponible.*

Graham Llyleworth a personnellement signé le bon de sortie du dossier.

— Continuons ! Qu'avez-vous sur les chevaliers de Saint-Jean ?

Un tas de choses. Nous trouvons des références connexes à l'institut Schimmer et au mythe du *Reliquaire des secrets religieux*, qui renvoie à son tour au monastère de la Sainte-Croix au sud-ouest de la vieille ville de Jérusalem. Le monastère a été fondé vers l'an 300, là où la légende et l'histoire sainte veulent que Loth ait planté les bâtons de pèlerin de trois sages envoyés par le Seigneur. Les bâtons se seraient enracinés pour former un arbre. La légende dit que la croix de Jésus a été faite de ce bois-là.

D'après le mythe du *Reliquaire des secrets religieux*, c'est au monastère de la Sainte-Croix que la châsse a été conservée jusqu'en l'an 954. Date à laquelle elle a été volée et cachée dans un nouveau lieu secret. Puis l'histoire ne fait plus référence à la châsse jusqu'en 1186, lorsque les croisés l'ont abandonnée à la garde des chevaliers de Saint-Jean.

— Cherchez Graham Llyleworth !

L'ordinateur trouve quarante documents. Presque tous sont des articles de journaux et des mentions dans des revues spécialisées. Mais les quatre derniers ne sont pas accessibles à la consultation.

— Cherchez Trygve Arntzen !

Cinq documents. Tous bloqués.

— Essayez mon nom !

Diane me lance un regard interrogateur. À toute vitesse, elle tape *Bjørn & Beltø*.

0 document trouvé.

— Et en l'orthographiant avec œ ?

Elle écrit *Bjœrn & Beltœ*.

Je devrais me sentir honoré.

Il se trouve que le réseau de la *Society of International Sciences* a remarqué le célèbre Bjœrn Beltœ de Norvège. *1 document trouvé.*

Mieux. Ce document est bloqué. Ce qu'ils savent sur moi est secret.

— Entrez votre mot de passe.

Nous regardons l'écran.

Accès interdit. Niveau 55 requis.

Quatre mots. Pas de quoi gloser. Quatre mots en vert, c'est tout.

10

On dit que les criminels libérés à l'issue d'une longue détention sont nostalgiques de la prison. Nostalgiques de la communauté derrière les murs, de la routine, de la camaraderie, de cette sécurité absurde au milieu des malfaiteurs, des violeurs et des condamnés pour meurtre.

Je les comprends. En ce qui me concerne, c'est pareil avec la clinique.

Diane connaît un bar sympa dans une petite rue près de Gower Street, pour déjeuner. Je ne le trouve pas très sympa. La décoration, les tables et les comptoirs sont tous en verre ou en miroir. Où que je me tourne, je vois ma bobine perplexe.

Tandis que je lui raconte la découverte de la châsse d'or, mes péripéties absurdes à Oslo, les allusions cachées de Grethe et ce qui m'amène à Londres, je savoure son regard et son attention. Je me sens comme un aventurier en mission palpitante. Et j'ai l'impression que Diane aussi me perçoit ainsi.

Lorsque nous retournons à la SIS, Diane me demande quels sont mes projets pour la soirée. Cette question détonne en moi comme une bombe à fragmentation d'espoir. Je fais un bond de côté pour éviter un pigeon nonchalant et réponds que je ne pense pas avoir de projets particuliers. Inutile d'avoir l'air complètement désespéré. Quatre pas plus tard, elle me demande si j'ai envie qu'elle me fasse visiter Londres. Je m'emplis à parts égales de félicité et de panique.

— Ce serait chouette, dis-je.

J'attends devant la SIS pendant que Diane court chercher les papiers sur Michael MacMullin. Un bon moment. Quand enfin elle sort et me tend la pile de feuilles, elle lève les yeux au ciel avec un rire forcé :

— Désolée d'avoir été si longue ! s'excuse-t-elle en poussant un gémissement forcé.

On dirait qu'elle a l'intention de m'embrasser furtivement. Hésitante, elle ajoute :

— Dis... pour ce soir, ce n'est peut-être pas une très bonne idée...

Sa phrase s'évanouit dans le néant. Elle croise mon regard.

— Oh ! et puis on s'en fout ! s'exclame-t-elle soudain. King's Arms Pub ! À sept heures et demie !

Je n'ai toujours pas ouvert la bouche. Elle prend son souffle pour parler, mais se retient. Une moto nous dépasse en accélérant.

— Au fait... J'ai une copine qui travaille à la bibliothèque du British Museum. Tu veux que je l'appelle ? Elle pourrait peut-être t'aider ?

— Super !

Et j'attends le baiser qui ne vient jamais. Elle me lance un regard. Je n'arrive pas à l'interpréter. Il abrite du non-dit.

— À ce soir.

Puis elle sourit et s'en va.

Dans un magasin dont les murs de CD se succèdent à l'infini, j'achète une compilation pour le Roger. *Satan's Children : Death Metal Galore* [10]. La pochette est ornée d'un dessin du diable qui joue de la guitare électrique. Les flammes de soufre lui lèchent les jambes. Une adorable petite chose que le Roger saura apprécier.

11

Moi aussi j'ai mes mauvaises habitudes. Quand vous avez gagné la course contre la montre des couilles à l'ovule, que vous avez ensuite erré dans l'enfance sans vous faire écraser par un conducteur bourré, puis tiré des bords à travers l'adolescence sans succomber à une overdose d'héroïne dans une montée d'escalier à l'éclairage bleu, quand vous avez enduré six ans sur le campus de Blindern et, de surcroît, réussi à décrocher un boulot dans le service public, alors, vous devez avoir le droit d'appuyer sur le milieu du tube de dentifrice et de laisser l'abattant des toilettes levé après avoir pissé. Avoir des mauvaises habitudes est un droit de l'homme. Je suis content de ne pas avoir de femme.

J'aime laisser ma brosse à dents au bord du lavabo. Comme ça, je sais où elle est. D'accord, c'est une mauvaise habitude. Ce n'est pas rationnel. Je m'en contrefiche.

À présent ma brosse à dents est sur le carrelage.

---

10. *Les enfants de Satan : death metal à gogo.*

Rien de très grave. C'est peut-être la femme de chambre. Ou le courant d'air de la fenêtre entre-bâillée. Ou Henri III ressuscité dans un nuage de vapeur et de soufre.

Je la ramasse et la repose au bord du lavabo, pour que la femme de chambre puisse avoir le plaisir de la mettre dans le gobelet en plastique sur la tablette du miroir.

Quand j'étais petit, ce n'étaient pas les histoires de sorcières cannibales ou de trolls sanguinaires qui me faisaient le plus peur. C'était l'histoire de *Boucle d'Or et les trois ours*.

Quand les ours grondaient « quelqu'un a dormi dans mon lit », je sombrais dans un abîme de frayeur. Je crois que c'était dû à mon respect extrême de l'inviolabilité du domicile.

La fermeture à glissière de ma trousse de toilette est fermée. Je la laisse toujours ouverte. Afin de pouvoir attraper au vol la boîte de préservatifs (extrafins, sans lubrifiant) quand je déboule dans ma chambre d'hôtel au milieu de la nuit avec mon harem de top models.

Il est quinze heures trente. Je compose le numéro de Grethe sur le téléphone vieillot de l'hôtel. Un modèle à cadran.

Au bout de dix sonneries, je raccroche.

Une bouffée d'angoisse me fait appeler le Roger. On dirait que je le réveille. D'ailleurs, c'est vraisemblablement le cas. Tout va bien ? Il grogne quelque chose qui signifie sans doute oui. La châsse est toujours en sûreté ? Il grogne oui. J'entends des gloussements derrière.

Puis j'appelle Caspar pour le prier de s'assurer qu'il n'est rien arrivé à Grethe.

— D'où appelles-tu ?

— De Londres.

Il siffle tout bas dans le combiné, on croirait le chuintement d'une bouilloire sur le feu.

— Sois prudent.

— Qu'est-ce que tu veux dire ?

— Tu es à Londres à cause de la châsse ?

— Et alors ?

— Il y a eu un cambriolage chez toi.

— Je le sais.

— Ah ? D'accord. Mais est-ce que tu devines qui étaient les malfaiteurs ?

— Attends. Comment es-tu au courant du cambriolage ?

— Parce que la police et le ministère des Affaires étrangères ont convoqué la direction du Patrimoine, et j'entends par là Sigurd lui-même, pour qu'il se porte garant du tout-puissant Graham Llyleworth.

Le rire sec de Caspar sonne comme un bruissement de papier.

— Et sais-tu qui l'accompagnait ?

— Raconte !

— L'un des cambrioleurs avait le statut diplomatique. Tu y crois, toi ? Le statut diplomatique ! On chuchote qu'il fait partie des services secrets. L'ambassade britannique a fait un vrai scandale. On aurait cru qu'il en allait de la sécurité nationale. Cette histoire est remontée directement au sommet, Bjørn ! Au sommet ! Le ministère des Affaires étrangères a fait de son mieux pour arranger les choses. Mais qu'est-ce que vous avez trouvé, bordel ?

J'enlève mes chaussures, me jette sur le lit et déplie le long accordéon de papier contenant les renseignements sur Michael MacMullin.

D'abord je lis un résumé par mots-clés de sa vie.

Pas de date ni de lieu de naissance. Bourse extra-ordinaire à Oxford, où il est devenu professeur d'archéologie en 1946. Professeur invité à l'université hébraïque de Jérusalem. Rôle central dans le travail de traduction et l'interprétation qui a suivi la découverte des rouleaux de la mer Morte en 1948. Président de la SIS à la même époque. Professeur *honoris causa* à l'institut Weizmann. Président de la London Geographical Association en 1953, de la Société d'Histoire israélienne en 1959. Cofondateur de la British Museum Society en 1968. Président du London City Finance and Banking Club en 1969.

Je lis ensuite des articles de revues spécialisées et de journaux. MacMullin a pris part à des séminaires, des congrès, des symposiums d'archéologie, de théologie et d'histoire dans le monde entier. Il a représenté la SIS sur les plus gros chantiers de fouilles archéologiques. Par l'intermédiaire de la SIS, il a financé une multitude de projets. Lorsque les rouleaux de la mer Morte ont été découverts à Qumrân, MacMullin a été parmi les premiers scientifiques occidentaux appelés. Pendant des années, il a fait office de médiateur dans le conflit entre les chercheurs juifs et palestiniens, concernant la propriété des fragments de manuscrits qui sont répartis entre l'université hébraïque de Jérusalem et l'institut Schimmer.

Quelques détails supplémentaires se distinguent dans cette liste détaillée de références : depuis 1953, il dirige l'Association internationale des Amis du Suaire de Turin et, depuis 1956, il est membre du conseil d'administration de l'institut Schimmer.

Je rappelle Caspar pour lui demander encore un service, en l'occurrence me recommander pour un séjour d'étude à l'institut Schimmer. C'est une pure inspiration du moment, mais j'ai le sentiment indéfinissable que cela pourrait m'être utile. Caspar ne me demande même pas pourquoi. Il promet d'envoyer la recommandation demain par fax avec le sceau et le tampon de la direction du Patrimoine. En principe, ils devraient alors ouvrir toutes leurs portes, et leurs tiroirs et placards, à une fouine de Norvège.

12

Me faire beau ne m'est pas très facile.

Les femmes sont capables de miracles avec du maquillage. Les laides deviennent belles. Les belles deviennent irrésistibles. Les hommes peuvent toujours se coiffer, se dorer la peau au jus de carotte, se laisser pousser la barbe. Mais sur moi, rien ne prend.

Dans les grandes occasions, je compense donc par les vêtements.

Ce soir, j'enfile un boxer CK et un costume Armani gris, une chemise blanche, ma cravate en soie à fleurs de lotus peintes à la main, des chaussettes noires, des chaussures en cuir. Je ferme mes poignets mousquetaires avec des boutons de manchette en or.

Au-dessous du col, je n'ai pas l'air si mal que cela.

Je me frictionne les joues à l'après-rasage Jovan, étale du gel dans mes cheveux très courts. Quand j'étais plus jeune, j'essayais d'arranger un peu mes cils et sourcils incolores avec du mascara que j'empruntais en cachette à maman. J'ai arrêté.

Je vais dans l'entrée et me jauge dans le grand miroir.

Pas un demi-dieu grec. Mais pas trop mal.

Je déchire l'emballage en plastique de la boîte de

Cho-San et détache un préservatif de la guirlande. Je suis un éternel optimiste. Et, dans mon pantalon, il en est un qui se gonfle d'espoir.

Linda de la réception m'examine des pieds à la tête quand je lui donne ma carte magnétique.

— Quelle élégance, M. Beltø, fait-elle la mine appréciatrice.

Est-elle perverse ? Est-elle excitée par les albinos ? *Linda, le lys libidineux.*

— Je ne savais pas que vous étiez rentré. J'ai pris un message pour vous.

Elle me tend le billet. *Charles DeWitt a téléphoné. Merci de le contacter sans délai.*

— De quand date le message ?

— J'ai oublié de le noter ? *Oooops, so sorry !* Il y a environ deux heures. Non, plus. Je venais de prendre mon service. Vers quatre heures, peut-être.

Elle a un petit rire d'excuse coquet, je devrais comprendre qu'elle est destinée à des missions plus importantes sur cette terre, que de se souvenir de l'heure à laquelle elle a pris un message pour un gandin albinos à la réception d'un hôtel deux étoiles à Bayswater.

Je consulte ma montre. Sept heures et demie.

Je remonte dans ma chambre et téléphone à la *London Geographical Association.* C'est le gardien de nuit qui répond. Il est grincheux. Sans doute vient-il de se lever. Il n'a jamais entendu parler de Charles DeWitt, il faut que je rappelle aux heures de bureau. Je le prie de vérifier dans l'annuaire interne pour s'en assurer. Un claquement retentit dans mes oreilles quand il jette le combiné sur la table. Je l'entends feuilleter. Derrière lui résonne la voix hystérique d'un commentateur sportif. Puis il revient. C'est ce qu'il disait, il n'a pas trouvé de DeWitt dans la liste téléphonique, je dois rappeler aux heures de bureau.

Dans l'annuaire, le nom de DeWitt n'apparaît qu'une seule fois : Jocelyn, Protheroe Road. Je compose le numéro.

— Résidence DeWitt, annonce une voix de femme noire.

Je me présente et demande si je suis en train de parler à Jocelyn DeWitt. Ce n'est pas le cas. Madame Jocelyn n'est pas chez elle, je parle à sa gouvernante.

— Peut-être pouvez-vous m'aider. Est-elle par hasard apparentée à un certain Charles DeWitt ?

Le silence se fait. Elle finit par dire :

— Oui. Mais c'est à Mme Jocelyn qu'il faut en parler.

— Quand l'attendez-vous ?

— Madame Jocelyn passe quelques jours chez sa sœur dans le Yorkshire. Elle rentre demain.

— Et M. DeWitt ?

Silence.

— Comme je vous l'ai dit, c'est à Mme Jocelyn qu'il faut en parler.

— Une dernière question : est-elle l'épouse de Charles DeWitt ?

Hésitante :

— Si vous le souhaitez, je peux dire à Mme Jocelyn que vous avez appelé.

Je laisse mon nom et mon numéro de téléphone.

13

Diane m'attend accoudée à un tonneau qui fait office de table tout au fond du pub. À travers l'écran de fumée, je ne la reconnais pas avant qu'elle remue les doigts dans un geste de femme du monde.

La tentante conception des âmes sœurs, l'idée que la chasse au grand amour n'est finalement que la quête de toute une vie de notre moitié céleste perdue, m'apparaît comme l'idée la plus romantique de la métaphysique. Du pur délire, bien entendu. Et cependant une idée séduisante. On ne peut pas exclure que Diane soit mon âme sœur, quoique toutes les filles dont je tombe amoureux m'inspirent cette réflexion.

Les hommes autour de Diane suivent son regard. Me voyant, ils observent de nouveau Diane. Sans doute pour vérifier si elle a la vue basse ou est attardée mentale. Ou accompagnatrice en promenade de santé avec son patient. Ou encore une belle petite pépée que j'ai commandée par téléphone.

Je fends la foule bruyante en m'excusant à droite et à gauche, avant de me presser entre Diane et un Allemand chantant une chanson à boire. Il existe plus de sept mille pubs à Londres, dont bon nombre ne sont fréquentés que par des touristes. Les Britanniques ont leurs abreuvoirs cachés. Je les comprends. Nous attirons un serveur à notre table avec un billet. Diane commande deux bières blondes. Nous les buvons vite.

La circulation s'écoule comme un fleuve de métal. Les fontaines de lumière des néons publicitaires se distordent sur les bords de mes lunettes. Je me sens égaré, sur une autre planète. Pour Diane, c'est la maison. Nous bavardons, elle a glissé son bras sous le mien, pleine de cette assurance que lui a donnée son reflet dans le miroir après des heures passées entre sa trousse de maquillage et son dressing. Elle porte des bas rouges, une jupe noire et un chemisier rouge sous une veste courte en velours. Je ne peux que fantasmer sur ses sous-vêtements. Elle a un petit sac dont la bandoulière barre sa poitrine. Ses cheveux sont rassemblés dans un élastique en tissu.

— J'ai pensé à parler à Lucy. Ne suis-je pas une bonne fille ?

— Lucy ?

— De la bibliothèque. Au British Museum. Elle était plus que disposée à t'aider.

— Plus que disposée ?

Elle pouffe.

— Lucy est toujours curieuse de mes histoires de mecs.

Tandis que Diane me parle de la joyeuse Lucy, je me demande si je suis une histoire de mecs.

J'aime les femmes calmes. Un peu timides, introverties. Pas celles qui sifflent les hommes dans les bars. J'aime les femmes qui sont pleines de pensées et de sentiments, mais ne les partagent pas avec tout un chacun. Je n'ai aucune idée du genre de femme qu'est Diane, ni de pourquoi je suis si attiré par elle, et encore moins de ce qu'elle voit en moi.

Sur Garric Street se trouve un restaurant végétarien français, fameux par son extraordinaire « menu potager » et par son addition salée. Lorsqu'on invite une femme à dîner végétarien, c'est courir à sa perte de ne pas aspirer à la perfection.

Je persuade Diane de goûter un ragoût de haricots gratinés au fromage. De mon côté, je commande un gratin d'aubergines et des asperges à la vinaigrette. Comme entrée, nous tombons d'accord sur des crêpes Suzette aux épinards et aux champignons de Paris, recommandées à contrecœur par le serveur zézayant qui cligne des yeux. Un avantage des restaurants végétariens est l'absence de préjugés des serveurs. Ils traitent albinos et autres clients avec exactement la même condescendance.

Le garçon prend notre commande et allume la bougie avant de se retirer, Diane met les coudes sur la table, joint les mains et me regarde. Parce que le restaurant est sombre, parce que mon visage est baigné d'ombres qui vont cacher mon rougissement, parce que ces petits détails-là me donnent une certaine protection, j'ose plaisanter sur l'indicible :

— Je sais pourquoi tu sors avec moi ce soir.

Mes paroles la prennent de court. Elle se redresse :

— Ah ?

— Tu es curieuse de savoir ce que les albinos deviennent à minuit.

Elle me fixe sans comprendre. Puis se met à rire.

— Dis-moi pourquoi, alors ?

Elle s'éclaircit la voix, se donne une contenance, me regarde en coin.

— Parce que tu me plais !

— Je te plais ?

— Je n'ai jamais rencontré quelqu'un comme toi.

— Non, ça, je veux bien te croire.

— Ne te méprends pas. Je l'entends dans un sens positif.

— Euh, merci.

— Tu n'es pas quelqu'un qui se rend facilement.

— Je crois qu'on dit aussi *têtu*.

Elle rit doucement et me lance un coup d'œil.

— Tu n'as personne dans ta vie ? En Norvège ?

— Pas en ce moment.

C'est un euphémisme. Je ne voudrais surtout pas paraître pitoyable.

— Et toi ?

— Pas en ce moment précis, moi non plus. Mais j'en ai sûrement eu une centaine.

L'espace d'un instant elle vacille entre rire et désespoir. Heureusement le rire l'emporte.

— Un sacré salaud ! lâche-t-elle dans le vide.

Je me tais. Gérer les chagrins d'amour des autres n'a jamais été mon fort. J'ai suffisamment de mal avec les miens.

Elle me regarde dans les yeux. J'essaie de soutenir son regard. Ce n'est pas tout à fait évident. Ma mauvaise vue entraîne des secousses des muscles de mon œil. On appelle cela le nystagmus. Les médecins pensent que c'est dû à une tentative conjuguée de mettre au point et de répartir la lumière qui inonde l'iris. Mais chez le commun des mortels, cela ressemble à un papillotement nerveux du regard.

— Tu n'es pas comme les autres, insiste-t-elle.

L'entrée arrive. Nous mangeons en silence.

C'est seulement une fois que le garçon nous a apporté le plat principal, servi du vin et sifflé « bon appétit » avant de serpenter vers sa cachette sombre et humide dans la cuisine que Diane s'anime. Elle m'observe longuement, tantôt en souriant, tantôt en se mordillant la lèvre. Elle pique un haricot qu'elle met dans sa bouche.

— Alors… Pourquoi es-tu devenu archéologue ?

Je lui raconte que c'est par goût de l'histoire, de la systématique, de la déduction, de l'interprétation, de la compréhension. Théoriquement, j'aurais aussi bien pu devenir psychologue. La psychologie est l'art de pratiquer l'archéologie de l'esprit. Mais je suis bien trop timide pour faire un bon psychologue. De plus, mon intérêt pour les problèmes d'autrui est minimal. Pas parce que je suis égoïste, mais parce que l'ampleur des miens me suffit.

— Qu'est-ce qu'elle a de si particulier cette châsse, Bjørn ?

Je promène mes asperges dans mon assiette en répondant :

— Elle renferme quelque chose. Quelque chose de très grand.

— Qu'est-ce que ça pourrait être ?

Je regarde dehors. Une camionnette aux vitres teintées est mal garée, tout contre le trottoir. Je pique une asperge en frissonnant. J'imagine les caméras et les micros derrière les vitres noires. J'ai parfois de la peine à tenir ma paranoïa en échec.

— Quelque chose de suffisamment grand pour qu'ils soient prêts à aller très loin pour le garder secret, dis-je tout bas.

— Et *ils*, qui est-ce ?

— Tout le monde. Personne. Je ne sais pas. MacMullin. Llyleworth. Le professeur Arntzen. La SIS. La direction du Patrimoine. Tout le monde. Toi aussi peut-être ?

Elle se tait.

— Ça, c'était une blague.

Elle plisse les yeux et tire le bout de sa langue. Je poursuis :

— Ils ont dû tomber sur quelque chose en 1973. À Oxford.

— À Oxford ?

— C'est là que tous les fils se croisent.

— En 1973 ?

— Oui ?

Son visage se bouleverse de douleur.

— Ça ne va pas ?

Derrière nous quelqu'un renverse une bouteille. Le garçon accourt avec un aboiement réprobateur.

Diane secoue la tête.

— Si, si, m'assure-t-elle d'un air absent.

— Il y a beaucoup d'éléments qui ne collent pas. Qui ne sont pas logiques.

— Peut-être que c'est toi qui n'en vois pas la logique.

— Qu'est-ce que tu en penses ? Comment la SIS pouvait-elle savoir exactement où la châsse était enterrée ?

Elle est sidérée.

— Nous savions ?

— Manifestement. En 1973, déjà, le professeur Llyleworth, DeWitt et papa spéculaient dans leur thèse sur la présence d'une châsse sacrée sur le site. Et c'est seulement cette année qu'ils ont jugé bon de la chercher.

— Pas étonnant, puisqu'ils n'ont eu les photos-satellites révélant la localisation précise de l'octogone que l'an dernier.

J'aurais dû faire le lien.

— La réalité n'est jamais telle que nous la percevons, dis-je. Il y a des gens qui tirent des ficelles que nous ne pouvons pas voir.

— Qu'est-ce que tu entends par là ?

— Ils savaient parfaitement ce qu'ils cherchaient. Et où chercher. Ils ont trouvé. Et puis je suis venu m'immiscer.

— C'est ce qui me plaît chez toi ! Que tu te sois immiscé !

— Eux sont sans doute moins enthousiastes.

— Ils n'ont qu'à s'en prendre à eux-mêmes.

— Maintenant, je suis un caillou dans leur chaussure.

— Bien fait !

Je ris.

— Toi, tu es vraiment remontée contre eux.

— C'est juste qu'ils sont tellement…

Elle secoue la tête, les mâchoires serrées.

— Le ragoût t'a plu ?

— C'était délicieux !

— Tu pourrais envisager de devenir végéta-rienne ?

— Jamais ! J'aime trop la viande !

Elle me fait un clin d'œil.

Il ne m'arrive pas très souvent de marcher dans Londres étroitement enlacé avec une fille délicieuse. À vrai dire, il ne m'arrive pas très souvent de marcher avec une fille tout court.

L'air est chaud, lourd, chargé. Ou alors c'est moi. Je fais signe aux voitures qui défilent. Je joue de la prunelle avec les filles… Un mendiant somnole assis contre une cabine téléphonique… Diane a glissé sa main dans ma poche arrière.

Je n'ai jamais dit à Diane dans quel hôtel j'étais descendu. Et pourtant c'est elle qui m'entraîne sur Oxford Street, puis Bayswater Road. Ou alors c'est mon inconscient. Je tente ma chance et passe mon bras autour de ses épaules.

— Je suis content de t'avoir rencontrée.

Nous traversons une rue en courant au feu rouge. Une Mercedes klaxonne.

— Vraiment content, poursuis-je en l'attirant à moi.

Soudain elle pile et agite la main. Je ne comprends pas ce qu'elle fabrique. Je cherche un moustique. Dans la mesure où il y a des moustiques dans le centre de Londres. Un taxi vire vers le trottoir. Quand elle se tourne vers moi, ses yeux débordent de larmes.

— Pardonne-moi ! Merci pour cette soirée. Tu es adorable. Pardon !

Elle claque la portière. J'ouvre la bouche, mais rien n'en sort. Diane dit quelque chose au chauffeur. Je n'entends pas quoi. Le chauffeur fait un mouvement de tête. La voiture accélère. Diane ne se retourne pas. Le taxi tourne le coin. Je reste planté sur le trottoir, inerte, à contempler la circulation.

Et demeure ainsi.

C'est toujours Linda qui est à la réception. La féline. *Linda, la panthère.*

— Bonne soirée ? s'enquiert-elle par conscience professionnelle.

J'acquiesce sans un mot.

— J'ai un nouveau message pour vous. Et une lettre.

Elle me tend son billet écrit à la main et une enveloppe.

Je lis que DeWitt a appelé et me prie de prendre contact avec lui.

En montant à ma chambre, je déchire l'enveloppe. Elle contient une feuille blanche avec un bref message.

Vous recevrez 250 000 livres pour la châsse.
Veuillez attendre d'autres instructions.

Je suis curieux de savoir combien cela va coûter de m'acheter. Ma fierté. Mon amour-propre. Ma dignité. Eh bien, je n'en sais rien... Mais même 250 000 livres sont très loin de me tenter.

Je devrais aller voir un psychologue.

14

— Diane a un rapport passablement tordu avec les mecs.

Je suis assis sur une chaise dure dans la salle de lecture de la bibliothèque du British Museum. Au-dessus de moi, le plafond forme une coupole à l'étourdissante hauteur de trente-deux mètres. Les tables de lecture rayonnent à partir du centre circulaire de la salle. C'est la mémoire écrite de la civilisation anglo-saxonne. Une montagne de livres épais s'élève sur ma table. Sur le sol, j'ai deux cartons de documents issus des archives des manuscrits. Tout — l'air, mes vêtements, mes doigts — sent la poussière de papier. Mais Lucy embaume le Salvador Dali.

J'ai passé quatre heures à compulser, à prendre des notes. J'ai couvert douze pages A4 de remarques, commentaires et observations. Maintenant, Lucy est revenue. Elle a planté son joli postérieur sur la table voisine et balance les jambes. Elle a les cheveux roux, des paupières bleues et un pull qui poche, une mini-jupe. De toute évidence, elle estime que je souligne le rapport tordu de Diane aux mecs.

Je n'ai pas l'habitude d'être évoqué comme un « mec ». Je n'ai pas l'habitude que les femmes parlent de moi tout court, sauf pour exprimer leur pitié.

Je conclus en marmonnant pour essayer de camoufler ma gêne :

— Oui, les mecs sont les mecs

— Ils sont bien pour ce qu'on en fait ! roucoule-t-elle.

— Tu as trouvé autre chose ? Sur le monastère de Værne ?

— Désolée, je t'ai donné tout ce que nous avons.

Elle a la voix rauque, comme si elle avait fait la fête un peu trop longtemps et un peu trop souvent.

— Il y a surtout des lettres et des références dans des manuscrits. En revanche, nous avons plein de choses sur les chevaliers de Saint-Jean, si tu veux jeter un œil. Pourquoi cela t'intéresse-t-il tant ?

— Cela concerne un vestige archéologique.

— Elle m'a dit que tu étais archéologue. Tu trouves ce que tu cherches ?

— Je ne sais même pas ce que je cherche.

Elle glousse.

— Diane m'avait prévenue que tu étais drôlement bizarre.

D'abord protecteur d'un hôpital à Jérusalem, en 1050, les Hospitaliers de Saint-Jean, voué à Jean Baptiste, se sont plus tard (inspirés par l'Ordre des Templiers, créé en 1119) chargés de la protection militaire des lieux saints.

Lors de la prise de Jérusalem par les armées de Saladin, en 1187, les chevaliers de Saint-Jean déplacent leur siège au fort croisé d'Acre. Là, avec les Templiers, ils combattent les Musulmans. À la même époque, les frères voyagent dans le monde. Et, curieusement, s'installent aussi en Norvège. Après la chute d'Acre en 1291, les Hospitaliers se retirent d'abord à Chypre, puis à Rhodes.

Au fil des siècles, l'ordre devient riche et puissant. Rois et princes lui offrent de somptueux présents. Tout comme les croisés lui ramènent de fabuleux trésors de leurs pillages. Le fait que l'ordre existe encore à ce jour est éloquent.

Tandis que les frères d'Europe font face à de puissants ennemis, les Hospitaliers du monastère de

Værne bénéficient d'une bonne protection. À Rome, le pape émet des lettres de soutien, la population locale et le roi veillent bien sur eux. Mais ils ne vont pas tarder à se heurter à une résistance de taille. Dans une lettre à l'évêque d'Oslo, le pape Nicolas II demande que les moines récupèrent les propriétés qui leur ont été enlevées. On ne peut que spéculer sur l'origine de cette missive.

À l'époque, la seule souveraineté que le grand maître de l'Ordre reconnaît est celle du pape. Les trois classes de l'ordre de Saint-Jean — chevaliers, prêtres et frères servants — développent l'ordre en Europe. Dans les monastères, ils continuent de soigner les vieux et les malades. Mais sous toute cette piété vibre le désir du grand maître d'acquérir des propriétés plus vastes encore, davantage d'or et de pierres précieuses, davantage de pouvoir. Pour les rois, les princes et les ecclésiastiques, les ordres de chevaliers de Saint-Jean et du Temple deviennent de dangereux concurrents. En 1312, Philippe le Bel dissout le plus puissant d'entre eux sans autre forme de procès, celui des Templiers. Les chevaliers de Saint-Jean, moins dangereux, héritent d'une bonne partie de leur immense fortune. Mais ils n'en profiteront pas longtemps, car propriétés et trésors leur seront confisqués.

En 1480, ils contrent une attaque turque contre Rhodes, mais capitulent face au sultan turc Soliman, en 1522. Les Turcs laissent le grand maître partir pour Messine, et, lors des négociations avec l'empereur Charles-Quint, ce dernier leur cède les îles de Malte et Gozo et Tripoli, en 1530.

Deux ans plus tard, le temps des chevaliers de Saint-Jean au monastère de Værne s'achevait.

Lucy a des collants rouges. Qui me distraient.

Chaque fois qu'elle bouge les jambes, le nylon crisse entre ses cuisses. Bruit qui peut facilement mettre l'imagination en mouvement.

— C'était qui... le précédent.

— George. Un salaud. Il n'a fait que se servir d'elle. Elle est tellement naïve.

Elle fait une grimace éloquente.

— Elle l'a surpris avec une... traînée.

— Elle a rompu ?

— Diane ? Elle était complètement dingue de lui. Je lui ai dit : il n'est rien d'autre qu'un corps ! Tout en muscles ! Beau cul, petite tête ! Mais ça ne lui posait pas de problème.

— Elle semble pourtant plus intelligente que cela.

— Diane a un esprit très acéré. Mais être futée n'en fait pas une experte en mecs. Elle est vraiment déracinée, Diane. Elle se cherche. Je ne sais pas ce qu'elle a. Elle est un peu spéciale.

— Moi, elle m'a fait l'effet d'être normale.

— Oui, oui. Mais elle a eu une enfance triste. Ça doit bien avoir une influence sur la personne que vous devenez.

— Triste comment ?

— Diane a grandi en pension. Son père lui rendait visite une fois par mois. Elle l'adule. Et le déteste, je crois.

— Il l'a quittée ?

— Son père ?

— Non, celui d'avant. George.

— Et plutôt deux fois qu'une ! Il est parti s'installer directement chez sa grue. Qui était mieux faite que Diane. Mais dix fois plus idiote. Un couple plus assorti, si tu veux mon avis.

— Et toi ? Tu es mariée ?

— Moi ? !

Elle pousse un hurlement. Dans le silence qui nous entoure, les gens lèvent le nez. Elle met la main devant sa bouche et se dit chut à elle-même.

— Mariée ? Moi ? chuchote-t-elle. J'ai 23 ans !

Comme si c'était une justification.

Sans Lucy, il m'aurait fallu une journée simplement pour avoir accès à la bibliothèque et aux manuscrits. Elle m'a procuré la *Reader's Pass* et la *Manuscript Pass* [11], sans que j'aie besoin d'attendre mon tour. On m'a photographié, j'ai donné mon passeport norvégien et rempli un formulaire de deux pages.

Dans mon grand cahier à lignes, j'ai consigné un certain nombre de données dont j'ignore l'importance. Une grande partie des archives du monastère de Værne — « *Domus hospitalis sancti Johannis in Varno* » dans les sources latines — était intacte en 1622. Les plus anciennes des lettres de privilège pontificales, signées par le pape Innocent III, ont été adressées aux « *giffuett munckenne ij Werne closter* » en 1198. Le pape avait alors banni le roi Sverre. Le monastère doit donc remonter à plus loin. Au plus tard à 1194. Plus vraisemblablement à 1188 — juste après le départ de Jérusalem et l'établissement des chevaliers de Saint-Jean à Acre. Le pape Clément III (qui n'a jamais été reconnu en tant que pape) a alors écrit une lettre au chef des chevaliers. Après coup, les chercheurs ont eu du mal à l'interpréter. En substance, cette lettre enjoignait les chevaliers de mettre en œuvre les instructions sacrées de cacher et de veiller sur la sainte châsse. Ce n'est pas une lettre clef dans l'histoire religieuse. Elle n'est même pas

---

11 .   Carte de lecteur, carte d'accès aux manuscrits.

entière. Mais sur la copie du document déchiré, je vois, au milieu de la déchirure, trois lettres. V-A-R. Personne n'a dû tiquer en les voyant. Je l'ai dit, ce n'est qu'un document parmi des milliers d'autres. Mais on ne peut exclure que ces lettres aient formé le mot « Varna ».

Dans la journée, Lucy vient me chercher et m'emmène dans un bureau, où m'attend un combiné téléphonique.

À l'intérieur, j'entends Diane.

Chuchotant presque, elle me demande pardon pour hier soir. Sa voix est fraîchement distante, comme si elle ne savait pas vraiment ce qu'elle veut ou pense. Elle n'avait pas l'intention de me quitter si brusquement, mais elle s'est sentie mal. Elle espère qu'elle ne m'a pas offensé.

Je dis qu'elle n'a peut-être pas supporté la nourriture végétarienne.

Elle me demande si cela m'a fait de la peine.

De la peine ? ! dis-je, stupéfait mais enjoué. De toute façon, nous étions en train de rentrer.

Elle demande si elle peut se racheter. Voudrais-je la voir ce soir ? Chez elle ?

Je réponds pourquoi pas ? Je ne crois pas avoir de projets.

15

Je l'ai remarqué depuis un moment. Un monsieur d'un certain âge vêtu d'un manteau en cachemire bien trop chaud. Il a des traits légèrement exotiques, comme s'il comptait parmi ses lointains ancêtres un prince d'Orient en virée à Londres. Sa chevelure est d'argent et plus longue que chez les autres hommes de sa génération. Il doit avoir autour de 70 ans. Il est grand et svelte. Distingué. Ses yeux en amande sont éveillés. Il flâne en prenant au hasard ici un livre, là une notice. Mais il garde constamment un œil sur moi. Le voilà qui approche lentement de ma table.

Je suis fatigué. J'ai passé toute la journée dans des livres et des documents qui ne résolvent aucune énigme. J'ai lu de la première à la dernière ligne des pages et des pages sur les chevaliers de Saint-Jean, les mythes religieux et les croisades. Je viens de trouver quelques documents qui traitent des événements de Rennes-le-Château. J'ai étudié des écrits sur la vision du monde de moines médiévaux et l'évolution histo-rique de l'attitude de l'Église à l'égard des valeurs et des possessions matérielles. De temps à autre, je me demande pourquoi je me donne ce mal. Cela a-t-il une importance ? Ne puis-je pas simplement rendre cette maudite châsse ? Elle n'est pas à moi. Ce n'est pas mon problème. Mais quelque chose dans ma nature s'y oppose. Et veut savoir.

— M. Beltø ? M. Bjørn Beltø ?

Il est le premier Anglais à avoir réussi à prononcer mon nom correctement. Ses « ø » sont nets, pas cotonneux. Il a dû apprendre la bonne prononciation un jour. Par exemple, parce qu'il était le collègue et ami de papa.

Par exemple à Oxford.

Par exemple en 1973.

Charles DeWitt...

Enfin je l'ai trouvé. Bien qu'en réalité ce soit sans doute lui qui m'ait trouvé.

Je referme l'étrange fascicule sur les codes rosi-cruciens (qui, pour une obscure raison se trouvait

parmi les documents concernant Rennes-le-Château)
et lève les yeux vers lui.

— C'est moi.

Je pose le fascicule sur la table. Il se tient à demi
incliné au-dessus de moi. Une main appuyée sur la
séparation entre les tables de lecture. Il jette un coup
d'œil furtif sur le document, avant de se concentrer sur moi. Son magnétisme est monumental. Il
rappelle un aristocrate des vieux jours — un lord du
XVIIIᵉ siècle qui aurait fait un pas hors du temps. En
temps normal, je me serais fait petit face à un regard
aussi intense. Mais je le soutiens avec un rictus de
bravade.

— Il semblerait bien qu'avec mon physique, j'ai
du mal à me cacher. Même à Londres, dis-je crâne-
ment.

Les secondes qui suivent sont relativement indes-
criptibles. En réalité, il ne se passe rien de plus que
le fait qu'il sourit de mon autodérision. Mais c'est
comme si son sourire et son regard nous hissaient
tous deux hors du British Museum pour nous placer
dans un vide où le temps s'est arrêté. Quelque part
au fond de ma tête, j'entends le crépitement de l'horloge du salon de Farmor dans la maison de vacances
au bord du fjord, j'entends maman murmurer « Petit
prince ! Bjørn ! », j'entends le cri de papa, j'entends
Grethe dire « j'espérais que tu ne l'apprendrais
jamais » — des mots, des voix, des sons entremêlés
dans une réminiscence furtive.

La réalité se remet aussitôt en place. Je sursaute
sur ma chaise. Il ne semble pas avoir remarqué quoi
que ce soit.

— Vous me cherchiez ?

Je songe : mon Dieu, si cela se reproduit, il faut
que j'appelle le docteur Wang dès mon retour !

— Oui, si on veut.

Je suis troublé. Que s'est-il donc passé ?

— Que me voulez-vous ?

— Vous devez bien le savoir…

Il incline la tête, mais reste muet.

Je soupire.

— Tout le monde en sait davantage qu'il ne veut l'admettre, mais prétend ne rien savoir.

— Comme souvent.

— Nous avons un certain nombre de centres d'intérêt communs.

— Vraiment ? C'est intéressant ! Lesquels ?

— J'ai quelques questions. Et je pense que vous avez quelques réponses.

— Cela dépend bien entendu des questions.

— Et de qui les pose.

Il se redresse et balaie la salle du regard.

— Un endroit fascinant, en vérité. Saviez-vous qu'en 1753, Sir Hans Sloane a légué cinquante mille volumes qui ont jeté les bases du fonds de la bibliothèque du musée ? Et qu'en 1966, on a fait un catalogue des collections du musée qui à lui seul comptait 263 tomes ?

— On a dû oublier de me le dire, dis-je en souriant.

— Je suis navré de vous avoir fait attendre, M. Beltø, je viens d'arriver de l'étranger. J'ai une voiture qui m'attend dehors, vous me ferez peut-être l'honneur d'accepter une invitation chez moi pour le thé ? Afin que nous puissions nous entretenir dans un cadre un peu plus privé.

— Comment avez-vous su que j'étais ici ?

Un sourire gêné ourle ses lèvres.

— Je suis bien informé.

Je n'en doute pas.

Il vit dans un quartier chic. De larges marches mènent à l'entrée principale, et un escalier étroit (derrière une barrière en fer forgé) descend à l'entrée de service. Lorsque nous sommes sortis du British Museum, une limousine aux vitres sombres a longé le trottoir pour venir à notre rencontre. Pendant vingt minutes, le chauffeur, que j'entrevois derrière la vitre de séparation, a sillonné un dédale de ruelles. Je me demande s'il pourrait s'agir d'une manœuvre destinée à me désorienter. C'est pourquoi je prête attention à la plaque de rue lorsque nous nous arrêtons. Sheffield Terrace.

L'adresse de Jocelyn DeWitt était Protherœ Road.

DeWitt ouvre la porte. Deux trous de vis et une teinte plus sombre marquent l'emplacement où aurait dû se trouver la plaque de nom.

C'est une demeure distinguée, qui, à l'instar de nombreuses demeures distinguées, semble inhabitée et récemment aménagée. Ni les meubles ni les tableaux et les tapis ne parviennent à rendre le nid douillet. Je ne vois pas de désordre. Rien de personnel. Pas de bibelot qui rompt l'unité. Tout est aussi stérile que l'on peut s'y attendre de la part d'un homme qui vient de divorcer, a quitté le domicile conjugal et doit s'installer dans sa nouvelle maison.

— Donc votre femme a gardé la gouvernante ? dis-je quand nous suspendons nos pardessus.

DeWitt me considère d'un air offensé.

— Ma femme ?

Je pourrais m'arracher la langue. C'était une remarque inélégante et irréfléchie. Typiquement moi. Le genre de réflexion déplacée que l'on peut se permettre avec un bon copain. Mais pour un aristocrate comme Charles DeWitt, divorcer — je ne vois pas comment il pourrait s'agir d'autre chose entre lui et Madame Jocelyn — doit être un véritable désastre mondain. Qui ne se prête pas aux plaisanteries d'un complet inconnu.

— Je suis désolé, fais-je d'une petite voix. J'ai cherché dans l'annuaire et je l'ai appelée. Votre femme. Mais elle n'était pas à la maison.

— Je vous demande pardon ?

Son ton est sec. Il semble perturbé.

— Jocelyn.

— Comment ?

— Je n'ai pas réussi à la joindre.

— Ah ! s'exclame-t-il soudain.

Il me regarde en riant.

— Jocelyn ! Je comprends ! Ah !... Je comprends !

Nous allons dans le salon et nous asseyons près d'une fenêtre où le soleil fend la poussière, qui voltige en colonnes d'argent.

— Vous vouliez me parler ?

— Vous savez peut-être de quoi il s'agit ?

— Peut-être. Peut-être pas. Qu'est-ce qui vous conduit à moi ? À nous ?

— J'ai trouvé votre nom sur la thèse. Chez Grethe.

— Grethe.

Sa voix est fragile, tendre ; comme celle d'un père parlant de sa fille en pays lointain.

— Vous vous souvenez d'elle ?

Il ferme les yeux.

— Oh oui !

Puis une marque de tristesse vient tourmenter son visage.

— Vous la connaissez bien ?

— Elle a été ma bonne amie pendant un temps.

Il dit « *sweethearts* ». Ce qui répand un jour doucereux sur leur liaison. Telle que je connais Grethe, leur liaison a dû être tout sauf doucereuse. Mais cela explique pour le moins son comportement. Puis, il se passe quelque chose de surprenant. Ses yeux deviennent brillants. Il se frotte le coin de l'œil.

— Je vous en prie, rit-il avec gêne, n'ayez donc pas l'air aussi stupéfait. Grethe a toujours été — comment dire ? — une femme passionnelle. Au sang chaud. Et une âme aimable. Bien trop gentille et accommodante. Ce n'est pas étonnant qu'elle ait eu de nombreux… hum… amis au fil du temps. Cela remonte à loin, cette histoire.

— Je lui ai demandé un conseil. Concernant une découverte archéologique. Et puis je suis tombé là-dessus.

Je lui tends sa carte de visite de la London Geographical Association. Il fixe la carte jaunie d'un air absent. Se retient de dire quelque chose.

— Apparemment, ils n'ont jamais entendu parler de vous là-bas.

— C'est un malentendu.

— Quel malentendu ?

— N'y pensez plus. Mais ils auraient dû, bien sûr, reconnaître le nom Charles DeWitt.

— Je suis venu à cause d'une découverte archéologique.

— Oui ?

— Nous avons trouvé une châsse.

— Intéressant.

— En or.

— Vous l'avez peut-être avec vous ?

— Comment cela ?

— Pour que nous puissions jeter un œil ?

— Vous ne comprenez pas. Ce qui se passe, c'est que je dois protéger la châsse !

Il hausse le sourcil gauche.

— Ah bon ?

— Ils ont essayé de la voler. Ils voulaient sortir la châsse du pays.

— De qui parlons-nous ?

— Llyleworth. Arntzen. Loland. Viestad. Mes supérieurs hiérarchiques ! Tous ! Ils sont tous impliqués. D'une manière ou d'une autre.

Son rire ne sonne pas vrai.

— Vous pensez que j'exagère ? Ou que j'ai tout inventé ?

— Je pense qu'il est un certain nombre de choses que vous avez mal comprises. Et, au fond, ce n'est pas très étonnant.

Il m'observe.

— Vous m'avez l'air d'être quelqu'un de méfiant, Bjørn. Très méfiant.

— C'est possible que je sois paranoïaque. Mais c'est peut-être parce que j'ai des raisons de l'être.

De toute évidence, la situation le réjouit. Même si je ne comprends pas pourquoi.

— Alors, qu'avez-vous fait de la châsse ?

— Je l'ai cachée.

De nouveau son sourcil jaillit en l'air.

— Ici ? À Londres ?

— Non.

— Où ?

— En lieu sûr !

— Ça, je l'espère vivement !

Il prend son souffle, essaie de rassembler ses idées.

— Expliquez-moi pourquoi vous faites preuve d'un tel engagement.

— Parce que tout le monde veut me l'enlever. Parce que j'étais le contrôleur. Parce qu'ils ont essayé de me berner.

Son visage se colore comme de satisfaction.

— Le protecteur, chuchote-t-il.

— Pardon ?

— Vous vous voyez dans le rôle du protecteur. Ce n'est pas pour me déplaire.

— J'aurais préféré n'avoir rien à protéger.

— Je le comprends. Parlez-moi des fouilles.

— Nous travaillions dans un champ près d'un monastère médiéval en Norvège. Les fouilles étaient dirigées par le professeur Graham Llyleworth de la SIS. Sous la surveillance générale norvégienne du professeur Trygve Arntzen et du directeur de l'institut d'Archéologie Frank Viestad. Ainsi que du directeur du Patrimoine Sigurd Loland. J'étais contrôleur sur le chantier. Nous cherchions un donjon rond. Soi-disant. Et puis nous avons découvert les ruines d'un octogone. Vous connaissez peut-être le mythe ? Et, dans les ruines, nous avons trouvé la châsse. Abracadabra !

— Et partant de là, vous déduisez une conspiration ?

— Le professeur Llyleworth est parti avec la châsse. Pour l'apporter au professeur Arntzen. Mon supérieur hiérarchique.

— Jusqu'ici, il me semble pourtant que tout s'est déroulé dans les règles. Pourquoi êtes-vous intervenu ?

— Parce qu'ils prévoyaient de sortir la châsse de Norvège.

— Comment ?

— Vraisemblablement par avion privé. Ils avaient convoqué quelqu'un de France.

— Ah oui ? Et comment le savez-vous ?

— J'ai écouté aux portes.

Il me dévisage, hilare.

— Alors je comprends ! Cela explique bien des choses ! Vous avez écouté aux portes !

Il rit de bon cœur, sans tout à fait réussir à s'arrêter.

— Je me suis permis d'interrompre cette petite conspiration.

— C'est le moins qu'on puisse dire !

— J'ai récupéré la châsse en la volant.

— Quel sens du devoir !

J'ignore si c'est de la dérision.

— Alors, qu'est-ce qui vous amène à moi en particulier ?

— J'espérais que vous pourriez m'expliquer ce que cette châsse a de spécial.

— Pourquoi saurais-je quoi que ce soit sur le sujet ?

— Tout ramène à Oxford. 1973. Et à la thèse.

— Vraiment ? s'étonne-t-il d'un ton hésitant.

Je me tortille les mains.

— J'évolue en terrain mouvant, mais comme vous n'êtes pas impliqué dans les fouilles, j'imagine — j'espère ! — que vous allez pouvoir m'aider.

— De quelle façon ?

— En me racontant sur quoi vous êtes tombés il y a vingt-cinq ans.

Il se frotte pensivement le menton et me scrute.

— Permettez-moi d'être franc. Soyons tous deux francs l'un avec l'autre. J'en sais plus que je ne le prétends.

Nous nous toisons mutuellement.

— Savez-vous ce que la châsse contient ?

— D'abord je veux savoir où elle se trouve.

— En lieu sûr.

— Vous ne l'avez pas ouverte, quand même ?

— Bien sûr que non.

— Bien ! Bjørn, avez-vous confiance en moi ?

— Non.

Ma réponse franche déclenche une fois de plus son hilarité.

— Mon ami, je vous comprends. Je comprends votre scepticisme. Mais réfléchissez… Vous ne mesurez pas l'ampleur de ce que vous êtes en train de faire. Il est tant de choses que vous ignorez ! Il vous faut restituer la châsse.

Ses yeux sont implorants, insistants.

— Pourquoi ?

— Ne pouvez-vous pas simplement me faire confiance ?

— Non, je veux savoir ce qu'elle contient.

Il ferme les yeux et souffle un peu par le nez.

— Croyez-moi quand je dis que je vous comprends. Vous êtes curieux. Méfiant. Dubitatif. Effrayé ? Et vous pensez peut-être qu'au final, c'est une histoire d'argent.

— L'idée m'a effleuré.

— Mais ce n'est pas le cas.

— Donc, de quoi s'agit-il ?

— C'est une longue histoire.

— J'ai le temps.

— Une histoire compliquée et circonstanciée.

— Je sais écouter.

— Je n'en doute pas.

— Il ne me manque plus qu'une explication.

— Je le conçois. Mais je dois vous demander d'accepter l'idée que la clef de l'énigme est si délicate, si sensible, que je ne puis la partager avec vous.

— Quel pompeux verbiage !

Ma sortie l'amuse.

— Bien dit, M. Beltø ! Je dois l'admettre ! Bien dit ! Vous m'avez l'air d'être un homme à qui l'on peut confier un secret.

Ce n'est pas une question. C'est un constat. Ou plutôt une injonction. Mais je garde le silence.

— On pourrait dire que je n'ai pas le choix, poursuit-il.

Ce n'est pas à moi qu'il s'adresse. Il se parle à lui-même. Et me laisse écouter la conversation.

— Je suis tout bonnement obligé de vous initier à notre petit… secret. Obligé ! répète-t-il. Je n'ai pas le choix !

Je continue de me taire. Je songe : là, il ne peut pas faire plus mélodramatique.

Je me trompe.

Il va pour se lever, mais se rasseoit.

— Monsieur Beltø, pouvez-vous prêter un serment ?

— Un serment ?

Je me souviens du serment que le directeur Viestad a pris tant au sérieux.

— Je dois vous demander, en votre qualité de gentleman et d'homme de science, de me promettre de ne jamais révéler ce que je vais vous raconter.

Il n'est pas facile de déterminer s'il me fait marcher.

— Promettez-vous ?

Je m'attends à moitié à ce que le mur s'ouvre et qu'une vingtaine de personnes de l'équipe de la *Caméra cachée* débarquent en riant avec fleurs et micros. Mais rien ne se passe.

— O.K. Je vous le promets, dis-je, sans savoir si je suis sincère.

— Bien…

Il parle dans le vide, ne s'adressant toujours pas

à moi, mais comme à un esprit qui planerait quelque part au-dessus de ma tête.

— Par où commencer ? Voyons voir… On pourrait appeler cela un club de garçons. Un club d'initiés. D'érudits. Un club de garçons pour archéologues.

— Un club archéologique ?

— Pas ouvert à n'importe quel archéologue. Nous sommes les meilleurs. Nous l'appelons simplement *The Club*. Il a été fondé par Austen Henry Layard il y a un siècle. Layard a réuni autour de lui cinquante des meilleurs archéologues, explorateurs et aventuriers de l'époque. Le nombre de membres ne doit jamais excéder cinquante. Quand un membre meurt, le club se retrouve pour élire celui qui sera invité. Non sans ressemblance avec un concile du pape. Hum… mais pas de la même importance, naturellement, ajoute-t-il d'une façon qui laisse planer un léger doute sur sa conviction.

— Et vous avez la chance de faire partie de « *The Club* » ?

Mon inflexion acide lui échappe complètement.

— En toute modestie, répond-il d'un ton pontifiant, j'en suis le président.

Il me dévisage tout en laissant cette révélation m'impressionner. Ce qu'elle ne fait pas. Mais je peux toujours faire semblant.

— Il est essentiel que vous compreniez le poids qu'a notre petit club. Dans une atmosphère informelle et conviviale se rassemblent, en toute discrétion, les cinquante meilleurs archéologues du monde. Deux fois par an. La plupart sont titulaires de chaires dans de grandes universités. Nous débattons, échangeons nos expériences, évaluons des théories. Et, ne nous en cachons pas, nous prenons du bon temps.

— Comme c'est amusant ! m'écrié-je.

Il me toise.

— Tout à fait.

Mon attitude le désarçonne. Il doit avoir l'habitude d'être traité avec respect et admiration béate.

— Vous n'auriez pas une place pour un assistant de recherche albinos de Norvège ?

— Monsieur Beltø, je crois que vous ne prenez pas cela entièrement au sérieux.

Je me contente de le regarder, parce qu'il a bigrement raison.

Ses yeux s'amenuisent, se posent dans le vide.

— Les discussions de notre club ont débouché sur quelques-unes des découvertes archéologiques les plus remarquables de ces dernières décennies. Tout à fait officieusement, bien sûr. Le club ne s'est jamais honoré d'événements à l'origine desquels se trouvait l'un de nos membres. Même si l'on peut sans doute dire que le club, en tant que collège, était le déclencheur direct des fouilles ou du choix du site. Le club fait office de banque de connaissances. Une banque commune où chacun de nous dépose son savoir et où nous pouvons, en contrepartie, toucher des dividendes sous la forme du savoir collectif de nos cinquante membres.

Je m'enfonce dans mon fauteuil et croise les bras. Quand ils parlent d'eux-mêmes et de ce qui les concerne, les gens très savants sombrent souvent dans des platitudes ampoulées. C'est juste qu'ils ne s'en rendent pas compte.

— Vous pensez peut-être que nous sommes une bande de vieux universitaires desséchés et grincheux.

Il s'esclaffe.

— Mon ami, nous apprécions les plaisirs de la table et dégustons les meilleurs vins et xérès.

— Et peut-être quelques belles petites cailles en fin de soirée ?

Il me lance un regard offusqué.

— Non, mais nous jouons.

— Vous jouez ?

— Nous organisons des compétitions. Des missions. Quelque chose de complètement à part. Une combinaison de rébus historiques, de cartographie et, bien entendu, d'archéologie. Appelons cela une chasse au trésor sophistiquée. Tous les cinq ans, nous présentons une nouvelle mission. Le premier qui trouve la réponse, et qui nous rapporte l'artefact que nous avons caché, intègre la présidence du club. Qui actuellement compte cinq membres.

Je commence à voir où il veut en venir.

— La dernière fois, nous avions caché un bâton runique dans une chambre funéraire mésopotamienne. Un anachronisme franchement jubilatoire.

Il glousse.

— Nous avions composé un rébus qui partait du taureau androcéphale ailé de Layard au British Museum et conduisait l'esprit attentif à Nimroud.

— Et, cette année, vous aviez enterré une châsse d'or au monastère de Værne.

— Vous êtes perspicace. Mais ce n'est pas si simple. Cette année nous célébrons le centenaire du club. C'est pourquoi nous voulions un défi particulier. Nous avons attribué à...

Il s'éclaircit la voix, hésite.

— Nous avons confié à Michael MacMullin la responsabilité de composer le rébus. Il est parti du mythe du *Reliquaire des secrets religieux*. Lorsqu'il était étudiant, dans les années soixante-dix, votre père a écrit avec Graham Llyleworth une thèse, dans laquelle ils laissaient entendre qu'il se pourrait que la sainte châsse soit enterrée dans un octogone à Varna en Norvège.

Je m'abstiens de lui rappeler qu'il oublie modestement de souligner qu'il était lui-même coauteur de la thèse.

— C'était un rébus plutôt subtil. Soluble, mais corsé. Un défi formidable.

J'anticipe ce qu'il va dire.

— Et puis quelque chose a mal tourné.

— Très juste ! Hélas. Très juste. L'affaire a été fort embarrassante. Pour notre club anonyme. Pour la SIS. Pour le British Museum. Pour tout le milieu britannique, à vrai dire.

Il fait une grimace.

— Il aurait pu y avoir un scandale. Un scandale délicat.

Il plante son regard en moi.

— Mais le scandale n'est pas encore désamorcé.

Il prend son souffle.

— Laissez-moi vous parler de Michael MacMullin. L'un des membres les plus éminents du Club. Qui fait partie de la présidence. Un excellent professeur. Vous avez peut-être entendu parler de lui ? MacMullin est un homme de visions. Mais il est aussi dépourvu d'inhibitions. Il a volé la châsse au British Museum.

— Volé ? La châsse ?

— La châsse d'or que vous avez trouvée est un artefact qui, à l'origine, a été excavé à Khartoum en 1959 et qui depuis se trouvait au British Museum.

Cette information me frappe d'une désagréable stupéfaction. Khartoum au Soudan est le lieu d'où papa a écrit la lettre glissée dans la thèse chez Grethe. Pourquoi personne n'a-t-il su, ou dit, que cette relique avait été trouvée il y a quarante ans ? Grethe me cache-t-elle quelque chose ?

Ne voulant surtout pas révéler ce que je sais et ne sais pas, je le laisse poursuivre.

— MacMullin a quitté le musée avec la châsse dans son attaché-case. Visiblement, il l'a enterrée au monastère de Værne en Norvège.

J'aurais pu lui préciser que j'étais présent quand la châsse a été déterrée. S'il n'avait pas lui-même été archéologue, je lui aurais expliqué la structure du sol et comment terre et sable se compriment en couches parallèles qui disparaissent quand quelqu'un creuse un trou puis le remplit. J'aurais pu lui expliquer combien la terre était tassée autour de la châsse et comment la structure des couches était intacte. Mais je ne le fais pas.

— Ça a été un sacré scandale. Il a largement outrepassé ses pouvoirs. J'ose affirmer que *The Club* n'a jamais été ébranlé par une telle affaire. Nous n'avions qu'une seule issue possible : réparer l'impair. Nous avions, bien entendu, compris où MacMullin avait enterré la châsse. La difficulté était d'identifier l'emplacement précis. Jusqu'à ce que nous trouvions la photo-satellite qu'il avait spécialement commandée. Elle avait été prise au film infrarouge, de sorte que la structure du sous-sol était visible. Nous pouvions voir à la fois un octogone et, en l'occurrence, un donjon rond sur le terrain de Varna. Le reste a été relativement simple. L'opération a même reçu un nom de code. *Opération Reliquaire.* Nous avons organisé des fouilles. Localiser l'octogone aurait été infaisable sans l'ordre d'idée que nous fournissaient les photos-satellites. Nous aurions été démasqués si nous avions tenté d'exhumer la châsse en catimini. C'est pourquoi nous avons procédé comme si nous cherchions un donjon rond. Nous avons respecté les règles du jeu, demandé l'autorisation, payé notre dû. Nous avons même accepté un contrôleur norvégien.

Un jeune homme sagace qui s'est révélé nous poser des problèmes inattendus.

Il a un rire léger et me dévisage.

— Le gouvernement britannique a informé les autorités norvégiennes de la portée de cette affaire. L'ambassade britannique d'Oslo nous assiste dans ce travail. M. Beltø, je crois que vous n'avez guère le choix. Vous êtes obligé de restituer la châsse.

J'ai la sensation d'être un enfant le soir de Noël qui, les cadeaux distribués, s'écroule dans le canapé, réchauffé, vide et éteint, parce que le suspense a disparu. Autour de lui sont assis ses parents, ses grands-parents, ses oncles et ses tantes, qui sirotent leur verre en souriant, et il sait que c'est passé et que la prochaine fois sera dans un an. Aussi formidable qu'elle soit, cette explication est une douche froide, un anti-climax.

— Je comprends.

Cette fois, c'est moi qui parle dans le vide.

— Vous... comprenez ?

— Vous allez la récupérer.

— Cela me réjouit. Beaucoup. L'avez-vous ici ?

— Hélas ! Elle est en Norvège.

Il se lève.

— Venez. J'ai un avion à Stansted.

— J'ai un rendez-vous ce soir. Un rendez-vous que je n'ai aucune intention de manquer. Mais nous pouvons partir demain.

— Une demoiselle ?

— Une déesse.

Il me fait un clin d'œil. Si le temps qui passe a rafraîchi sa passion, elle sourd encore dans ses souvenirs.

En partant, je dois aller aux toilettes. Le rouleau de papier est encore collé. Le savon n'a pas servi. La serviette est fraîchement repassée. Mais le miroir est couvert d'empreintes digitales et de taches grasses. Personne ne s'est donné la peine de décoller le prix. 9,90 £ . Une affaire, si vous voulez mon avis.

DeWitt me serre la main quand je m'en vais. Nous convenons de nous retrouver devant mon hôtel demain matin à dix heures. Il me remercie de me montrer aussi coopératif.

La limousine vire vers le trottoir au moment où je descends l'escalier. J'ouvre la portière et m'installe. DeWitt me fait un signe de la main. Il a des allures de riche oncle excentrique. La limousine démarre. Je n'ai pas mentionné ma destination. Mais cinq minutes plus tard, elle s'arrête devant l'hôtel.

16

— Je rentre demain, dis-je.

Diane s'est enfermée sous une cloche d'indifférence lointaine.

— Déjà ?

Son regard a quelque chose d'hagard. Comme si elle était allée chercher refuge dans une ligne de réconfort blanc.

Elle vit dans un appartement au dix-neuvième étage d'un grand immeuble où la vue est si étendue que je me demande si ce n'est pas la tour Eiffel que j'aperçois au loin. L'entrée est un damier noir et blanc prolongé par la mosaïque de miroirs qui habille l'ouverture en arche sur un étroit boyau de cuisine. Le salon disparaît droit dans le ciel. Un mur entier est vitré. En vivant à une altitude pareille, Diane est obligée de sortir sur le balcon tous les matins pour essuyer les nuages.

Le canapé en cuir chatoie en rouge et noir. La table en verre est si épaisse qu'elle pourrait servir d'abri si, d'aventure, quelqu'un avait l'idée de vous tirer dessus au bazooka.

Je vais à la fenêtre. À mes pieds, Londres se déploie en un éventail de bâtiments, rues et parcs.

Je dis :

— Belle vue !

Elle dit merci.

Quelque chose vibre entre nous. Mais je n'arrive pas à mettre le doigt dessus.

— Sacré appartement !

Je m'apprête à ajouter qu'il semble meublé par un architecte d'intérieur. Mais j'ignore si ce serait perçu comme un compliment ou un sarcasme.

— C'est principalement l'œuvre de Brian.

— Qui ?

— Un type. Avec qui je sortais. Il était architecte d'intérieur.

Des voitures de pompiers traînent une queue d'étincelles bleues dans la rue.

— Lucy m'a bien aidé aujourd'hui. Elle a été super.

— Ça a été concluant ?

— Pas au musée. Mais il s'est passé quelque chose pendant que j'y étais.

— Elle m'a téléphoné. Elle t'a trouvé mignon.

— Mignon ?

— Et drôlement bizarre.

— Bizarre ?

Elle rit.

— Qu'est-ce qui s'est passé alors ?

— Un homme avec qui j'avais essayé de prendre contact m'a trouvé.

— Qui ?

— Il s'appelle DeWitt. Charles DeWitt.

Elle se tait. Mais je vois qu'elle reconnaît ce nom et qu'il la surprend. Je ne me résous toutefois pas à l'interroger.

Elle a préparé un plat végétarien d'après la recette d'un magazine resté ouvert sur le plan de travail.

— J'espère que je ne me suis pas trompée, s'exclame-t-elle en tapant dans ses mains avec la touchante nervosité de ceux qui prêtent à la cuisine végétarienne un savoir accordé aux seuls élus.

Je suis installé à une table ronde dans l'angle du salon le plus proche de la cuisine. Diane volette entre les deux pièces, remarquant sans cesse des oublis. Je me sers de gratin de courgettes au fromage et de salade. Elle nous verse du vin blanc. Me tend une baguette, que je romps, et le ramequin de beurre d'ail. Les mains sur le dossier de sa chaise, elle reste debout en attendant mon verdict.

— C'est délicieux, dis-je la bouche pleine.

Elle sourit et tend sa jupe derrière ses cuisses avant de s'asseoir. Son geste est la féminité même. Elle lève son verre avec un hochement de tête. C'est un vin blanc sec.

— Un type fascinant, ce DeWitt, poursuis-je.

— A-t-il pu t'aider ?

— Il a essayé.

— Et que t'a-t-il raconté ?

— Une longue histoire. Pleine de lacunes.

— Ah oui ?

— D'étrangetés.

— Il ne t'inspire pas confiance ?

— J'aimerais bien savoir combien d'omissions il y a eu.

— Le monde grouille de menteurs, observe-t-elle pleine de colère rentrée.

Ses yeux se glacent.

— Je crois qu'ils m'ont suivi jusqu'ici, dis-je plus tard.

— Comment ?

— Une voiture a roulé derrière moi depuis l'hôtel. Cela ne pose pas de problème, j'espère.

— On t'a poursuivi ? s'indigne-t-elle, surprise. Jusqu'ici ? *Those bastards* [12] !

Elle va dire quelque chose, mais se retient. Elle verrouille son regard sur le mien. Comme pour me dire quelque chose de regrettable. Qu'il ne faut pas que je prenne son invitation trop au sérieux, peut-être. Que je ne dois pas croire que nous sommes faits l'un pour l'autre. Mais que je suis un type sympa qu'elle envisage d'ajouter sur sa liste. Avec Brian, George et les quatre-vingt-dix-huit autres.

Nous mangeons quasiment sans échanger un mot. Pour le dessert, elle a préparé un entremets divin. Au fond de la coupe, enterrés sous le bavarois, je découvre une fraise et un bout de chocolat. Elle a baptisé ce plat « la Tentation de l'Archéologue ».

Diane met un vieux vinyle de *Chicago*, tamise la lumière, allume deux bougies rouges sur la table en verre. Ses bas étincellent à la lueur des petites flammes.

Le cuir craque quand elle s'écroule dans le canapé à côté de moi, comme craque aussi la musique. Pendant quelques minutes nous restons silencieux, incertains, craignant de nous approcher trop près l'un de l'autre. Ou de ne pas le faire.

---

12. *Ces salauds !*

Elle me demande si je veux boire un verre. J'acquiesce. Dans la cuisine, elle va chercher du gin Beefeaters, du Schweppes, deux verres et des glaçons. Nous trinquons en pouffant quand nos verres s'entrechoquent. Puis nous buvons en silence. Personne ne sait qui est censé commencer. J'essaie de trouver quelque chose de romantique à dire. Quelque chose qui puisse dissoudre la gêne.

Elle me devance.

— Tu as l'impression d'aboutir à quelque chose ? Dans ton enquête ?

Ce n'est peut-être pas très romantique, mais c'est préférable à ce silence crispé.

— J'en sais exactement aussi peu qu'en partant. En revanche, je suis encore plus déconcerté.

Elle rit sans bruit.

— C'est tellement drôle de penser que tu as… une vie là-bas en Norvège.

— Vie, c'est un bien grand mot. Enfin, je suis d'accord avec toi. Mais il en est qui ne caractériserait pas cette vie de particulièrement drôle.

— Je ne sais rien de toi…

— Alors on est deux.

— Parle-moi de toi !

Je lui parle de moi. C'est vite fait.

Dehors, Londres se fond en un milliard de têtes d'épingle de lumière.

— Les salauds ! chuchote-t-elle à part soi.

— Qui ?

— Ils croient que je leur appartiens !

— Qui ça ?

— Papa. Et tous ses petits laquais qui font du zèle. « Fais ci, fais ça. Diane, obéis maintenant. Diane, fais ce que nous te disons ! » C'est à vomir !

Diane a vidé son verre. Le mien est encore à moitié

plein. Je vois dans ses yeux qu'elle commence à être éméchée. Elle se ressert et met un nouveau microsillon. *Hotel California*. Elle a un lecteur de CD, mais ce soir elle ne passe que des disques des années soixante-dix. « *On a dark desert highway… Cool wind in my hair…* » Une douce effluve de nostalgie virevolte en moi. « *Warm smell of colitas… rising up through the air…* » Je ferme les yeux et disparais dans mes souvenirs.

— Tu me fais penser à un garçon que j'ai connu.

J'ouvre les yeux et l'observe sans un mot.

Elle boit deux ou trois gorgées de son verre et ajoute deux glaçons.

— Il s'appelait Robbie. Robert. Nous l'appelions Robbie.

Je continue de me taire.

— En fait, je ne m'en suis pas rendu compte avant ce soir. Qui tu me rappelais à ce point. Mais maintenant je le vois. Tu me rappelles Robbie.

Elle me regarde tout en regardant au-delà de moi.

— Robbie Boyd. Nous sommes sortis ensemble un été.

— Il y a longtemps ?

— Nous avions 15 ans. Nous étions chacun dans notre pension.

— Il était albinos ?

Elle a un regard stupéfait.

— Tu disais que je lui ressemblais.

— Pas de cette façon-là. Mais vous êtes de natures semblables.

— Qu'est-il devenu ?

— Il est mort.

— Ah !

— Accident de voiture.

— Ah !

227

— Je l'ai appris par hasard. Personne ne savait que nous sortions ensemble. Je ne pouvais le dire à personne. Dans un sens, je ne me suis jamais remise de lui. Chaque fois que je suis avec un homme, j'ai le sentiment de trahir Robbie. C'est peut-être pour cela que je n'arrive jamais à m'attacher.

Diane pouffe songeusement, inspire profondément et expire lentement.

— Es-tu parfois seul ? s'enquiert-elle en m'ébouriffant les cheveux.

— Ça m'arrive.

— Je ne veux pas dire… sans copine. Je veux dire… seul !

— Parfois.

— Quand j'étais jeune, j'avais l'impression d'être la personne la plus seule du monde. Je n'ai jamais eu de maman. Elle est morte à ma naissance. Et papa, il…

Elle boit une gorgée.

— Qu'est-ce qu'il a ?

— Il…

Elle hausse les épaules.

— Il a toujours été lointain. Il aurait aussi bien pu être un gentil oncle. C'est sans doute pour cela que j'ai tant aimé Robbie. Enfin j'avais trouvé quelqu'un, si tu vois ce que je veux dire.

— J'ai perdu mon père quand j'étais petit.

— Ça a dû être pire. Tu le connaissais. Toi, tu as perdu quelqu'un que tu aimais. Moi, je n'ai jamais eu de maman à perdre.

— Comme ça, elle n'a pas de vide à combler.

— Ou alors le vide est si grand que je ne sais même pas que je me trouve en plein dedans.

Elle me regarde.

— Parfois je me sens si sacrément seule. Même quand je sors avec un garçon.

— On peut se sentir seul dans une foule.

— Tu es sorti avec beaucoup de filles ?

— Pas tellement.

— Moi, oui ! Enfin, pas des filles ! Des garçons ! Des hommes ! Et tu sais quoi ?

— Non ?

— Tu te sens tout aussi sacrément seul. Tu peux être sorti avec cent personnes, tu te sens tout aussi sacrément seul.

Je hausse les épaules. Cent copines représentent pour moi une abstraction du niveau du dernier théorème de Fermat, je ne comprends même pas l'énoncé.

Je demande :

— Tu as eu cent petits copains ?

Elle glousse.

— C'est l'impression que j'ai ! Quatre-vingt-dix-neuf ! Je ne sais pas. Dans un sens, je n'ai eu qu'un seul petit copain. Robbie. Les autres n'ont été que… tu sais…

Elle s'appuie contre moi. Je place mon bras gauche autour de ses épaules.

— Parfois je le déteste !

— Robbie ?

— Non, papa ! Ne te méprends pas. Je l'aime. Mais parfois je le déteste vraiment du fond de mon cœur !

Elle soupire, se retourne vers moi et scrute attentivement mon visage.

— On t'a déjà dit que tu étais très mignon ?

— Mouais… Après deux, trois verres, peut-être.

— Je ne plaisante pas. Tu es tellement facile à aimer.

— Diane, je sais à quoi je ressemble.

— Tu es mignon !

— Et toi aussi.

Riant grassement, elle enfonce son index dans mes côtes.

— Flatteries !

Son regard plonge dans le mien.

— Je suis tellement contente de t'avoir rencontré !

— Pourquoi ?

— Parce que tu me plais. Parce que je n'ai jamais rencontré quelqu'un comme toi. Qui soit aussi entier. Qui se foute de tout. Tu es quelqu'un à part.

— Je n'ai, comme qui dirait, pas le choix.

— Tu *crois* en quelque chose. Tu ne renonces jamais. Quel que soit ton adversaire. J'ai toujours admiré les gens comme toi. Alors que ces salauds... !

— Qui donc ?

— Ils s'imaginent...

Elle s'interrompt.

— Si tu savais seulement... Oh ! qu'ils aillent se faire foutre ! conclut-elle rageusement.

Maintenant, il va se passer quelque chose, me dis-je.

Et puis elle se penche et m'embrasse.

La première fois que j'ai embrassé une fille, j'avais 16 ans. Elle en avait 14. Elle s'appelait Suzanne. Elle était aveugle.

Embrasser Diane me fait penser à Suzy. Je ne sais pas pourquoi. Cela fait des années que je n'ai pas pensé à Suzy. Mais quelque chose dans le baiser de Diane (une certaine ardeur maladroite, comme si elle voulait et ne voulait pas à la fois) a ouvert un tiroir de souvenirs oubliés. Je me souviens du frêle corps de Suzy, de ses formes naissantes, de nos souffles lourds dans la bouche l'un de l'autre.

L'haleine de Diane a un goût de gin. Sa langue

est un serpent turbulent. Je ne sais que faire de mes mains.

Elle se retire un peu et me regarde en me tenant le visage. Elle a les yeux aqueux et injectés de sang des gens qui n'ont pas l'habitude de boire. Ils abritent aussi autre chose : de la colère ? du chagrin ? un trouble ?

Sans un mot elle commence à déboutonner son chemisier. Paralysé par l'émoi, je suis chacun de ses mouvements. Une fois les boutons défaits, elle prend ma main et la glisse sur son soutien-gorge.

Elle me lance un regard furtif. *Bjørn le gentil albinos*. Un parmi cent.

Elle me conduit dans sa chambre. Les murs sont rouge feu. Un éclair d'or lacère le couvre-lit noir. Sur la table de chevet s'élève une pile de magazines de mode en papier glacé.Elle arrache le couvre-lit, avant d'ondoyer hors de sa jupe sur le matelas. Elle est vêtue pour la circonstance. Son soutien-gorge rouge transparent est assorti à sa culotte. Elle roule sur elle-même en m'attendant. Je déboutonne ma chemise et bataille avec ma ceinture. J'ai toujours des ennuis de ceinture quand je dois l'enlever sous les yeux de femmes impatientes. Encore que la récurrence du problème ne puisse guère être qualifiée de fréquente.

Lorsque je m'assieds au bord du lit, elle se penche en avant pour m'embrasser goulûment. Je me sens bête. Désemparé. Je sais ce que je devrais faire, mais je ne le fais pas, je reste inerte et la laisse me montrer le chemin.

Et quel chemin, du reste. Elle ouvre le tiroir de la table de chevet pour en sortir quatre liens en soie.

Elle pouffe nerveusement.

— Tu as envie de m'attacher ?

Elle est ivre. Complètement ivre.

— Je te demande pardon ? dis-je dans ma barbe.
Je l'ai entendue. Mais ça ne rentre pas vraiment.
— Tu veux m'attacher ?
Je contemple les cordelettes.
— Tu es choqué ?
— Mais non !
Comme si je n'avais jamais rien fait d'autre que ligoter des femmes et leur faire l'amour à la folie.
— Tu es choqué ! Je le vois bien !
— Sûrement pas ! J'ai déjà lu des articles sur le sujet !
— Tu n'as pas envie ? Si tu n'as pas envie, il suffit de me le dire !

Mais c'est évident que j'ai envie. C'est juste que je ne comprends pas tout à fait ce qu'elle veut dire. Elle me montre comment procéder. J'attache ses poignets et ses chevilles aux quatre montants du lit. Elle respire lourdement. Nous avons tous nos désirs.

Je ne l'ai jamais fait de cette façon. Je ne suis pas du genre à me formaliser. Mais je suis toujours entré directement en matière.

Hésitant, je m'allonge contre elle. Le bout de mes doigts qui l'embrasent semble presque trop pour elle.

Puis surgit un os. Je n'ai jamais été confronté à ce genre de situation. Elle a encore sa culotte. Mais ses jambes écartées sont attachées. Si je les détache, je romprai la magie. Je me demande comment me débarrasser de cette culotte. Finalement je renonce. Et écarte simplement l'élastique. Sujet clos.

Ensuite, alors que nous sommes enchevêtrés sous la couette, elle demande :
— Dis ? Je peux venir avec toi ? En Norvège ?
Elle se méprend sur mon silence.
— Je ne veux pas m'imposer. Pardon.

— Mais non. Ce serait… chouette.

— Il me reste une quinzaine de jours de vacances. Je me disais que ça aurait pu être amusant. De voir la Norvège. Avec toi.

— Je rentre demain.

— Ça ne fait rien. Si tu veux m'emmener.

— Bien sûr que je veux t'emmener.

À trois heures du matin, elle me réveille.

— Tu l'as bien cachée, n'est-ce pas ?

Je ne saisis pas de quoi elle parle.

— La châsse ! Je pensais à un truc. Un truc que tu as dit. J'espère qu'elle est en sûreté ?

Je suis tellement fatigué que je la vois en double. Les jumelles enchanteresses Diane.

— Elle est en sûreté.

— Tu ne soupçonnes pas leur capacité à découvrir les choses. Il suffit qu'ils le veuillent. Tu ne t'opposes pas à n'importe qui.

— Pourquoi dis-tu cela ?

— Parce que je veux que tu saches que je suis de ton côté. Même si je travaille pour la SIS. Je comprends que tu ne puisses pas avoir totalement confiance en moi. Mais quoi qu'il advienne, je serai toujours de ton côté.

— Bien sûr que j'ai confiance en toi.

— Je l'espère. Mais ils ont peut-être mis un micro dans mon sac. Ou quelque chose comme ça. Donc il ne faut jamais que tu me dises où tu as caché la châsse ni quoi que ce soit d'important. O.K. ?

— C'est un ami. Tu ne le connais pas. Et j'ai confiance en toi.

Je me tourne. Elle se colle contre moi. Ses seins se pressent contre la peau sensible de mon dos. Et c'est ainsi que je sombre dans le sommeil.

17

Je n'ai jamais vu ce réceptionniste. Un homme grand, aux cheveux blond clair. Il ressemble à un dieu de la guerre aryen. Mais quand il ouvre la bouche, sa voix est si nasale et son ton si coquet que je crois qu'il se moque de moi. Je déduis de son œillade mignonne que je suis probablement un homme recherché. Il me tend deux messages. Un fax et une note écrite de la main de la reine de la nuit, Linda. Elle est brève et quasiment exempte de fautes d'orthographe. Jocelyn DeWitt a appelé.

Le fax est écrit à la main sur le papier à lettre de la direction du Patrimoine :

Bjørn ! Ai essayé de te joindre. Où es-tu, b… ?
Pas réussi à joindre Grethe. Désolé. A-t-elle de la famille à qui elle aurait pu rendre visite ?
Passe-moi un coup de fil, O.K. ?
C.

Dans la chambre, tout est comme je l'ai laissé. Ou presque. Avant de partir, j'ai glissé un cure-dent sous le couvercle de la valise sous le lit. Par simple mesure de précaution. Pour me convaincre que je suis un pauvre paranoïaque. Il est maintenant sur la moquette.

Dans la douche je me lave de tous les parfums et des sucs de Diane.

Une fois habillé, et avant de commencer à plier mes affaires, je téléphone à Jocelyn DeWitt, pas parce que j'ai besoin de lui parler mais parce que je suis un jeune homme bien élevé. Et parce que, admettons-le, je suis curieux.

C'est la gouvernante qui répond. Elle a beau avoir la main sur le combiné, je l'entends expliquer que c'est le monsieur qui a appelé au sujet de M. Charles.

Jocelyn DeWitt décroche un autre combiné.

Je me présente. Bjørn Beltø. Archéologue norvégien.

— Archéologue ? ! s'exclame-t-elle. Je vois. Cela explique bon nombre de choses.

Sa voix douce me semble émaner d'un autre siècle.

— Pour Charles, l'archéologie était la vie même. Même si cela a aussi été… enfin. C'est tellement loin. Vingt ans.

Quelque chose retient ma langue.

— Les DeWitt ne sont pas très nombreux à Londres.

— Les ancêtres de mon mari étaient français. Ils se sont réfugiés en Angleterre pendant la Révolution. Aviez-vous des questions concernant Charles ?

J'avoue avoir appelé à tout hasard les seuls DeWitt de l'annuaire de Londres.

— Cela a bien sûr grandement éveillé ma curiosité, raconte-t-elle. Je me demandais vraiment ce que vous vouliez et qui vous pouviez être. Vous m'excuserez, mais Charles est mort depuis si longtemps maintenant. En quoi puis-je vous aider ?

Il est huit heures trente. Ils viennent me chercher dans une heure et demie.

18

Jocelyn DeWitt est un cygne, au cou long, aux gestes gracieux et à l'intonation somnolente évoquant le cristal, la chasse à courre et les *after-noons* paresseux à l'ombre douce de la tonnelle. Son regard traduit une assurance joyeuse et décontractée. Tout en elle rappelle que jamais elle n'a dû se lever au point du jour, frigorifiée, pour mettre du charbon dans le poêle. L'effet de surprise est donc d'autant plus vif chaque fois que quelque savoureuse tournure gaillarde s'insinue dans son anglais raffiné pour exploser sur ses lèvres comme une grenade.

Elle donne des ordres à sa gouvernante noire par gestes vifs de la main. Elles ont dû développer un langage codé. Comme le font maîtres et domestiques quand ils ont passé ensemble si longtemps qu'ils ont fusionné en un seul organisme. La gouvernante replète sait si ces doigts qui s'agitent ou claquent signifient « sors de cette pièce et ferme la porte derrière toi ! », « va chercher la liqueur de banane ! » ou encore « pourquoi n'offres-tu pas un cigare au Norvégien ? ».

Je ne suis jamais venu ici. Je ne suis même pas dans le quartier où j'ai rendu visite à Charles DeWitt. Ou à son revenant.

Nous pénétrons dans un salon chargé de lustres et bow-windows, tentures et tapis épais, meubles baroques et, dans un angle, en plus d'une cheminée surdimensionnée, Dieu me préserve, un poêle de faïence.

Elle me prend la main et me conduit à cet âtre souffrant d'éléphantiasis.

— Le voici ! Mon cher Charles et les autres. Elle a été prise en 1973.

Elle a attribué la place d'honneur sur le manteau de la cheminée à un agrandissement encadré. Le grain est grossier, les couleurs passées. Les hommes ont les cheveux longs, des tee-shirts à motifs psychédéliques. Vous avez ainsi la certitude que ces gens qui vous fixent se trouvent dans un instant figé dans le temps.

Ils sont groupés au bord d'une tranchée de fouille. Quelques-uns s'appuient sur leur pelle. D'autres se sont noués un mouchoir autour du crâne pour se protéger du soleil.

Au bout à droite, derrière Grethe, se tient papa.

Grethe a l'air étranger. Jeune et superbe. Joueuse.

Elle a les yeux qui brillent, les mains sur le ventre.

Sur un tas de déblais, s'élevant au-dessus de tous les autres, trône Charles DeWitt, les bras croisés. Il a l'air d'un esclavagiste, propriétaire de toute cette maudite troupe. C'était donc bien lui. Le vieil homme ne m'a pas dupé. Il a seulement dupé sa femme.

J'ignore quel secret il cache. Et pourquoi il a fait semblant d'être mort. Et comment il a réussi à vivre caché pendant toutes ces années, sans être démasqué, en plein cœur de Londres.

Je songe que je suis trop lâche pour lui dire la vérité.

- A-t-il pu se lasser d'elle ? Et s'installer avec une autre femme ? Ou a-t-il craqué pour un irrésistible petit enfant de chœur ? Peut-être a-t-il découvert quelque chose en 1973, avec papa et Llyleworth, quel-que chose qui l'a fait cesser d'exister ?

Madame DeWitt m'invite à prendre place dans un salon de style Louis XVI. Nous nous asseyons. Les jambes croisées. Tel l'esprit d'une lampe, la gouver-nante surgit avec une carafe en cristal.

— Un peu de liqueur de banane ? exhorte Mme DeWitt.

J'accepte par politesse. Mme DeWitt l'ayant dressée à ne pas regarder les gens dans les yeux, la gouvernante remplit deux petits verres sans croiser mon regard. Ma cavité buccale se sature d'une masse sirupeuse. « Foutrement délicieux ! », commente Mme DeWitt en faisant claquer sa langue. Ce n'est clairement pas le premier de la journée.

— Que vouliez-vous savoir ? s'enquiert-elle en s'approchant familièrement de moi.

— Comme je vous l'ai dit, je suis archéologue.

— Mais pourquoi cherchiez-vous Charles ?

— J'ai fait une découverte qui nécessite un certain nombre de recherches. Et dans ce contexte est apparu le nom de votre… défunt mari.

Cette liqueur de banane poisse comme de la mélasse dans ma bouche et me fait clapper de la langue.

— Comment cela ?

Je me rends compte que je serais bien incapable de lui expliquer quoi que ce soit. Et encore moins que son mari se porte comme un charme. J'essaie de contourner sa curiosité.

— Vous disiez que la famille DeWitt avait fui la France pendant la Révolution ?

— Charles était extrêmement fier de ses origines. Maudits Français mangeurs de grenouilles ! Ils ont échappé à la guillotine de justesse. Une famille d'aristos parvenus, si vous voulez mon avis ! Mais qui avait fréquenté le roi et la noblesse, surtout les femmes. Des putains de la haute, oui ! Puis ils sont passés de l'autre côté de la Manche. L'arrière-grand-père de Charles a fondé un cabinet d'avocats, Burrows, Pratt & DeWitt Ltd. Son grand-père, puis son père ont repris l'affaire. On attendait de Charles qu'il la reprenne à son tour. Charles avait… de l'éducation, vous savez. Il a commencé des études de droit. Et puis, tout à fait inopinément, il s'est jeté à corps perdu dans l'archéologie. C'est le professeur Michael MacMullin qui l'a, pour ainsi dire, converti. Aux yeux de la famille de Charles, c'était une rébellion. Une foutue révolution ! Pendant plusieurs années, son père a refusé de lui parler. Il a fallu que Charles obtienne le grade de professeur des universités pour qu'il reprenne contact avec lui. Pour le féliciter. Mais il ne lui a jamais pardonné.

— Et votre mari est mort en…

— 1978.

Sa réponse me glace. Je vois une avancée rocheuse. Une corde. Un corps au milieu des pierres de l'éboulis.

Elle ne perçoit pas mon trouble.

— Mais dites-moi donc, jeune homme, ce que vous vouliez savoir ?

— Connaissez-vous les circonstances de la mort de votre mari ? dis-je en bafouillant.

— Ils cherchaient une sorte de trésor. Les fous ! Il avait été très secret. En temps normal, il m'en racontait bien plus que je ne voulais en savoir sur son travail. Oh ! il me faisait périr d'ennui avec son bavardage. Des conneries d'universitaire ! Mais cette fois-là, je n'ai rien su à part qu'ils cherchaient une châsse. Une maudite châsse antique !

Ô ciel…

— L'ont-ils trouvée ?

— Qu'est-ce que ça peut faire maintenant ? Quand Charles est mort, je suis partie chez ma sœur dans le Yorkshire. J'ai vécu chez elle pendant environ un an. Pour… me remettre du choc. Avez-vous déjà perdu un proche ?

— Mon père.

— Alors vous savez de quoi je parle. Il faut du

temps. Du calme. Du temps et du calme pour se souvenir. Réfléchir. Travailler son deuil. Peut-être essayer d'établir un contact à l'aide d'un médium. Vous savez. Dites-moi, Charles aurait-il laissé derrière lui des papiers qui vous amènent ici ?

— Juste une carte de visite. Comment est-il mort ?

— Une infection. Il s'est éraflé le bras gauche. Une bagatelle, en réalité.

— Qui l'a emportée ?

— La plaie s'est infectée. N'importe où ailleurs, ç'aurait été relativement anodin.

— Où se trouvait-il ?

— Loin des hommes ! Le temps qu'ils l'emmènent à l'hôpital, il avait la gangrène.

— Où cela ?

— Au bras, vous dis-je ! Ils l'ont amputé ! Le bras entier ! Mais ces macaques sans cerveau — passez-moi l'expression — n'avaient pas l'habitude de se frotter à des cas compliqués. Il est mort deux jours après l'amputation.

— Mais où ?

— Dans une jungle de merde !

Je demeure silencieux pendant quelques secondes avant de l'interroger :

— Une jungle ?

— C'est ce que je vous ai dit, non ?

— Vous voulez dire… en Afrique ?

Elle lève les yeux au ciel.

— Je ne veux certainement pas dire sur Oxford Circus !

— Ce ne serait pas arrivé au Soudan par hasard ?

— Pourquoi toutes ces questions si vous connaissez les réponses ?

— Comment se sont terminées les fouilles ?

Elle tourne vivement la tête.

— Aucune idée ! À vrai dire je n'y ai jamais réfléchi. Ou plus exactement : je n'en avais rien à faire. Avant de mourir, il m'a écrit. Ce qui allait donc se révéler être une lettre d'adieu.

Elle claque des doigts. La gouvernante, qui se tient comme un gros bouddha tout raide dans un coin, reprend vie et cherche une boîte dans un secrétaire avant de l'apporter à madame. Elle contient cinq feuilles manuscrites reliées par un ruban noir. Elle le défait et me tend le papier friable.

J'hésite.

— Allez-y ! ordonne-t-elle.

Bords du Nil, Sud Soudan
Lundi 14 août 1978

Jocy chérie,

Quelle malchance ! En me rendant du campement au chantier de fouilles, j'ai, dans un moment de distraction (aucun commentaire, merci !), trébuché sur une racine et suis tombé dans une pente escarpée d'argile caillouteuse. Ne t'inquiète pas, ma chérie, ce n'était pas une grosse chute, mais je me suis fait une petite entorse à la cheville et un caillou pointu m'a éraflé le bras. Le sang a méchamment coulé pendant un moment, mais un boy m'a fait un bandage et aidé à rentrer au campement. Et puis il est apparu que nous ne trouvions pas de mallette de premiers secours. N'est-ce pas typique ? Aujourd'hui, je suis consigné à ma tente sur ordre de MacMullin, afin de me reposer et de permettre à la plaie de cicatriser. Elle n'est pas

241

terriblement profonde, donc j'espère que nous ne serons pas obligés de recoudre.

Mais voyons le côté positif des choses : si je m'ennuie ainsi, assis sur mon lit de camp, j'ai pour le moins — enfin ! — l'occasion de t'écrire quelques lignes. Oui, oui, je sais, j'aurais dû t'écrire avant, mais MacMullin n'est pas homme à considérer le temps libre et l'oisiveté comme des bienfaits de l'humanité !…

Il fait encore plus chaud que je ne le craignais, c'est à vrai dire relativement insupportable, mais le pire reste cependant l'humidité, qui adhère comme de la peinture tiède. Et puis tous les insectes, bien sûr ! (Mais vu ton amour pour les insectes, je ne te raconterai ni leur taille — gigantesque ! énorme ! — ni où nous les trouvons — dans les lits ! les chaussures ! les vêtements !)

Nous sommes arrivés assez loin (ou profond ! ! ! hé ! hé !) dans nos fouilles. Je ne vais pas t'ennuyer avec des discussions de spécialistes, je connais ton inintérêt pour mes activités, mais en résumé : nous sommes à la recherche de vestiges de croisades perses. Je ne sais pas combien de fois j'ai dit à MacMullin que la châsse ne s'était jamais trouvée avec les Perses, mais que les chevaliers de Saint-Jean avaient dû la cacher dans l'octogone de leur monastère en Norvège. Mais personne ne m'a jamais écouté. À part Birger. La paix soit avec lui…

Oooops, voici mon repas ! Mais à plus tard, mon minou !

La nuit

Il est une heure et demie (du matin ! ! !), je n'arrive pas à dormir, dehors l'obscurité est saturée de bruits étrangers et de parfums lourds. La nuit africaine ne ressemble à rien de ce que j'ai pu vivre chez nous, on dirait qu'elle chuchote, exactement comme si quelque chose s'éveillait à la vie. Je ne pense pas à des animaux, mais à quelque chose d'indiciblement plus grand. Pardonne-moi si je yo-yote.

Je crois que j'ai de la fièvre. Je suis frigorifié, bien qu'il fasse au bas mot trente-cinq degrés dans cette tente, et aussi humide que dans une fichue serre.

La plaie de mon bras lancine terriblement. Merde, merde...

Je vais essayer de dormir. Tu me manques, ma chérie ! Bisous, bisous.

Mardi

C'est bien ce que je craignais. Ne crois-tu pas que cette satanée plaie s'est infectée ?

Ne te fais pas de souci, Jocy ! MacMullin a décidé de me ramener au village, où il y a un hôpital. Nous allons en avoir pour une journée à pied et une en Jeep. Il me faut bien l'admettre : je redoute terriblement !

Mardi soir

J'ai passé toute la journée étalé comme de la chair morte sur la civière. Ils étaient huit à se relayer pour me porter. Des autochtones. Ils parlaient et riaient, je n'y comprenais que couic. Heureusement, MacMullin a aussi envoyé deux Anglais. Jacobs et Kennedy. Ils me tiennent compagnie, mais par cette canicule nous n'avons pas la force de beaucoup bavarder !

Il règne une chaleur et une humidité intenables. La jungle est dense et torride, j'ai beau être à des dizaines de kilomètres de l'océan le plus proche, j'ai le mal de mer.

Mercredi soir

Il faut que je te dise quelque chose, Jocy : la plaie commence à sentir. J'ai d'abord cru à de la transpiration, mais les autres aussi ont commencé à s'en rendre compte, et lorsqu'ils ont défait le bandage, la puanteur s'est répandue comme un nuage toxique. Je ne sais pas si une infection bactérienne peut avoir cette odeur ou si la plaie se gangrène. Je crains le pire. Pour être franc, je ne me sens pas très bien. Cet après-midi, j'ai été pris de vomissements. Mais maintenant, par bonheur, nous sommes arrivés aux voitures. Nous avions prévu d'établir un campement ici cette nuit, mais les autres estiment que mieux vaut partir tout de suite, même si c'est proprement infernal de rouler sur ces routes en pleine nuit noire. Je ne peux qu'apprécier leur sacrifice.

Je dois m'arrêter, nous partons tout de suite !

Jeudi matin

Quelle nuit ! Je t'en parlerai plus tard, à mon retour.

Lorsqu'enfin ! nous sommes arrivés à l'hôpital ce matin, ça été le branle-bas de combat. Je ne pense pas qu'ils aient jamais eu de patient blanc. C'est de bon augure : on va me traiter comme un dieu tombé du ciel.

Nous attendons à présent le médecin. Il a fallu aller le chercher dans un village à quelques dizaines de kilomètres d'ici. Ô Dieu, j'ai hâte, Jocy ! La puanteur est répugnante. Il doit s'agir de gangrène. Mais heureusement nous n'avons pas traîné.

Ma forme n'est pas franchement extra.

Ô Jocy, Jocy, Jocy, mon amour ! Il faut que je te raconte quelque chose de terrible ! Promets-moi d'être courageuse !

On m'a coupé le bras, Jocy !

Tu entends ! Ils m'ont amputé du bras !! Ô mon Dieu ! Quand je baisse les yeux, je ne vois à gauche qu'un moignon dans un bandage sanglant ! C'était la gangrène, comme je le craignais ! Ô Jocy !!

Par bonheur les douleurs ne sont pas aussi méchantes qu'on pourrait le croire, mais je vomis sans cesse ! On me bourre de morphine !

Je suis vraiment navré d'avoir à te l'annoncer de cette façon !

Et que ce soit un estropié qui te revienne ! J'aurais dû t'écouter et rester à la maison !

Pas la force d'en écrire davantage pour l'instant !

La nuit

Tu me manques ! Je n'arrive pas à dormir
Ça fait tellement mal, bordel
Gelé

Samedi

Ma chère Jocy chérie, aujourd'hui - - *[illisible]* - - et je - - *[illisible]* - - le prêtre
Mais - - *[illisible]* - - Ma J[ocelyn] ! Je t'aime ! - - peux-tu pardonner - - *[illisible]*

Il est [illisible] - -
Jocy amour, la fièvre me rend [illisible] -
suis si fatigué ! ! ! !
écrirai davantage plus ta..

C'est une émouvante fiction. Charles DeWitt a dû ricaner cruellement pendant qu'il décrivait son agonie. Sur la première page, ses lettres sont puissantes, penchées vers la droite, elles s'enfoncent dans le papier. Puis, consciencieusement, il a rendu son écriture de plus en plus affaiblie et illisible. À la fin elle est flottante.

Je repose la dernière feuille.

— Il est mort dans la nuit du samedi au dimanche, explique Mme DeWitt de but en blanc. On l'a trouvé avec la lettre dans son lit.

Je ne sais que dire.

— Sacrés adieux, non ? commente-t-elle.

— Ça a dû être épouvantable de lire cette lettre !

— Dans un sens. En même temps j'avais l'impression d'être sur place. Je savais ce qui s'était passé. Ce qu'il avait pensé et ressenti. Si vous voyez ce que je veux dire. MacMullin a personnellement ramené la lettre d'Afrique. Et me l'a remise.

Elle trempe les lèvres dans sa liqueur. Je me lève et retourne voir la photo sur la cheminée. Mme DeWitt arrive en trottinant derrière moi.

— Savez-vous qui c'est ?

Je désigne Grethe. Mme DeWitt souffle par le nez.

— Cette traînée ! Une salope de nymphomane norvégienne.

Puis elle se souvient que je suis moi aussi norvégien. Et que, théoriquement, cette femme pourrait très bien être ma mère. Et la raison de ma venue.

— Vous la connaissez ? fait-elle d'une petite voix.

— À peine... Elle donnait des cours à la fac.

— Elle est tombée enceinte.

Je reste cloué sur place, bouche bée.

— Enceinte ? dis-je en bredouillant.

De papa ? Ou de DeWitt ? N'a-t-il pas lui-même dit qu'ils avaient été « *amoureux* ». Mais je n'ose pas poser la question.

— Tout le monde faisait semblant de ne pas le savoir !

Elle renâcle encore. Je pointe mon doigt sur Charles DeWitt.

— Et ceci est...

Je parle tout bas en m'efforçant péniblement de dissimuler mon émotion.

— ... votre défunt mari ?

— Grand Dieu, non ! Quoique je n'aurais rien eu contre !

Gloussant doucement de la frivolité de sa remarque, elle montre un homme basané effacé. Il ressemble à un maraîcher espagnol mécontent.

— Voici mon Charles ! Dieu le garde !

— Mais...

Je tapote mon index sur celui qui trône au milieu de la photo.

— ... qui est cet homme ?

— Ça, répond-elle en riant, c'est le directeur des fouilles. Un archéologue et scientifique très reconnu. Un bon ami de mon Charles. Ne vous ai-je pas parlé de lui ? C'est Michael MacMullin !

19

Le camion de déménagement est gros comme un tanker et occupe tout le trottoir de Sheffield Terrace, chassant les piétons sur la chaussée. Je prie le chauffeur de taxi d'attendre. En proie à une inexplicable peur du jugement dernier, je cours trouver l'un des déménageurs. Il a le regard bête et des rondins en place de bras. Je demande où est le propriétaire. Il ne me comprend pas. Il appelle un type qui doit être le chef d'équipe. Je réitère ma question. Ils me regardent et se gaussent sans vergogne de mon accent. Ils me voient comme une sorte d'attraction de fête foraine en chair et en os, un pantin cadavérique affairé qui pendille sous leur nez. « Le propriétaire ? » finit par répéter le chef d'équipe, « ch'sais rien d'lui ». « Celui qui habitait ici ! » Je crie pour couvrir le bruit d'une moto qui passe. Il hausse les épaules. « C'est important, je suis un chirurgien étranger, il s'agit d'une transplantation cardiaque, c'est urgent ! La vie d'un enfant en dépend ! » Ils se regardent avec incertitude, puis le chef d'équipe part appeler le central dans la cabine du camion. Il revient, l'air perplexe. « On a dû vous donner une mauvaise adresse, c'est un appartement de location, hein. On n'a pas de nom, on peut pas donner l'identité de nos clients, hein, politique de l'entreprise… » Il est distrait par les cinq livres sterling que je glisse dans sa poche de chemise et s'approche de moi. « Et puis il faut que vous parliez aux autorités, hein, qui sont propriétaires de l'appartement. C'est pas n'importe quel appartement, hein. »

Bien entendu, il pourrait s'agir d'une coïncidence. Les coïncidences peuvent être amusantes. Parfois elles forment des motifs en s'imbriquant.

Charles DeWitt, le condisciple et confrère chercheur de papa à Oxford en 1973, s'est éteint dans une jungle soudanaise une nuit d'août 1978. Un mois à peine après le plongeon de papa dans la mort, lors d'un accident que la police a classé d'après le statut de la preuve.

Le statut de la preuve.

La formule me titille froidement. C'est comme si on savait. Mais pas tout à fait.

La London Geographical Association est fermée le samedi. Mais je sonne jusqu'à ce qu'une voix grincheuse réponde à l'interphone. Je demande Michael MacMullin. C'est fermé, répond le gardien. Je hausse le ton et demande de nouveau Michael MacMullin, c'est important. Il faut revenir lundi, insiste-t-il. Je lui demande de prendre contact avec MacMullin pour l'informer que « M. Beltø de Norvège » le cherche, il est extrêmement important qu'il ait le message. « Qui ça ? » crépite la voix. « Beltø ! » Je crie si fort que les passants me lancent un regard effaré et s'empressent de poursuivre leur chemin, « Dites-lui que l'albinos cinglé veut lui parler. » Le chuintement cesse. Je sonne plusieurs fois, mais il ne répond pas. Je l'imagine derrière la caméra de surveillance : gras, content de lui, bien à l'abri derrière les portes épaisses et les mètres de câbles des caméras. Avec les lèvres je forme les mots « T'appelles MacMullin tout de suite, espèce de connard ! » Il est possible qu'il ne me comprenne pas. J'exhibe donc mon majeur avant de courir rejoindre mon taxi qui est parti.

Le chauffeur n'a même pas eu son argent.

20

— Mon Dieu ! C'est vous ? Déjà ?

Même déformée par l'interphone de la SIS, je

reconnais la voix de ma vieille amie, la grand-mère tricoteuse aux cheveux gris. Je décoche mon sourire le plus flashant à la caméra en remuant deux doigts.

C'est amusant le langage. Le langage nous distingue des bêtes. « Déjà ». Un mot si innocent. Mais révélateur. Révélateur du fait qu'elle était au courant de ma venue.

— Doux Jésus ! Il n'y a encore personne. On ne m'a pas prévenue que…

Tout en parlant, elle appuie sur le bouton pour m'ouvrir la porte, et quand j'entre, elle est encore derrière le bureau le doigt sur le bouton en train de me parler dans l'interphone. Elle a son imperméable sur le bras. J'ignore si elle vient d'arriver ou si elle va partir. Elle me regarde avec une expression stupide, affolée. Je la plains. Elle ne sait pas exactement quoi faire de moi.

— C'est ouvert aujourd'hui ? Un samedi ?

— Absolument pas. Je veux dire… non, pas en temps normal. Mais aujourd'hui… Oh ! je ne sais pas… Que voulez-vous ?

— Il faut que je parle à MacMullin.

Son visage perd un peu de sa crispation. Elle incline la tête.

— Ah ! Comme c'est drôle. Il est en route. Il espérait que vous seriez ici. Vous aviez rendez-vous… ? Prévu de vous retrouver… ? Pour aller à l'aéroport… ? Il a dit que si…

Elle s'interrompt et pose son imperméable sur le dossier de sa chaise.

— Enfin, il ne va pas tarder. Nous devrions peut-être monter à son bureau ?

Elle m'accompagne dans l'escalier en marbre, puis l'enfilade de colonnes. L'acoustique vient accentuer le fait que nous sommes les deux seules personnes du bâtiment. Nous traversons le sol en mosaïque, dépassons l'univers de M. Anthony Lucas Winthrop Jr. et tournons un coin. Et puis nous nous retrouvons devant la double porte d'église qui ouvre sur le bureau de Michael MacMullin. Son nom est vissé dans le bois sombre en petites lettres de laiton bien astiquées. Quand tout le pouvoir est entre vos mains, vous pouvez vous permettre d'être discret.

Le secrétariat de Michael MacMullin est de la taille d'une salle de conférences en Norvège. Le parquet reluit. Le bureau de la secrétaire est placé à côté d'un luxueux salon français, où les invités peuvent attendre que son excellence ait l'heur de les convier dans le saint des saints. Les bibliothèques croulent sous les éditions originales de livres, dont j'ai seulement entendu parler. Profonds puits de lumière, deux fenêtres donnent sur la rue. La grosse photocopieuse et le matériel informatique sont repoussés aussi loin que possible dans l'ombre. La porte du bureau lui-même, des quartiers de MacMullin, est équipée d'un verrou normal et de deux verrous de sécurité. Le chambranle est blindé. Au mur clignote un voyant rouge sur un boîtier avec des chiffres inscrits sur le panneau frontal. Au quotidien, Michael MacMullin doit se sentir comme une heureuse petite tirelire, bien protégé dans le coffre-fort le plus sûr du monde.

— Bon, eh bien il ne vous reste plus qu'à vous asseoir et à patienter ! déclare grand-mère.

Elle est essoufflée. Elle sort à reculons et ferme la porte du secrétariat.

Je m'assieds sur l'appui de fenêtre. Observe la rue en réfléchissant à ce que je vais dire à MacMullin.

Peu après, une BMW 745 arrive au coin. Suffisamment vite pour qu'une femme, qui s'apprêtait à traverser le passage piéton, soit obligée de retourner d'un bond sur le trottoir. C'est ce qui attire mon attention. J'ai horreur des chauffards.

La voiture pile sur le trottoir. C'est tout juste si les pneus ne crissent pas. Quatre hommes en sortent. Le chauffeur, je ne l'ai jamais vu. Suit Michael MacMullin (alias DeWitt). Et mon bon vieil ami Graham Llyleworth.

Mais c'est le dernier qui m'inquiète. Nous nous sommes déjà rencontrés. C'est King Kong.

Je me demande pourquoi ils emmènent leur casse-phalanges s'ils veulent simplement me parler.

En sortant du secrétariat, j'entends la porte s'ouvrir pour accueillir ce cortège au rez-de-chaussée.

Et grand-mère d'annoncer : « Il est en haut ! »

Je me déchausse et, une chaussure dans chaque main, traverse en courant l'enfilade de colonnes. Apercevant les quatre hommes dans l'escalier, je fais un écart et me colle contre un pilier.

S'ils se retournent au passage, ils me surprendront. Mais cela ne se produit pas.

J'attends qu'ils aient tourné le coin, puis je cours et dévale les marches. Arrivé en bas, je remets mes chaussures.

Grand-mère se retourne.

— Mais… c'est vous ? s'écrie-t-elle stupéfaite en balayant l'escalier du regard. Ici ?

— Soi-même !

Du bureau de MacMullin s'échappe un cri.

— Mais…

Elle fait un pas vers moi au moment où je passe. Comme si elle était ceinture noire de jiu-jitsu et avait l'intention de me plaquer au sol par ses propres moyens.

— Arrêtez-le ! lance quelqu'un.

Elle trottine derrière moi jusqu'à la porte en couinant d'angoisse.

Je me précipite dans la rue et me rends invisible.

21

La valise de Diane est prête dans l'entrée. L'expression de son visage pourrait laisser entendre qu'elle a passé les cinq dernières heures assise dessus à m'attendre.

— Enfin ! aboie-t-elle. Où est-ce que tu…

Je la coupe :

— Je crois qu'ils les ont tués !

Diane ne réussit pas à fermer complètement la bouche.

— Il faut qu'on y aille !

— Qui, a tué qui, bégaie-t-elle ?

— Mon père. Et DeWitt.

— Qui étaient les assassinés ?

— C'est eux qui ont été assassinés.

— Là, je ne comprends rien ! Pourquoi ont-ils été tués ?

— Ils savaient quelque chose.

— Mon Dieu. Sur la châsse ?

— Je ne sais pas. Mais ils sont morts quasiment en même temps. Dans des accidents.

— Et alors ?

— Il doit y avoir un lien.

— Je ne crois pas…

— Diane ! Ça, tu n'en sais rien. Viens ! Tes affaires sont prêtes ? Viens, on s'en va !

— C'est incroyable, cette précipitation !

— Ils en veulent à ma peau !

— Attends un peu.

— On n'a pas le temps !

— Qui en veut à ta peau ?

— MacMullin ! Llyleworth ! King Kong ! La CIA ! Dark Vador !

— Hum…

— Allez, viens !

— Ils en veulent à ta peau ?

— Je l'ai échappé belle. De justesse !

Elle me considère avec inquiétude.

— Bjorn… Tu ne crois pas que tu exagères un peu ?

— Diane !

— O.K., O.K., on y va ! Tes bagages sont en bas ?

— Je dois les laisser à l'hôtel.

— Mais…

— J'ai mon passeport et de l'argent.

— Bjorn, j'ai peur ! Qu'est-ce qui s'est passé ?

— Je te le raconterai plus tard. Viens ! Il faut qu'on se dépêche si on veut avoir l'avion.

— Mais ne devrions-nous pas… ?

— Ne devrions-nous pas quoi ?

— Il faut que j'appelle mon père.

— Maintenant ?

— Eh bien, il…

— Appelle de l'aéroport ! Appelle de Norvège !

— Ça prendra juste une minute. Trente secondes !

— Bon, d'accord ! Dépêche-toi !

Diane décroche le combiné. Je la regarde. Elle me regarde. Elle raccroche.

— Ce n'est pas très important. Je pourrai appeler de Norvège.

Au même instant, le téléphone sonne. Troublée, elle répond. Elle dit « oui » plusieurs fois d'un ton cassant.

— Qu'est-ce que tu veux dire ?

Elle écoute.

— Quelle raison ? !

Elle me regarde et lève les yeux au ciel.

— Expliquer quoi ? hurle-t-elle dans le combiné.

Puis elle raccroche.

— C'était le boulot. À croire que c'est la fin du monde parce que je prends des vacances.

Je porte sa valise jusqu'à l'ascenseur. Diane ferme la porte, mais se rend compte qu'elle a oublié de faire pipi. Les femmes ! Elle retourne à l'intérieur. Y reste une éternité. J'avais retenu l'ascenseur en plaçant la valise devant le rayon du détecteur, et la porte fait pling en se refermant derrière nous. Diane appuie sur un bouton orné d'une silhouette de voiture. L'ascenseur bourdonne doucement. Cela me chatouille le diaphragme.

Dans le garage, elle ouvre le coffre de sa Honda. J'y dépose sa valise.

Diane met le contact. Les pneus geignent quand elle accélère, l'écho est creux. Je m'enfonce dans le siège et inspire. J'ai mal aux jambes.

Nous devons attendre à un guichet avant que Diane puisse filer hors du garage et se glisser dans la circulation. L'une des voitures que nous croisons, et qui pile devant l'entrée de l'immeuble, est une BMW 745 beige. Je ne réussis pas à voir à l'intérieur. Mais il est impossible que ce soit eux.

Deuxième Partie

LE FILS

IV

NON-DITS, MENSONGES, SOUVENIRS

1

C'était l'été au cours duquel papa est mort.

Balafrée de coupes et de lignes électriques, la vieille forêt s'étendait comme par bravade. Cela fait vingt ans maintenant. Mais quand je ferme les yeux, je peux encore recréer les images et l'atmosphère de ces grandes vacances. De douces poches dans mon jardin privé de souvenirs. Le long trajet en voiture… Au-dessus de nous le ciel était translucide. La radio crépitait sur une fréquence instable. Somnolent et nauséeux sur la banquette arrière, je regardais dehors par la vitre entrouverte. Sur le bas-côté planaient des nuages de moucherons au-dessus des hautes herbes jaunes. La chaleur était chargée de parfums. Entre les arbres, des lacs froids étincelaient comme les débris d'un miroir. Je me souviens d'une cabane de bûcheron décatie que la mousse et la pourriture dévoraient. D'un sac en plastique efflanqué orné d'une publicité pour le café Ali suspendu à une branche. D'un pneu de voiture abandonné. D'impressionnants rochers. À flanc de coteau gazouillaient des ruisseaux qui disparaissaient dans des conduites en béton. Nous dépassions de grands étangs ceints de fourrés. Je ravalais des renvois. Maman me caressait le front. Papa était au volant, muet, absent, Trygve Arntzen à côté de lui, guilleret, bavard, les pieds sur le tableau de bord. Je me souviens des ornières boueuses laissées par des engins de travaux publics qui traversaient le chemin forestier carrossable. Des fermes aux fenêtres clouées et aux cours recouvertes de végétation, mausolées du jour précédent. Dans l'une de ces cours, un vieillard taillait un objet assis sur un billot, tel un lutin oublié ou un vieil oncle figé dans la glace. Il n'a pas levé le nez, peut-être n'existait-il pas.

À partir du parking, le sentier sinuait à travers une prairie. Entre les arbres, il faisait sombre. Dans cette pénombre, les racines desséchées évoquaient des serpents pétrifiés. La mousse humide prospérait sur les troncs. Papa était silencieux. Maman fredonnait. Trygve suivait non loin d'elle et je fermais la marche. Nous ressemblions sûrement à quatre sherpas fourvoyés. L'air de la montagne se déversait sur nous, dans toute sa fraîcheur brute.

— Lillebjørn !

Lointaine et chaude, la voix de maman se mêlait à mon rêve. Comme une caresse.

— Ourson ?

Même à travers la toile de la tente, j'étais ébloui par le soleil. Il était presque neuf heures. J'ai regardé si Trygve, avec qui je faisais tente commune, était là. Son sac de couchage était vide, décharné, à moitié tordu, comme une dépouille de serpent. Tout endormi, j'ai replongé dans la moite obscurité de mon propre duvet.

— Petit prince ! Bjørn !

Dans un bruissement, maman a tiré la fermeture éclair et passé la tête dans la tente. Un visage d'ange couronné de mèches folles.

— Petit-déjeuneeeeeer ! a-t-elle chanté.

Elle a commencé à tirer sur le sac de couchage. Je luttais. Rageusement. Depuis quelque temps, j'avais commencé à bander au réveil. Mais ça, je pouvais difficilement le raconter à maman.

Le petit-déjeuner était servi sur des assiettes en carton posées sur un plaid entre les tentes. Pain coupé au coutelas en tranches épaisses. Beurre. Salami. Saucisson de mouton. Confiture de framboise. Œufs et bacon carbonisés sur le réchaud à gaz.

Trygve m'a donné une tape amicale dans le dos. Il ne s'était pas rasé depuis quelques jours.

Maman n'aimait pas que papa fasse de l'escalade. Papa et Trygve lui avaient bien fait une démonstration de l'équipement d'assurage. Cordes, pitons, mousquetons et dispositifs d'assurage. Mais sans succès. Elle avait peur qu'il arrive quelque chose.

Après le petit-déjeuner maman et moi sommes allés nous baigner dans l'étang. L'eau était sombre et luisante. J'ai demandé à maman si elle pensait qu'il y avait des sangsues dans les roseaux. Elle ne le pensait pas. Quand nous sommes entrés dans l'eau en barbotant, elle paraissait tiède. Autour de nous flottaient des nénuphars, comme dans un étang enchanté. Nous avons nagé jusqu'à l'autre rive pour nous hisser sur une pierre chauffée par le soleil. Maman a fermé les yeux et joint les mains derrière la tête. Dans la forêt un oiseau s'est envolé, mais je ne l'ai pas vu. Je suivais d'un regard paresseux les gouttes d'eau qui coulaient sur le corps de maman. Par à-coups, comme de la pluie sur une fenêtre, elles ruisselaient sur sa peau avant de tomber sur le rocher, où elles s'évaporaient longtemps avant d'avoir pu regagner leurs pénates.

Voici un autre instantané :

J'avais pêché deux poissons et, fort content de moi, regagné le campement en sifflotant tout au long du trajet. Ma canne reposait sur mon épaule. Enfermés dans un sac en plastique, les poissons sentaient mauvais.

Lorsque je suis arrivé, il n'y avait personne.

J'ai appuyé la canne à un arbre et accroché le sac sur une branche cassée pour éviter qu'une hermine ou un grizzly ne s'empare de mon butin.

Puis :

La voix de maman, à travers la toile de la tente : « Bêta, va ! »

J'ai sursauté. Autour de moi la forêt était silencieuse. J'étais un esprit invisible, inaudible, en lévitation autour de la tente.

Sa voix n'était pas celle que je connaissais. Elle avait revêtu quelque chose d'étranger, de nauséabond, qui n'était pas destiné à mes oreilles.

Tendre, douce, pleine d'humidité poisseuse.

Murmure, guilleret, d'une voix profonde venue d'un sac de couchage.

Je me tenais coi dans la bruyère. J'écoutais.

Maman (comme un soupir, à peine audible) : « Tu es si bon. »

Silence.

Maman : « Allez, pas maintenant. »

Rire taquin.

Maman (joueuse) : « Non ! »

Silence.

Maman : « Allez, ils pourraient arriver d'un moment à l'autre. »

Mouvements.

Maman (roucoulant, glapissant) : « Alleeeeez ! »

Une bête sauvage prise au piège des tréfonds du sac de couchage.

Maman (pouffant) : « Tu es complètement fou ! »

Pause.

Roucoulades.

Silence rempli de bruits. Le vent dans les arbres. L'effervescence lointaine de la rivière. Les oiseaux.

Ma voix, petite, faible : « Maman ? »

Un ange est passé.

Puis il y a eu un bruissement de la fermeture éclair de la tente. Trygve est sorti à quatre pattes et a regardé autour de lui. Quand il m'a aperçu, il s'est étiré l'air endormi et a bâillé.

— Déjà là ?

— J'ai pris deux poissons. Maman est là ?

— Deux ? Eh ben ! Des grands ?

J'ai décroché le sac en plastique de l'arbre pour le montrer.

— Maman est là ?

— Pas en ce moment précis. Si on allait les nettoyer ?

Il m'a pris la main. C'était une première. J'ai hésité.

— Tu ne veux pas aller les nettoyer ? a-t-il insisté avec impatience en m'entraînant à sa suite.

Puis nous sommes allés les nettoyer. L'affaire a été vite expédiée. À notre retour, maman se faisait bronzer, assise sur le gros rocher. Elle a souri à Trygve, avec un petit air désolé espiègle. Elle a trouvé que les poissons avaient l'air délicieux et promis de les cuire pour le déjeuner.

Quand on revient sur le passé, ce sont les petits épisodes dont il est difficile de s'affranchir, alors que tout ce dont on croyait se souvenir à jamais dans les moindres détails se contente d'apparitions fugaces dans notre mémoire.

Un matin, à l'aube, j'ai accompagné papa à la chasse. Il m'a réveillé à quatre heures et demie. Ni Trygve ni maman n'ont voulu venir, mais Trygve m'a fait un clin d'œil enjoué quand je me suis habillé. Il était bien réveillé, prêt à se lever et à abattre une douzaine d'arbres avec sa hachette de scout.

Le soleil brillait d'un éclat pâle. Le froid faisait fumer le sol. Dans le vallon, au bord du grand lac, la brume étirait ses longues langues dans la forêt. Je grelottais. La fatigue était de la ouate mouillée au fond de mes yeux.

Absorbés dans nos pensées, papa et moi avons longé la rivière et dépassé leurs falaises d'escalade. Un souffle froid provenait de la rivière. Papa portait sa Winchester sur l'épaule. Les cartouches pesaient lourd dans ma poche d'anorak et cliquetaient les unes contre les autres comme de petits galets au bord de l'eau.

La forêt était sauvage et impraticable. Arbres renversés, ravins, pentes couvertes de bruyère, ciel en miroir embué au-dessus des cimes de sapins. La terre marécageuse et les ruisselets clapotaient sous nos pas. Il y avait une odeur âcre de mousse humide et d'eau croupie. Souches fendillées, racines, fougères dans les rayons de soleil. Plus haut sur la colline roucoulait un oiseau. La même note, inlassablement.

Comment ne devenait-il pas fou ? La lumière était d'un bleu clair palpable.

À la lisière d'une clairière en friche, papa s'est arrêté près d'un sapin, qu'une tempête avait abattu longtemps auparavant, et a regardé autour de lui. Il a hoché la tête, fait un bruit de déclic avec la langue, donné le signal pour nous asseoir. Je lui ai tendu une poignée de cartouches. Il a chargé l'arme. Papa espérait un renard roux qu'il aurait fait empailler pour le mettre dans l'entrée et aurait pu montrer à nos invités en expliquant nonchalamment « celui-là, je l'ai tué l'été dernier, dans le coin de Juvdal. »

Nous étions allongés, muets, avec vue sur la clairière, dans une odeur de feuilles, d'herbe et de marécage. Les oiseaux sifflaient et faisaient claquer leur bec à l'abri de la végétation. Mais il était encore tôt et leurs gazouillis semblaient machinaux, sans conviction. J'avais du mal à garder le silence. Chaque fois que je bâillais, papa me disait chut. Je regrettais d'être venu. C'était maman qui avait à tout prix voulu me faire partir.

J'ai été le premier à le voir. Majestueux, il marchait de l'autre côté de la clairière. Nous avions le vent face à nous, il ne nous a pas flairés. Un cerf splendide.

Il évoluait à pas lents et gracieux, grignotait quelques feuilles d'un petit bouleau et fixait le paysage avec une mine de propriétaire. Sa robe était brun-rouge et luisante comme du bronze. Sa ramure avait des pointes qui formaient une couronne.

J'ai regardé papa. Il a secoué la tête.

Il a encore avancé d'un pas. Papa et moi osions à peine respirer, nous nous étions complètement enfoncés derrière notre sapin.

Soudain l'animal a tourné la tête.

Fait un pas en arrière.

Puis, brusquement, volte-face.

Et le tir est parti.

J'ai vivement tourné la tête. La Winchester était contre le tronc, entre nous.

Papa a posé son doigt contre ses lèvres.

Le cerf est tombé à genoux et a essayé de se redresser en titubant pour se mettre à l'abri. Le deuxième tir l'a abattu. Il a basculé sur le flanc. Pendant quelques secondes effroyables, il est resté secoué de convulsions.

Quelque part en contrebas a résonné un cri de triomphe. Puis un autre.

J'allais me lever. Papa m'a retenu.

Ils étaient deux. Des braconniers m'a expliqué papa par la suite. Ils sont arrivés en pataugeant dans les fougères et les buissons. L'un d'eux hurlait comme un Indien.

Ils se sont arrêtés devant la bête morte, l'ont admirée en chancelant. L'un d'eux a sorti une flasque et bu quelques lampées avant de la passer à son copain. Il avait un long couteau dans un fourreau sur la cuisse. Il l'a dégainé en rotant. Tandis que son camarade tenait un gobelet en plastique sous la gorge de l'animal, il a sectionné l'artère. Ils ont rempli le gobelet de sang. L'ont mélangé avec l'alcool de la flasque.

Et ont bu.

Ensuite, ils ont empoigné les pattes avant du cerf et l'ont basculé sur le dos. D'un seul long geste, l'un des hommes a ouvert le ventre. Dans un clapotis répugnant, il a déversé les boyaux sur le sol, mètre après mètre d'intestin bleu acier fumants, puis le reste des viscères. Les relents fétides nous parvenaient par vagues.

Ils se sont accroupis et ont trouvé ce qu'ils cherchaient. Le cœur chaud. Pointant le bout de sa langue au coin de la bouche, l'homme au couteau a coupé le cœur en deux les yeux plissés. Comme s'il s'occupait de chirurgie cardiaque de pointe en pleine forêt. Il a tendu une moitié à son copain.

Puis ils ont entrepris de manger.

J'avais le vertige. J'entendais leurs bruits de bouche. Le sang dégoulinait sur leur menton.

Papa m'a tenu pendant que je vomissais sans bruit.

Ils ont dépecé la bête, puis sont partis en halant la carcasse. Ils braillaient, chantaient. Lorsque papa et moi nous sommes hissés sur nos jambes, la tête du cerf était sur le sol et nous fixait.

Les mouches revendiquaient déjà les restes. À la lisière de la forêt, j'entendais un vol de corbeaux.

Certains pensent que les gens deviennent végétariens pour se rendre intéressants. Ils n'ont peut-être pas tout à fait tort. Encore que nombre d'entre nous n'ayons jamais eu le choix. Nous y avons été poussés. Par la barbarie du sang.

2

Grethe n'est pas chez elle.

Le contraire m'aurait étonné. Je taquine néanmoins l'interphone dans la rue depuis cinq bonnes minutes, dans l'espoir qu'il se mette à gémir ou que Grethe apparaisse au coin de la rue avec un « Salut Lillebjørn ! » stupéfait et un sac de provisions du Rema 1000.

Le tramway de Frogner passe à grand fracas, on croirait un tas de tôle, ce qu'il n'est d'ailleurs pas loin d'être. Au-dessus de moi, sur le fronton de granit, batifolent un satyre libidineux et une nymphe. Le motif me rappelle Diane.

La journée d'hier a été comme extraite d'un film dont on se souvient à peine. Légèrement onirique. Pas tout à fait réelle. J'essaie de reconstituer la course effrénée jusqu'à Heathrow, le vol, le long trajet en Boulette de l'aéroport de Gardermœn jusqu'à la maison de vacances de Farmor au bord du fjord. Mais je ne réussis pas tout à fait à voir les images.

Nous sommes arrivés à la maison de vacances en début de soirée. La mer était calme. Dans ma chambre, dans les combles, au milieu des livres de détective, des magazines et des numéros de 1969 de *La Sélection du Reader's Digest*, et dans l'odeur de poussière chauffée par le soleil, nous nous sommes aimés avec douceur estivale et intensité. Plus tard dans la soirée, elle a sorti ses liens en soie et m'a demandé de recommencer en l'attachant. Un peu plus sauvagement. Nous nous sommes occupés ainsi pendant un certain temps. À la fin, j'ai détaché Diane et laissé les quatre cordelettes pendre aux montants du lit.

Dans la nuit j'ai été réveillé par ses sanglots. Je lui ai demandé ce qui n'allait pas, mais elle m'a répondu qu'il n'y avait pas de quoi s'inquiéter. Dans la chaude obscurité de la nuit, je suis resté à l'écouter respirer.

Une vieille dame arrive en claudiquant sur le trottoir, agrafe son regard sur le mien. Elle s'arrête et pose ses sacs.

— Oui ? fait-elle, ne doutant de rien.

Elle parle fort et sur un ton de défi. Comme si l'immeuble lui appartenait tout comme le trottoir et une grande partie du centre d'Oslo. Et comme si j'avais égaré mon appareil auditif.

— Je cherche Grethe Lid Wøien.

Aussi fort. Comme les personnes sans égards s'adressent aux vieux et aux attardés mentaux.

— Madame Wøien ?

Comme si Grethe n'avait jamais été la femme de qui que ce soit. Sa voix s'adoucit.

— Elle n'est pas chez elle. Ils sont venus la chercher.

— Qui ?

Ma question vient un peu trop rapidement, un peu trop brusquement. Elle me regarde d'un air effrayé.

— Qui êtes-vous au juste ?

— Un ami !

— L'ambulance ! répond-elle alors.

Grethe est assise dans son lit. *Aftenposten* déplié sur la couette.

— Lillebjørn !

Elle a une petite voix. Son visage ressemble à un crâne habillé d'un peu trop de peau. Le journal crépite entre ses mains tremblantes. Le bruit évoque des feuilles mortes au vent, tôt un petit matin de novembre.

— J'ai essayé de te rappeler de Londres. Plusieurs fois.

— Je n'étais pas chez moi.

— Je ne savais pas que tu étais hospitalisée.

— Juste quelques jours. J'ai la peau dure. Je ne voulais pas t'ennuyer avec ça.

— Franchement !

— Je sais, je sais. Mais je ne voulais pas te déranger.

— Comment te sens-tu ?

— Ce n'est pas très important. Comment ça s'est passé à Londres ?

— C'est relativement déconcertant.

— Qu'as-tu découvert ?

— Que j'en savais moins qu'avant d'y aller.

Elle rit en silence.

— C'est comme ça, le savoir.

Je m'assieds au bord du lit et lui prends la main.

— Il faut que tu me dises quelque chose.

— Alors demande, mon garçon.

— Qui est Michael MacMullin ?

— Michael MacMullin… articule-t-elle doucement.

— Et Charles DeWitt ?

Lentement ses paupières se referment et sa conjonc-
tive devient un écran pour ses souvenirs.

— Michael…

Elle s'interrompt, sa voix se transforme.

— Un ami proche ! Il était mon supérieur hiérarchique quand j'étais professeur invitée à Oxford.
Enfin…

Elle a une drôle de mimique.

— Davantage qu'un supérieur hiérarchique. Bien
davantage. C'est un homme bon, intelligent. Si tout
avait été autrement, lui et moi aurions peut-être pu
avoir…

Elle ouvre les yeux et balaie cette idée d'un
sourire.

— Nous avons gardé le contact pendant toutes ces
années.

— Et DeWitt ?

— Charles DeWitt. L'ami et collègue de ton père.
Il est coauteur de la thèse avec ton père et Llyleworth.
Un bon petit Anglais, un drôle de bonhomme, marié
avec un dragon. Il est mort. Au Soudan. D'une plaie
qui s'était gangrenée.

— Et tout cela, tu le savais ?

— Bien entendu. C'étaient mes amis.

— Mais tu ne m'as rien dit.

Elle me considère avec surprise.

— Comment cela ? M'as-tu interrogée sur le sujet ? Pourquoi est-ce si important ?

Je serre légèrement sa main.

— J'ai encore une question.

J'hésite parce que j'entends déjà la démence de ma phrase.

— Se pourrait-il qu'ils l'aient tué ?

Grethe a une réaction naturelle : la stupéfaction.

— Qui aurait tué qui ?

— Quelqu'un pourrait-il avoir tué DeWitt ?

— Mais qu'est-ce que tu racontes ?

Elle me scrute.

— Qui aurait fait une chose aussi terrible ?

— MacMullin ?

— Michael ?

— Parce que DeWitt en savait trop ? Ou parce qu'il avait compris une chose qu'il n'aurait pas dû comprendre ?

Elle a un rire bref, dédaigneux.

— Tu sais quoi ! C'est impensable.

— Ou quelqu'un d'autre ? Quelqu'un de la SIS. Llyleworth ? Je ne sais pas. Quelqu'un...

Elle rit doucement.

— Tu as lu trop de livres, Lillebjørn.

— Il s'est passé quelque chose. En 1973. À Oxford.

Elle se raidit. Elle tait quelque chose.

— Qu'est-ce que c'était, Grethe ? Qu'ont-ils découvert ? Cela avait un rapport avec la châsse ? Qu'est-ce que c'était ?

Elle soupire profondément.

— Si seulement j'en avais eu la moindre idée... Ils ont été entraînés dans quelque chose, Lillebjørn.

Mais je ne sais même pas s'ils l'ont compris eux-mêmes.

— Qui ?

— Ton père. DeWitt. Et Llyleworth.

— Deux d'entre eux sont morts.

— Moi aussi j'aurais dû être initiée.

— Mais ?

Elle se tourne vers la fenêtre et parle sans me regarder :

— Je suis tombée enceinte.

Le silence est pesant.

— Un accident. Le genre de choses qui arrivent.

— Je...

Je ne sais comment poursuivre.

— C'est loin maintenant.

— Que s'est-il passé ensuite ?

— Je suis partie les derniers mois. J'ai accouché. À Birmingham. Personne ne le sait, Lillebjørn. Personne.

Je me tais.

— Je ne pouvais pas garder l'enfant.

— Je comprends.

— Vraiment ? Je ne crois pas. Mais quoi qu'il en soit, c'est ce qui s'est passé.

— As-tu eu le moindre contact avec...

— Jamais !

— Mais comment...

Elle lève la main. Le visage détourné.

— Je ne veux pas en parler !

— Ce n'est pas très important. Je veux dire... pas pour moi. Pas maintenant.

— Tu as toujours la châsse ?

— En lieu sûr.

— Sûr... marmonne-t-elle en goûtant le mot.

— Grethe, qu'y a-t-il dans la châsse ?

— Je ne sais pas.

Cela sonne comme un regret.

— Mais que sais-tu ? Est-ce la source Q ? Ou complètement autre chose ?

Elle change de position. Comme si en s'ébrouant, elle s'efforçait de se défaire de la maladie, de l'affaiblissement, de la déchéance physique. L'effort l'essouffle. Elle croise mon regard les yeux pleins d'insoumission.

— Sais-tu qu'il y a des gens qui pensent que les plus anciennes familles aristocratiques de France et de Grande-Bretagne descendent de tribus préchrétiennes qui ont été chassées du Moyen-Orient ?

— « Savoir », c'est beaucoup dire.

— Et que les ancêtres de certaines familles royales actuelles sont des personnages bibliques ?

Je réponds vaguement :

— J'ai peut-être eu vent de spéculations.

Je me demande si elle est sous forte médication.

— Mais qu'est-ce que j'en sais… conclut-elle à part soi, comme si mon incrédulité l'avait contaminée. On a quand même le droit de deviner, non ? De déduire ? De raisonner ?

De l'autre côté de la porte j'entends un petit enfant crier joyeusement « *Moffa* [1] ».

— Il existe un groupement, poursuit-elle.

Dans le couloir, il y a des rires. J'imagine *Moffa* soulevant le môme.

— Je n'en sais pas long.

Elle s'adresse tantôt à moi, tantôt à elle-même. Comme si elle essayait de se convaincre.

— Mais je sais qu'il existe.

— Un groupement ? dis-je pour l'encourager.

1. Prononciation enfantine de « morfar », nom du grand-père maternel.

— Qui trouve ses racines dans la vieille noblesse française. Une alliance.

— Mais que fait-il ?

— Appelle-le l'ordre de francs-maçons si tu veux. C'est une secte hermétique. Secrète. Je ne sais presque rien. Personne ne connaît son existence.

— Alors comment es-tu au courant ?

Je me mets à rire.

— Je veux dire, comment peux-tu me raconter tout cela si c'est si secret ?

Elle me fusille brièvement du regard. Comme si c'était au-dessous de moi de poser ce genre de questions. Mais, au même instant, son expression s'adoucit.

— Peut-être que je connais quelqu'un qui...

Elle s'interrompt.

— ... même les initiés de l'ordre ne connaissent pas les autres membres. Un membre est au courant de l'existence de deux ou trois autres au plus. Chaque personne ne connaît l'identité que d'un seul supérieur. L'organisation est complexe et secrète.

— Où veux-tu en venir ?

— Ce sont peut-être eux qui recherchent la châsse, Lillebjørn.

— Un ordre secret ?

Ma question a une inflexion plutôt méfiante. Ou, pour être plus précis, condescendante. D'ailleurs elle ne répond pas.

Je demande :

— Alors ils savent sûrement ce que la châsse contient ?

Grethe regarde droit devant elle.

— Ils cherchent depuis toujours. Toujours. Je crois que c'est la châsse qu'ils cherchaient. Tout commence à se mettre en place. Toutes les pièces du puzzle.

Grethe m'observe rapidement. Ses yeux roulent. Je ne sais pas si elle a les idées complètement claires.

Je me lève et vais à la fenêtre. La lumière crue m'oblige à plisser les yeux. Des ouvriers sont en train de monter un échafaudage le long du bâtiment voisin. Il semble branlant. Mais ils doivent savoir ce qu'ils font.

— Tu es fatiguée. Je vais y aller maintenant.

— Complètement absurde, murmure-t-elle.

Puis plus fort :

— Je l'ai dit à Birger !

Je ne sais pas de quoi elle parle.

— Je l'ai mis en garde ! Je le lui ai dit !

Elle respire péniblement, déglutit, mais ensuite ses yeux s'animent. Elle semble revenir à la réalité. Une sorte de réalité.

— Les choses ne sont jamais comme on croit, Lillebjørn !

Je lui serre la main.

— Il est temps que je parte. Tu es fatiguée.

— Il est tant de choses que nous ne voulons pas savoir en réalité.

Elle me regarde, comme si elle voulait me raconter quelque chose, ou plutôt : comme si elle voulait que je comprenne tout seul.

— Je sais, dis-je doucement. Mais il faut que j'y aille maintenant.

— Tant de choses que nous ne voulons pas savoir, répète-t-elle. Même si nous le croyons. Tant de choses qu'il vaudrait mieux que nous ne sachions pas, qu'il ne nous ferait pas de bien de savoir.

— Qu'essaies-tu de me dire ?

Elle ferme les yeux, et même la résonance de ses mots n'a pas de sens.

— Tu as peur, Grethe ?

Elle rouvre les yeux.

— Peur ?

Elle secoue la tête.

— C'est quand plus personne ne sait qu'on a existé qu'on meurt, pas avant.

En rentrant de l'hôpital, je m'arrête dans une cabine téléphonique. J'aurais sans doute dû me procurer un téléphone portable. Mais je suis mieux sans. Cela me donne un absurde sentiment de liberté. Personne ne sait où je suis. Personne ne peut me joindre, pas sans que je le veuille moi-même.

D'abord j'appelle Diane. Juste pour entendre sa voix. Elle ne répond pas. Elle doit être sur la terrasse.

Puis j'appelle Caspar.

Il est bouleversé, tout tremblant. Il y a eu un cambriolage chez lui, à la fois à son domicile et au bureau. Il ne comprend pas comment quelqu'un a pu pénétrer par effraction dans les deux lieux. Le même jour ! Il est trop énervé pour me parler.

C'est peut-être aussi bien.

3

Par mesure de précaution, je gare la Boulette dans une ruelle en contrebas de l'immeuble et me faufile jusqu'à l'entrée en prenant le sentier entre les arbres près du terrain de sport.

Il y a dix ans, les immeubles étaient gris, de style fonctionnaliste. Moches comme des poux. Maintenant, les architectes les ont pomponnés. Nouvelles façades, nouvelles couleurs, nouveaux balcons, nouvelles fenêtres. Moches comme des poux.

Je prends l'ascenseur jusqu'au neuvième. Mon appartement sent le renfermé. Comme quand je reviens de vacances. Je perçois aussi une autre odeur : le vieux cigare.

Le désordre du cambriolage est encore visible. Ils ont même arraché mes draps. Mes livres sont en tas par terre. Les tiroirs sont ouverts.

Quelque chose cloche. Je ne sais pas quoi. C'est encore mon intuition. Je n'aurais pas dû passer.

J'écoute le répondeur. Quatre messages de maman. Huit de l'université. Un de la SIS. Et trois de la voix de fausset qui, avec un degré d'irritation croissant, insiste pour que je prenne contact avec la police.

Au plus vite !

En soupirant, je saisis le combiné et fais mon devoir. J'appelle maman.

Elle décroche aussitôt. D'une voix froide, elle annonce son numéro de téléphone. Comme si son nom de famille était beaucoup trop personnel pour être communiqué à n'importe quel zozo ayant composé son numéro.

— C'est moi.

Elle reste muette un petit moment. Comme si elle ne parvenait pas tout à fait à situer ma voix. Comme si j'étais n'importe quel zozo ayant composé son numéro.

— Où étais-tu ?

— À l'étranger.

— J'ai essayé de te joindre.

— J'étais à Londres.

— Ah !

— Le boulot.

Précision qui vient comme une réponse à sa question non exprimée.

— Tu appelles de Norvège ?

— Je viens de rentrer.

— La ligne est très mauvaise.

— Moi, je t'entends bien.

— Je t'ai appelé plusieurs fois. Trygve aussi voudrait te parler. C'est très important, Lillebjørn.

— Je ne suis pas parti si longtemps.

— Je me suis tellement inquiétée pour toi.

— Il ne faut pas que tu t'inquiètes, maman. Je voulais juste te demander pardon.

— Pardon ?

Elle fait comme si de rien n'était. Mais elle sait très bien de quoi nous parlons. Et elle sait que je sais.

— Pour l'autre soir. Pour ce que j'ai dit. Je n'étais pas tout à fait moi-même.

— Ça ne fait rien. Tirons un trait là-dessus.

Cela me convient. Parce que je ne suis pas non plus persuadé d'être très sincère.

La conversation se poursuit en platitudes. Sur une inspiration subite, je lui demande si je peux passer lui parler de quelque chose. Je regrette aussitôt, mais elle est si contente que je ne puis me résoudre à me rétracter. Elle me dit au revoir et raccroche. Je reste planté là, le combiné à la main.

Puis j'entends encore un clic.

— Maman ?

Mais il n'y a que du silence.

— C'est toi ?

Le Roger est complètement réveillé et habillé. Alors qu'il n'est que midi et demi. Il s'est allumé un mégot. Ses prunelles brillent. Il rigole doucement et me fait entrer.

Le salon sent fortement l'encens douceâtre. C'est au point où on risque d'être défoncé rien qu'en respirant. L'odeur s'amplifie et repousse murs et fenêtres pour avoir plus de place. Le Roger pouffe.

Ma pile de courrier m'attend sur la commode de l'entrée. Entre les journaux, les pubs et les factures, je trouve, dans une enveloppe envoyée par Caspar, un fax de l'institut Schimmer adressé à la direction du Patrimoine. *Mister Bjœrn Beltøe* est cordialement invité à effectuer le séjour d'études recommandé. Et ce n'est pas tout : on m'offre une bourse de voyage et de recherche qui couvrira la majeure partie de mes frais, car les relations de l'institut avec les milieux de recherche norvégiens sont trop pauvres. Sont indiqués un numéro de téléphone et un nom. Peter Levi. Il sera mon contact si je décide de venir, ce qu'ils espèrent, dans un avenir très proche. Il suffit de téléphoner.

Je glisse la lettre dans ma poche intérieure et informe le Roger que j'ai quelque chose pour lui.

Il grogne de joie.

Je lui donne le CD. Il déchire le papier. Après avoir lu tous les noms sur la pochette, il serre le poing en guise de remerciement.

— Dis-moi, qu'est-ce que tu as dans cette cigarette ?

Ma question déclenche une explosion de rire. Il me fait signe de me retourner. J'obtempère.

Une jeune fille sort de la chambre en traînant des pieds. Au premier coup d'œil, on pourrait croire qu'elle cherche son doudou et son petit nounours rose. Elle doit avoir 14 ou 15 ans à tout casser. Elle a un joli visage maquillé et des cheveux noir jais descendant jusqu'à sa taille. Elle porte une petite culotte noire et une chemise du Roger. Autour de ses deux poignets et de ses chevilles, elle a enroulé des tresses de cuir. Sur un biceps elle a un tatouage évoquant une rune ou un symbole occulte.

— Nicole, annonce Roger.

Nicole me regarde, le visage impassible.

— Bjørn, poursuit-il, le mec dont je t'ai parlé.

Elle s'affale sur le canapé, lance une jambe sur la table et replie l'autre sous elle, en commençant à se préparer une roulée. Je ne sais pas vraiment où regarder. Elle s'est verni les orteils en noir. Je découvre un autre tatouage. À l'intérieur de sa cuisse. Un serpent qui ondule plus ou moins vers le haut.

— Choute, hein ? commente le Roger en me donnant un coup de coude.

J'en perds l'équilibre et manque de tomber. Je m'empourpre.

Nicole lui tire la langue, elle est rouge et pointue avec un piercing sur le bout. Elle allume sa cigarette. Sa façon de souffler la fumée par les narines lui donne un air endurci, comme si elle avait en réalité 50 ans, dont quarante passés dans une maison close de Tanger. Je la regarde à la dérobée, mais ses yeux capturent les miens. Je ne parviens pas à les détourner. Et pourtant j'essaie. Son regard est bleu polaire et bien plus âgé que son corps. Il m'investigue en traversant mes pupilles pour aller dans mon cerveau, où il fourrage dans les recoins les plus sombres et soulève les couvercles de coffres que je pensais cadenassés. Il se coule comme un mécanisme bien huilé autour de mon hypophyse, appuie dessus et provoque mon hoquet. Puis Nicole lâche prise. Me sourit. Un gentil sourire de jeune fille. Elle est une confidente qui partage mes secrets.

— Tu as encore eu des invités.

— Des invités ? fais-je machinalement.

Je m'efforce de m'aérer les méninges après la visite de Nicole et ne comprends pas de quoi le Roger parle.

— Deux fois. Au moins. Je les ai entendus.

Il regarde au plafond. La réalité me heurte de plein fouet.

— Tu veux dire des cambriolages ? Dans mon appartement ? Encore ?

— *Yes*. Qu'est-ce' tu vas fout' maintenant ?

Je n'ai aucune idée de ce que je vais fout' maintenant.

— De quoi vous parlez ? demande Nicole.

— De trucs, répond le Roger.

— Quels trucs ? insiste-t-elle.

— Des trucs de mecs !

— Peuh ! réplique Nicole en avançant la lèvre inférieure.

C'est par hasard que je vais à la fenêtre et c'est tout autant par hasard que j'aperçois la Range Rover rouge. Elle arrive à toute vitesse.

— Hum hum !

Le Roger suit mon regard.

— Oh ! merde… Ta turne est surveillée ou quoi ?

— Des problèmes avec les keufs ? s'enquiert Nicole. Classe !

— Mon sac !

Je chuchote tout bas.

— *Uno momento !*

Le Roger a rangé le sac de la châsse dans un tiroir fermé à clef de sa commode de CD.

— *Adios !* nous lance Nicole alors que le Roger et moi nous précipitons hors de l'appartement et dans l'escalier.

En cet instant précis, la montée d'escalier semble plus sûre que l'ascenseur. Je porte le sac sous le bras.

Au rez-de-chaussée j'attends derrière une porte tandis que le Roger fait un saut dehors pour voir. Il revient en levant les yeux au ciel.

— Leur caisse est d'vant, murmure-t-il. Y'en a un qu'attend d'dans. L'ascenseur est au neuvième !

Ses yeux sont embrasés. Ce qui se passe n'est pas réel pour lui. Il participe à un jeu télévisé interactif en 3D.

En haut s'ouvre la porte de la montée d'escalier. Au neuvième étage se penchent au-dessus de la rambarde d'abord une, puis deux têtes.

Je pousse le Roger sur le côté, « sors tranquillement dehors et va faire une grande promenade ! », et sonne chez madame Olsen au rez-de-chaussée. La veuve du concierge.

L'ascenseur bourdonne, des pas rapides claquent dans l'escalier.

Madame Olsen entrebâille la porte. J'entends cliqueter un dentier, des bijoux et des chaînes de sécurité. Elle me scrute avec des yeux mi-clos dégoulinant de méfiance. Son existence entière tourne autour de la peur de se faire braquer dans son propre appartement.

— C'est Beltø !

Je m'époumone dans son appareil auditif.

— Une pelleteuse ?

— Vous me reconnaissez, n'est-ce pas ?

Elle acquiesce avec réticence. Nous nous sommes salués sur le chemin de l'épicerie et avons papoté aux boîtes aux lettres, mais elle n'ose toujours pas exclure que sous ces dehors se cache un démon maléfique aux yeux rouges à crochets venimeux.

— Je dois inspecter les nouveaux balcons.

— Mais enfin, de quel con parlez-vous ?

— Du BAL-con ! Il y a un risque que certains d'entre eux se détachent.

— On ne m'en a jamais rien dit, objecte-t-elle.

Elle regarde le sac. Comme s'il contenait ma batterie portative d'instruments de torture.

— Je viens de la part du syndic !

L'ascenseur s'arrête.

Pour de vieux os sociaux-démocrates comme Mme Olsen, « syndic » est un mot magique. Sésame ! Elle me laisse entrer et trottine derrière moi dans l'appartement décoré avec soin et bien ordonné, comme si la Société des Foyers de Bon Goût risquait de passer à tout moment. Elle part dans un long développement sur l'incurie des artisans et sur l'argent que la copropriété n'aurait jamais dû gaspiller en commandant ces nouveaux balcons et sur le fait qu'elle, le ciel lui en est témoin, a voté contre et que son Oscar, paix à ses cendres !, n'aurait jamais accepté des inepties pareilles.

J'ouvre la porte et vais sur le balcon. Pour la forme, je feins d'inspecter le joint entre le sol et le mur.

— Les nouvelles sont bonnes ! Tout va bien chez vous, Mme Olsen ! Votre balcon ne devrait guère tomber dans un avenir proche.

— Guère ? Dans un avenir proche ? répète-t-elle, tout affairée.

— Et puis vous habitez au rez-de-chaussée. Ha, ha ! Au cas où le pire se produirait, j'entends. Il faut voir le bon côté des choses !

Elle s'apprête à me poser une question, mais je la précède :

— J'ai de nombreux balcons à inspecter, je crois bien que je vais prendre le raccourci !

Puis j'enjambe la balustrade et saute dans l'herbe,

avec un atterrissage un peu biaisé. Mme Olsen est encore en train de me regarder quand je boitille jusqu'au sentier entre les arbres.

Là, je me retourne. Au neuvième étage, derrière les reflets des vitres de mon appartement, je distingue la silhouette d'un homme.

À l'étage inférieur, Nicole est à la fenêtre.

Je lui fais coucou.

Elle me répond.

Sur son balcon Mme Olsen lève la main et la remue de gauche à droite en hésitant.

Je disparais dans le bosquet.

Pour troubler les missiles thermoguidés de l'ennemi, j'erre longtemps dans les petits chemins du quartier. Je salue gaiement de la tête les jolies jeunes femmes à landau. Je salue gaiement de la tête les chiens et les petits oiseaux. Je salue gaiement de la tête les petits enfants, qui, sans vergogne, fixent le fou à peau blanche.

Finalement je me risque jusqu'à la Boulette. Ils ne l'ont pas vue, la pauvre petite.

Le sac avec la châsse, je le pose sur la banquette arrière et balance mon blouson par-dessus.

4

Le jardin autour du palais de Holmenkollen le Bas est tout en couleurs. Les buissons fleurissent allègrement. Tout pue la perfection. La pelouse elle-même reluit d'autosatisfaction.

J'hyperventile pendant quelques minutes sur le perron avant de prendre mon courage à deux mains et de sonner. Quand maman ouvre, je vois qu'elle a bu. Son maquillage est comme étalé à la truelle sur ses très fines ridules. Ses yeux sont alourdis par le vin et le Valium. Ses lèvres paraissent avoir été déchiquetées à coups de baisers. Je me figure qu'elle ressemble à une mère maquerelle venant de se convertir à la religion de quelque secte obscure.

— Mon chéri, c'est toi ? Déjà ?

Ce n'est pas une question. Elle sent que quelque chose d'inéluctable l'a rattrapée.

— C'est bien moi. Où est le professeur ?

— Trygve ? Il a dû partir en voyage. Tout à fait inopinément.

— Où ?

— Quelle importance ? Quelque chose ne va pas ? Qu'est-ce que tu fais en ce moment ? Comment te sens-tu ?

Elle me pose une avalanche de questions. Chaque fois que j'ai un comportement inhabituel, maman conclut à une rechute et croit que le personnel soignant de la clinique court la ville à ma recherche avec ses filets et ses camisoles de force. Souvent, on dirait qu'elle a honte de mes nerfs, qu'elle aurait préféré quelque chose de plus palpable comme un cancer, un infarctus, Creutzfeldt-Jakob ou le sida. J'ai essayé de lui expliquer qu'à proprement parler le cerveau n'était rien de plus que le cœur ou les reins. Une bouillie de cellules nerveuses, de fibres, de tissus adipeux et de liquide où nos pensées — tout ce que nous percevons, tout ce que nous sommes — peuvent en fin de compte être réduites à des signaux chimiques et électroniques. Et qu'une maladie psychique n'était rien de plus qu'un déséquilibre. Mais maman est du genre qui tique quand quelqu'un lui confie qu'il a des problèmes de nerfs. Elle se retire, comme si cette personne avait l'intention de lui couper la tête pour la manger.

Nous traversons le salon, en faisant un grand arc de cercle pour éviter le tapis persan, et nous rendons dans la cuisine. Breuer lève la tête et rote. Sa queue fouette deux ou trois fois le sol. C'est toute la fête qu'il arrive à me faire avant de laisser retomber sa tête sur ses pattes.

Je pose le sac de la châsse par terre. Elle ne soupçonne rien.

Silence.

— Donc… tu voulais… me parler ?

Maman est incapable de jouer la comédie. Elle voulait que ses mots me mettent à l'aise, du style « mais comme c'est gentil d'être passé », mais ils sortent comme des hoquets.

Je me suis entraîné mentalement à cette conversation depuis mon adolescence. On peut donc dire que je suis prêt. J'ai construit mes répliques, je les ai rectifiées, poncées, polies, et j'ai deviné les réponses de maman, mais tout ce que j'ai révisé s'écoule soudain dans le siphon de l'oubli.

J'observe maman. Elle m'observe.

Finalement je dis simplement :

— Je vous ai vus !

Je ne sais pas à quoi elle s'attendait. Mais ce n'était pas à ça.

— Tu nous as vus ? répète-t-elle, interloquée.

— Quand nous étions partis camper.

— Camper ?

Je suis troublé par un bourdonnement de voix et de rires en sourdine, jusqu'à ce que je comprenne que c'est la radio dans une pièce voisine.

— Cet été-là. Toi. Le professeur.

Chaque mot est un engin explosif. Auquel il faut

quelques secondes pour atteindre sa cible. Maman sursaute. Six fois. Chaque mot a frappé son objectif au fond de son âme.

D'abord elle ne dit rien. Ses yeux deviennent translucides. Je vois loin dans son cerveau. Elle rembobine le temps. En film accéléré et à rebours, je vois maman récapituler cet été-là. Et rendre à la vie les caresses fanées du professeur.

— Tu nous as vus ?

Elle le répète comme pour me donner l'occasion de tout retirer, c'était une blague, je n'ai rien vu du tout, je plaisantais. Mais je me contente de la fixer.

— Ô, seigneur, Lillebjørn ! Ô, seigneur, mon chéri !

Je sens mes maxillaires se contracter.

Elle inspire profondément.

— Cela ne signifiait rien !

Sa voix est froide, sur la défensive. On croirait que c'est auprès de papa qu'elle plaide.

— Pas sur le moment !

— Tu t'es quand même mariée avec lui. Donc ça ne devait pas être totalement anodin.

Son regard est heurté, indigné.

— C'était plus tard. Nous avions,.. Mais cet été-là…

Elle cherche ses mots sans les trouver.

— Tu as été infidèle.

— Papa et moi avions un accord. Nous ne nous sommes jamais trahis. Et papa aussi…

Elle s'interrompt.

— Si papa était vivant…

Les mots restent coincés dans sa gorge.

— C'était l'ami de papa, dis-je sur un ton de reproche.

Elle me prend la main, entrelace nerveusement ses

doigts dans les miens. Je me retire, un peu trop rapidement.

— Même pendant que nous campions, vous ne vous priviez pas. Sous notre nez à papa et à moi !

— Mais Lillebjørn ! Mon chéri ! Je n'ai jamais pensé que… Je n'avais pas la moindre idée que… Je croyais qu'aucun de vous ne…

— Eh bien tu te trompais !

Elle serre ma main. Fort.

— Ô, mon Dieu ! Lillebjørn… Je ne sais que dire. Je ne savais pas que tu avais remarqué quelque chose. Ou compris. Tu étais si jeune.

— J'étais suffisamment vieux…

— Je suis vraiment navrée. Papa et moi étions ouverts sur ce sujet. Nous en avions parlé. C'était une autre époque, Lillebjørn… Une autre… mentalité. Essaie de comprendre.

— Je ne pense pas que papa comprenait.

Maman baisse les yeux.

— Non, en fin de compte, je crois qu'il n'a jamais compris.

Son souffle est saccadé.

— Tu n'as jamais connu ton père comme moi je l'ai connu, explique-t-elle une fois retrouvé le contrôle de sa voix. Il n'a pas toujours été…

Elle esquive tristement mon regard.

— Il avait l'air de tout maîtriser, mais intérieurement…

Nous nous regardons.

— Mais je ne crois pas qu'il ait sauté. Si c'est ce que tu te demandes.

Cette question a dû mariner dans ses pensées pendant plus de vingt ans. Je suis surpris qu'elle se glisse sur ses lèvres comme une simple idée qui lui passe par la tête.

— Il a pu tomber de bien des façons.

L'ambiguïté de mon allusion lui passe largement au-dessus de la tête.

— Trygve prenait tout tellement au sérieux. Notre liaison, j'entends. Bien plus au sérieux que moi. Pour moi, c'était une… je ne sais pas. Une échappée ? Une passade ? Une distraction ? Un divertissement ? Une coupure dans le quotidien ?

Elle semble m'interroger, mais je n'ai certainement pas de réponse.

Elle reste assise à réfléchir.

— C'était juste une liaison. Une aventure. Quelque chose qui serait passé. Mais il y a eu l'accident.

Nous restons assis un moment, réunis par le silence.

— Et cela, tu le gardes en toi depuis toutes ces années ?

Elle le dit surtout pour elle-même. Sans un mot, je la laisse se rendre compte de la portée de sa question.

— Pourquoi n'as-tu jamais rien dit ?

Sa voix a pris une inflexion tranchante.

Je hausse les épaules, ne croise pas son regard.

— Seigneur, Lillebjørn, mais qu'est-ce que tu dois penser de moi ?

Je préférerais ne pas y répondre.

— Quand ton papa est mort… commence-t-elle, sans parvenir à bâtir sa phrase. Il ne faut pas que tu croies que ça a été facile. Chaque jour qui est passé depuis, j'ai essayé d'oublier.

— Moi aussi ?

Elle penche la tête sur le côté.

— Toi ?

J'inspire profondément pour regagner le contrôle de ma voix.

Elle me devance.

— T'es-tu jamais demandé si tu avais été injuste envers moi ?

Je me contente de la regarder. Déglutis.

— Tu n'es pas le seul à avoir perdu un être cher. Moi, j'ai perdu mon mari. Que j'aimais. En dépit de… cette histoire avec… Trygve. Mais ça, je crois que tu n'y as jamais réfléchi, Lillebjørn. Enfin, maintenant je comprends pourquoi. Dieu ce que tu as été injuste !

— Je…

— Oui ?

— Rien.

Elle hoche la tête pour elle-même. Les yeux embués de larmes.

— Personne ne souhaite que son enfant apprenne ce genre de choses. Tu dois bien t'en douter !

Je me sens comme un salaud. Peut-être parce que j'en suis un.

— Je suppose que ça a été un choc pour nous deux…

Ce n'est certes pas brillant comme excuse, mais c'est pourtant l'intention que j'avais en bredouillant cette phrase.

— Trygve n'a jamais voulu parler de ce qui s'était passé ce jour-là. Jamais. Il s'en veut. Mais refuse de m'expliquer pourquoi. Il avait changé les dispositifs de rappel le matin où ils sont partis. Parce que Birger avait emprunté les siens. Donc, en réalité, c'est Trygve qui aurait dû tomber. Mais je n'ai jamais voulu le forcer. Il faut essayer d'oublier. De laisser cela derrière nous.

Lorsqu'il s'agit de laisser les choses derrière soi, j'ai moins de talent que maman. Peut-être parce que j'en comprends davantage qu'elle.

5

La fille aux yeux bleus de l'accueil me lance un regard déconcerté et s'exclame : « Mais, Torstein, tu as un nouveau blouson ? »

Je ne l'ai jamais vue, je ne m'appelle pas Torstein et n'ai pas de nouveau blouson. Mais je cavale devant elle avec un clin d'œil assorti d'un hochement de tête et ouvre la porte d'une jungle tempérée de yucca coopératif et de fougères encore plus coopératives en plastique. Ici, dans des bureaux paysagés, prétentieusement dénommés « rédaction centrale », sont assis en cercle, chacun derrière son ordinateur, trois journalistes qu'on jurerait en train de formuler les dix commandements. Au mur, un poster représente un ordinateur sortant ses biceps d'un écran où est écrit : « PC ! Le magazine musclé de la Norvège des ordis. »

Je pousse une porte en verre dépoli. Derrière le bureau se trouve une copie conforme de moi-même.

Torstein Avner a le teint pâle, les cheveux blancs et des yeux rouges incandescents. Quand les gens nous voient ensemble, ils nous prennent pour des jumeaux monozygotes. À l'adolescence, nous fantasmions sur l'idée de tester mutuellement nos copines. Elles n'auraient pas vu la différence. Mais il n'en est jamais rien advenu. Aucun de nous n'a eu de copine à échanger.

Il me scrute en plissant les yeux à travers des carreaux encore plus épais que les miens et, quand enfin il me reconnaît dans le brouillard qui altère sa vue, il se lève en hurlant.

— Vieille branche ! Merde alors, c'est toi ! Je croyais enfin vivre une expérience extracorporelle !

Nous nous serrons la main.

— Bon vieux Bjørn !

Il refuse de me lâcher.

Je ris avec embarras.

— *Long time no see [2] !*

Finalement il me libère. Le sourire très large.

— La femme de la réception a cru que j'étais toi.

— La mère Lena ? chante Torstein en dialecte du Nord. Elle fait de son mieux...

Torstein et moi nous sommes rencontrés lors d'un stage sur l'albinisme, il y a quinze ans. Nous avons gardé le contact, d'une certaine façon. Il est venu chez moi quelques fois, je suis passé le voir au bureau deux ou trois fois ces dernières années. Il a fait ses débuts à « PC ! » comme homme à tout faire salarié sur le budget maladie. Puis, il est devenu journaliste et a obtenu sa propre chronique technique : le « journ@l d'@vner ». Il m'a montré des articles auxquels je n'ai pas compris un traître mot. À présent, il est directeur scientifique. Je suis, si c'est possible, encore plus dans le brouillard qu'auparavant.

— Enfin. Ton disque dur a planté ?

Je me sens comme un neveu avide qui rend visite à sa tante mourante. Chaque fois que je vais voir Torstein, c'est pour un problème d'ordinateur.

— J'ai besoin d'un peu d'aide.

— Vu que c'est toi qui demandes, je suppose que c'est plus qu'un peu, répond-il en hennissant.

— Peux-tu m'aider à trouver quelque chose sur Internet ?

— Bien sûr ! Qu'est-ce que tu cherches ?

Je lui tends une feuille sur laquelle j'ai inscrit une liste de mots clefs :

---

2. *Ça fait un bail !*

Chevaliers de Saint-Jean
SIS
Institut Schimmer
Michael MacMullin
Monastère de Værne
Varna
Rennes-le-Château
Bérenger Saunière
Rouleaux de la mer Morte
Monastère de la Sainte-Croix
Suaire de Turin
Source Q
Nag Hammadi

— Waouh ! Tu es sûr que tu n'avais rien d'autre ?

— Ça fait beaucoup ? Il va certainement falloir traduire des mots-clefs en anglais. Comme « *Dead Sea Scrolls* [3] ». Et « *The Shroud of Turin* [4] ».

— Waouh !

— J'en ai besoin ici et maintenant.

— Donne-moi au moins une heure !

J'ignore s'il est sincère ou sarcastique.

— Ça me suffit d'avoir les réponses demain.

— Quel moteur de recherche veux-tu que j'utilise ?

Je fais semblant de réfléchir à la question. À vrai dire, elle me dépasse.

— Yahoo ? Alta Vista ? Kvasir ? Excite ? HotBot ? MetaCrawler ?

— Hein ?

— Je vois, je vois, fait-il en pouffant. Veux-tu avoir les cinq premiers résultats pour chaque mot-clef ? Comme URL ?

---

3. *Manuscrits de la mer Morte.*
4. *Linceul de Turin.*

— Euh ? Pourrais-tu me les imprimer ?

— Sur papier ? s'étonne-t-il.

— Ce serait bien.

Il lève les yeux au ciel.

— Bjørn, Bjørn, Bjørn... Ne sais-tu pas que nous vivons dans une société sans papier ? Il suffit que nous le voulions. Et nous le voulons ! Pense aux arbres !

— Je sais. Mais je lutte autant que je peux.

— Laisse-moi plutôt te copier le contenu des sites sur un CD ou une disquette...

— Torstein, je préférerais des impressions. Et puis en plus je me suis fait faucher mon disque dur.

— Du papier, crache-t-il avec dédain.

Comme s'il considérait le papier comme un support aussi désuet que les tablettes cunéiformes et le papyrus, ce en quoi il a vraisemblablement raison.

— Tu t'es fait tirer ton disque dur ? demande-t-il rapidement, stupéfait, sans se soucier d'obtenir une réponse.

Avant de partir, j'emprunte le téléphone de la mère Lena pour appeler Diane à la maison de vacances de Farmor. Lena me dévisage l'air décontenancé tandis que j'écoute la sonnerie dans le combiné. Derrière son bronzage de solarium, l'autobronzant et le fard à joues, je devine un léger rougissement lorsqu'elle se rend compte que je ne suis pas Torstein.

6

En allant à la maison de vacances au bord du fjord, je cache la châsse dans le dernier endroit au monde où quelqu'un songerait à la chercher. Mon inventivité me réjouit. Ce sentiment me donne pour le moins l'impression d'avoir le dessus.

La brise crépusculaire emplit la Boulette d'une douce senteur salée de fin d'été. Je roule dans les ornières, entre des chalets aux jardins regorgeant de cerises et de prunes au bord d'éclater. Entre les arbres tanguent mollement les flots argentés. Sur le môle, la jeunesse braille. Un petit yacht a jeté l'ancre à quelques jets de pierre du panneau d'affichage de la Société de Sauvetage. Un hydravion traîne son ombre au-dessus des rochers.

Je gare la Boulette tout contre les pins tourmentés au bout du chemin et appelle Diane d'une voix enjouée. La porte est ouverte. La nappe bat au vent sur la table de la terrasse.

Quand je l'ai quittée ce matin, elle dormait la bouche entrouverte et les cheveux dans la figure. Je n'ai pas eu le cœur de la réveiller. Il faisait frisquet, les vitres étaient embuées. J'ai remonté la couette sur son corps nu, lui ai embrassé la joue et dégagé le visage d'une caresse. Avant de partir pour Oslo, je lui ai glissé un mot sous le verre d'eau sur la table de chevet. Pour *My Angel* — signé *Your Prince*. Ne sommes-nous pas choux ?

Je klaxonne — l'avertisseur sonne comme un cornet du 17 mai plein de salive — avant de claquer la portière, m'attendant à ce qu'elle arrive en courant. « *Bjorn !* Enfin ! » criera-t-elle. Impatiente, mais heureuse. Vibrant d'émoi, je me rends compte que la première chose que nous allons faire, une fois qu'elle m'aura serré dans ses bras et demandé ce qui m'a pris si longtemps, sera de baiser comme des bêtes ruisselantes sur le canapé qui grince du salon.

Lentement et en sifflotant, pour lui laisser le temps de finir ce qu'elle est en train de faire, je monte les marches en pierre qui mènent à la terrasse, pénètre dans l'entrée — « *Diane ? It's meee-eeee !* » — et passe la tête pour voir si elle est dans la cuisine. Elle a fait des petites courses à l'épicerie pour le dîner. Œufs, oignons, tomates, pommes de terre, bière. C'est sûrement la raison pour laquelle elle n'a pas répondu au téléphone. Sur le plan de travail reposent le ticket de caisse, une pile de pièces de dix et une couronne. Je me demande brièvement où elle a trouvé de l'argent norvégien. Elle m'a préparé une assiette, qui est couverte de cellophane. Crevettes, œufs brouillés, légumes coupés en morceaux. Elle a écrit mon nom en grandes lettres sur un bout de papier posé sur l'assiette, comme pour s'assurer que Boucle d'Or ne se servira pas en premier.

Je la cherche. Dans la salle de bains, où mon cœur se gonfle à la vue de sa brosse à dents dans le verre en plastique rose sur la tablette au-dessus du lavabo. Dans le salon. Dans la chambre d'amis. Dans celle de Farmor. Dans la mansarde, où sa valise trône par terre, ouverte. Dans le débarras. Dans le jardin à l'arrière.

Elle a dû aller faire un tour.

J'emporte la nourriture et une bière sur la terrasse. Sur les rochers un homme pêche. Il doit être au camping, parce que dans les chalets, tout le monde sait qu'on ne prend pas de poisson aussi près du bord. Au milieu du fjord, un voilier fend les vagues. Des jumelles étincellent sur le yacht au large du môle.

Où peut-elle être ?

Je finis mon assiette et vide ma bière avant de rentrer à l'intérieur. Je commence à me faire du souci. Elle ne se serait jamais toquée de faire une longue promenade sachant que j'allais arriver d'un instant à l'autre. Je m'installe dans le fauteuil vert en velours que Farmor aimait tant. Les ressorts gémissent. Ce bruit me projette dans mon enfance, quand cette plainte des ressorts faisait filer Grim, le rottweiler anthropophage de Farmor, sous le canapé, où il restait à trembler en couinant. À cette époque déjà, j'avais été frappé par l'idée qu'il devait exister des sons entendus par quelques-uns uniquement. De ce point de vue, il n'y a aucune raison pour que certains ne puissent pas aussi avoir la capacité de voir des revenants.

Je sors et me jette sur la balancelle qui me berce régulièrement. Le ciel est rempli d'oiseaux. Une vedette file sur l'eau. Le cordon du mât de pavoisement du bateau claque contre le métal dans un joyeux tintement creux. Je consulte ma montre.

C'est seulement maintenant que je comprends.

Ils l'ont emmenée.

Ils connaissaient l'existence de la maison de vacances. Ils nous ont surveillés.

Penser que j'ai le dessus est une illusion. Une chimère.

Je vais à l'intérieur, à la recherche d'un indice qu'elle pourrait avoir laissé ; un mot, un signe secret. Je passe de nouveau en revue toutes les pièces. J'ai la tête qui siffle comme si j'avais trop bu. Désespéré, je cours jusqu'aux rochers, tout au bord de l'eau, comme si je craignais de la trouver flottant dans l'eau, le visage à quelques centimètres de la surface.

En me rapprochant de la maison, j'entends sonner le téléphone. Je grimpe les marches en pierre quatre à quatre, mais arrive pile trop tard.

Je vais me chercher une bière dans le frigo et bois une gorgée. Ma respiration est entravée.

J'essaie de comprendre. Pourquoi l'ont-ils prise ? Si c'est bien ce qui s'est produit. Pourquoi elle ? Où est-elle ? Que lui veulent-ils ? L'utiliser pour faire pression sur moi ? J'écluse ma bière à grands traits et pose la bouteille vide au milieu des mouches mortes sur le rebord de la fenêtre.

Le téléphone sonne de nouveau. Je décroche et crie :

— Diane ?

— *She is O.K.* Diane est avec nous maintenant.

La voix est grave, étrangère. Son articulation distincte. Elle a quelque chose de doux qui sonne faux.

— Nous aimerions vous parler, dit l'homme.

— Que lui avez-vous fait ?

— Rien. Ne vous faites pas de souci. Avez-vous mangé ?

— Où est-elle ?

— N'y pensez plus. Elle va bien. C'était bon ?

— On s'en fout de la bouffe ! Pourquoi l'avez-vous emmenée ?

— Calmez-vous. Voyons-nous pour discuter un peu.

— J'en ai assez de vos discussions. Maintenant j'appelle la police !

— Allez-y. Mais elle ne pourra rien faire.

— Diane n'a rien à voir avec cette histoire !

— Quand pourrons-nous récupérer la châsse ?

Je balance le combiné et me précipite sur la terrasse. J'ai besoin d'air ! Je suis pris de vertige. Les mains sur la rambarde, j'essaie de retrouver mon souffle.

Au loin sur le fjord, quelques petits bateaux se sont rassemblés sur le banc de poissons. Les mouettes de Revlingen planent au-dessus des bateaux dans un nuage de cris. Le pouls d'un invisible ferry en provenance du Danemark bat sur l'eau. Je ferme les paupières et me masse la racine du nez du bout des doigts. Chancelant, je tombe en arrière et m'effondre dans un fauteuil en osier. Je grelotte. Le froid irradie de mon diaphragme à mes doigts et orteils. J'agrippe le bord de la table.

Mais qu'est-ce que j'ai ?

L'hémisphère droit de mon cerveau se met à se répandre en picotant. Mon crâne est devenu trop étroit pour mon cerveau qui se dilate.

J'ai la bouche sèche, la langue qui colle au palais. Je fais des bruits dégoûtants, me prends la tête entre les mains et essaie de crier. Mais seul un hoquet vient. J'essaie de me lever, mais mes membres se sont détachés de mon corps et reposent en tas sur le sol de la terrasse.

Une voiture descend le chemin, le gravier crissant sous ses pneus. Le moteur gronde. Elle s'arrête derrière la Boulette. Je parviens à peine à lever la tête. C'est une Range Rover rouge.

Je mets ma main devant ma bouche dans un râle.

Les portières s'ouvrent.

Ils sont deux. Deux vieilles connaissances cambrioleuses. King Kong et l'homme raffiné en costume.

Comme s'ils disposaient de tout le temps du monde, ils montent tranquillement l'escalier de la terrasse.

— Bonsoir, M. Beltø, fait le raffiné.

Britannique jusqu'au bout de ses ongles manucurés.

J'essaie de répondre, mais les mots s'empâtent sur ma langue et se transforment en babil incohérent.

— Je regrette infiniment, poursuit l'Anglais, nous espérions que vous coopéreriez. Nous aurions ainsi évité tout... cela.

Ils m'empoignent sous les bras et me halent sur

la terrasse. Mes pieds heurtent les marches. On me hisse sur la banquette arrière d'une voiture.

Et puis je ne me souviens plus…

7

Quand j'étais petit, j'arrivais toujours à percevoir quel jour nous étions avant d'être tout à fait réveillé. La calme somnolence du dimanche, le soupir d'ennui du mercredi, la palpitation du vendredi. Le temps passant, j'ai perdu cette aptitude, comme tant d'autres choses. Aujourd'hui, je me surprends parfois à me demander, à l'heure du dîner, quel jour nous sommes et quelle année.

La fenêtre entrebâillée retenue par un crochet est divisée en six carreaux fragmentés par le soleil.

Je tire la couverture matelassée sur ma tête et passe quelques minutes à redevenir moi-même. Ce n'est pas évident. Mais au bout d'un petit moment, j'entrouvre les yeux.

La pièce est nue, comme moi.

Sur le dossier d'une chaise en bois, mes vêtements ont été soigneusement pliés. Je frémis : on m'a déshabillé ! Une personne inconnue a ôté mes vêtements et m'a couché dans un lit nu comme un ver !

Il y a une porte et un placard. Une eau-forte de Jésus avec les agneaux. Une lithographie d'un donjon en pierre et une photo de Buckingham Palace.

Ma tête me lance.

Un verre d'eau est posé à côté de mes lunettes sur la table de chevet. Je bascule mes jambes par terre. Le mouvement fait doubler la taille de mon cerveau. Je chausse mes lunettes. J'engloutis l'eau en une longue gorgée, mais j'ai tout aussi soif après.

Ma montre est posée bracelet pointant vers le haut et on dirait quelque chose qui serait passé de vie à trépas, mais elle marche et il est dix heures et demie.

Je me lève et vais à la fenêtre. J'ai le vertige. Je dois m'accrocher au rebord de la fenêtre qui est blanche et sent la peinture fraîche.

Le jardin n'est pas grand. Quelques voitures sont garées sur une bande d'asphalte qui longe le bâtiment. Les marronniers bouchent la vue sur la rue où j'entends passer le tramway. Je dois donc être à Oslo. Au premier étage d'une maison avec jardin.

Je m'habille. Boutonner ma chemise est une tâche ardue. Mes mains ont une fichue tremblote.

Ils n'ont rien pris. Mon portefeuille est toujours dans ma poche arrière. Et l'argent aussi.

La porte est verrouillée. Je la secoue. De l'autre côté, j'entends des voix et des pas. Comme dans une prison, un trousseau de clefs cliquette bruyamment, puis la clef tourne.

— *Hello my friend !*

C'est Michael MacMullin. Ou Charles DeWitt. Ou celui qu'il a choisi d'être aujourd'hui.

Les secondes s'égrènent lentement.

Finalement je réponds :

— Pour quelqu'un qui est mort il y a vingt ans, vous m'avez l'air d'être remarquablement en forme !

En temps normal, je n'ai pas ce sens de la repartie. Celle-là, je l'avais concoctée dans l'avion de Londres. Depuis le début je me doutais que nous nous reverrions.

— Je vais vous expliquer.

— Où est Diane ?

— Elle est en de bonnes mains.

— Qu'est-ce que vous lui avez fait ?

— Plus tard, mon ami, plus tard. Je suis vraiment navré !

Curieusement, il semble sincère.

— Voudriez-vous avoir l'amabilité de me suivre ? L'amabilité ?

Le couloir est tapissé de velours rouge et orné de petites lampes entre des portraits anciens de rois et de reines, de nobles, chevaliers, croisés et papes. Chacun d'eux nous suit du regard.

La moquette moelleuse nous mène au bout d'une longue galerie, puis au sommet d'un large escalier et jusqu'à une lourde porte. Je ne sais pas s'il faut qualifier la pièce de salle de réunion ou de fumoir ou peut-être plutôt de salle de réception : c'est un salon d'apparat clinquant et surchargé, tout en hêtre et palissandre, doubles rideaux et lustres, qui sent l'encaustique et le cigare.

La première chose qui accroche mon regard est une énorme peinture à l'huile de deux druides à Stonehenge. La deuxième est la table sombre, astiquée, avec un sous-main en feutre vert devant chacun des sièges à haut dossier. La troisième, ce sont les deux hommes assis sur les canapés dans le coin. Je ne les remarque pas avant de voir le nuage de fumée de cigare. Ils se sont retournés et nous observent avec une attention soutenue.

Il s'agit de Graham Llyleworth et du directeur du Patrimoine Sigurd Loland.

Ils se lèvent. Loland ne sait pas vraiment où regarder. D'abord Llyleworth me tend la main. Puis Loland l'imite.

— J'ai été ravi de vous voir l'autre jour, dit-il maladroitement.

Aucun de nous ne parle.

Une cafetière en porcelaine et quatre tasses sont posées sur la table.

— Sucre ? Crème ? propose Llyleworth.

Le cigare rougeoie entre son index et son majeur.

Je n'aime pas le café.

À Loland je dis, en norvégien :

— Je ne m'y connais pas bien en droit pénal. Mais je parie que le kidnapping d'une femme étrangère assorti de l'enlèvement d'un Norvégien qu'on a drogué va chercher dans les cinq à sept ans de prison. Si tant est que vous n'ayez pas prévu de me faire couler dans la mer les pieds figés dans un baril de ciment. Auquel cas, il peut vite être question de vingt et ans. Avec une peine de sûreté.

Loland toussote nerveusement en observant MacMullin.

MacMullin a un léger rire paternel, comme s'il avait compris tout ce que j'ai dit.

— Où est Diane ?

— Ne vous inquiétez pas. Elle va bien.

— Que lui avez-vous fait ?

— Rien du tout. S'il vous plaît, ne vous inquiétez pas. Tout peut s'expliquer.

— Vous l'avez kidnappée !

— Sûrement pas !

— Qui êtes-vous ? En réalité ?

— Je suis Michael MacMullin.

— C'est bizarre. La dernière fois que nous nous sommes parlés, vous vous êtes présenté comme Charles DeWitt.

Graham Llyleworth le considère avec stupéfaction.

— Tu as fait ça ? Vraiment ?

Il ne parvient pas à réprimer un petit gloussement.

MacMullin marque une pause artificielle.

— Hum… J'ai fait cela ?

Il me regarde d'un air mutin, plisse le front.

— C'est vrai. Quand nos amis de la London Geographical Association nous ont signalé que Bjørn Beltø de Norvège avait demandé à voir Charles, nous avons élaboré un petit plan stupide. Vous avez tout à fait raison, je vous ai fait croire que j'étais *ce bon vieux Charlie*. À ma décharge, rappelons toutefois que je ne me suis jamais présenté.

— Alors pourquoi croirais-je que vous êtes bien Michael MacMullin ?

Il me tend la main. Je la saisis par réflexe.

— *Je Suis Michael MacMullin,* répète-t-il en articulant bien chaque mot.

Cette aura d'assurance mêlée de cordialité me trouble. Llyleworth, Loland et moi ressemblons à des corniauds agités grondant autour d'un os. MacMullin est différent. Il plane plus ou moins au-dessus de nous, il est au-delà des disputes mesquines et de la méfiance. Tout son être — son regard chaleureux, sa voix grave, son calme — respire la dignité douce et amicale.

Loland me présente un siège. Je m'assieds tout au bord. Nous nous observons.

— Vous êtes un dur à cuire, Beltø, remarque MacMullin.

Les deux autres rient avec nervosité. Loland m'adresse un clin d'œil. Ils semblent croire que nous avons tous franchi une frontière invisible pour nous retrouver soudain dans la même équipe : nous voici en train de nous amuser d'événements passés. Ils me connaissent mal, je suis un dur à cuire.

— En l'occurrence, je me félicite de votre loyauté, précise le directeur du Patrimoine Sigurd Loland.

Il a l'air gai comme un pinson.

— Il nous faudrait plus de gens comme vous.

MacMullin perçoit ma réserve. Il lance :

— Messieurs, s'il vous plaît. Nous devons une explication à notre ami.

Il peut parfois être plus judicieux de se taire. Je me tais.

Ils se regardent. Comme si tous espéraient qu'un autre ouvrirait la discussion. Une fois encore, c'est MacMullin qui prend la parole.

— Par où commencer ?

— Commencez donc par DeWitt.

— DeWitt… C'était stupide de ma part, je vous ai sous-estimé le plus grossièrement du monde.

— Qu'espériez-vous obtenir ?

— Nous nous figurions que tout serait plus facile si nous vous faisions croire que j'étais Charles. Que vous auriez confiance en lui. Donc en moi. Nous espérions que vous vous confieriez à DeWitt s'il vous donnait les réponses que vous cherchiez. Nous avons été naïfs et je vous demande pardon.

— Afin d'éviter que je découvre que vous l'aviez liquidé ?

— Comment ? s'exclament-ils tous en chœur.

— L'été de la mort de papa.

Je les dévisage tour à tour.

— Vous voulez me faire croire que c'est une coïncidence qu'ils soient morts quasiment en même temps ?

Leurs mines stupéfaites sont si crédibles que j'envisage un instant de les croire. Mais juste un instant.

— Qu'est-ce qui vous fait penser le contraire ? demande MacMullin.

Loland se récrie :

— Et puis, quoi encore ?

— Une simple coïncidence ?

— Bien entendu ! affirme MacMullin.

— Nous ne sommes pas des barbares, renchérit Llyleworth.

Loland secoue la tête.

— Vous lisez trop de thrillers ! Votre père est mort dans un accident. Charles a succombé à une infection. Qu'ils soient tous deux morts le même été est un hasard.

Et Llyleworth de conclure :

— La vie est pleine de ces coïncidences.

— Sans parler de la mort.

Je les regarde. L'un après l'autre.

— Laissons cela, finis-je par dire. Jusqu'à nouvel ordre. Je ne saisis toujours pas pourquoi vous n'avez pas été capables de me dire la vérité ? J'ai la châsse. Tout ce que je demande, c'est de savoir ce qu'elle contient. Quand je saurai la vérité, je vous la rendrai. Tous ces mensonges et ces fausses pistes… pourquoi ?

— La vérité. Hum… Mais qu'est-ce donc que la vérité au juste ?

MacMullin me scrute, mi-souriant, mi-provocateur, tout en me laissant intégrer sa question.

Je hausse les épaules avec indifférence.

— Comment justifiez-vous ce droit de regard que vous revendiquez dans cette soi-disant vérité ?

— Je représente les autorités norvégiennes !

— Mais pas du tout ! objecte Loland. C'est moi qui représente les autorités norvégiennes.

— Vous ? ! Vous faites partie de cette conjuration !

— Allons, allons, Bjørn, rigole MacMullin, ne vous énervez pas ainsi, enfin ! Essayez de voir les choses de notre point de vue. Nous ne savions pas où vous vous situiez. Nous ne savions pas si vous étiez avec nous.

— Avec vous ?

— Oui, ou contre nous. Nous ne savions pas si vous étiez sincère.

— Sincère ?

— Si vous vouliez de l'argent. Nous ne comprenions pas pourquoi vous nous aviez volé la châsse.

— Je n'ai jamais volé la châsse ! Je l'ai reprise. Parce que vous aviez l'intention de la voler.

— Vous ne pouvez pas voler quelque chose dont vous êtes le propriétaire légal.

— Vous n'en êtes pas le propriétaire ! La châsse est norvégienne. Elle a été trouvée sur le sol norvégien.

— Nous aurons l'occasion de revenir sur cette question.

— N'avez-vous jamais songé que mes motivations pouvaient être honnêtes ? Que je voulais simplement aller au fond de cette histoire ?

— Nous pensions que vous alliez restituer la châsse, explique MacMullin. Comme c'est votre devoir de le faire.

— Donc vous avez joué le rôle d'un homme mort. Et loué et meublé un appartement pour une journée ?

Il me lance un regard interloqué.

— Non. Il se trouve qu'on nous l'a prêté. À vrai dire, c'est un appartement que les autorités utilisent pour... hum... ce genre de circonstances.

Il tourne une cuillère en argent dans son café.

— Après notre petite conversation, je pensais que tout était rentré dans l'ordre, jusqu'à ce que Diane me parle de votre scepticisme.

Je me pétrifie. Diane ?

MacMullin me regarde.

— Un jour vous comprendrez. Elle n'a rien à voir avec cette histoire. Pas en réalité. C'est seulement quand nous avons été au courant de votre... amitié avec Diane qu'elle a été impliquée. Plutôt contre sa volonté, d'ailleurs.

Son regard s'assombrit.

— Nous sommes allés la chercher parce que c'est mieux pour elle.

Ils attendent que je m'exprime. Je ne le fais pas.

Mon silence agit sur eux.

— Lorsque nous avons su que vous aviez parlé à la veuve de Charles, nous avons compris que nous vous avions mal évalué, raconte MacMullin.

— Sur toute la ligne, confirme Loland.

MacMullin poursuit :

— C'est allé trop vite à Londres. Vous avez été plus malin que nous, toujours avec un pas d'avance.

Je m'efforce de comprendre le rôle de Diane. Je ne parviens pas à trouver la moindre logique.

MacMullin soulève sa tasse et boit à grands traits.

— J'ai fini par comprendre que la seule façon de démêler l'écheveau serait d'avoir une vraie conversation avec vous. C'est ce que nous avons prévu de faire maintenant, vous expliquer des choses afin que vous compreniez.

— Ah bon ?

Je marmonne avec suspicion.

— Quand vous êtes allé à la SIS, nous pensions vous tenir enfin. Et, une fois de plus, nous vous avions sous-estimé. Vous êtes un dur à cuire, Beltø ! Un dur à cuire !

MacMullin jette un regard à Loland, qui plonge le sien dans le tapis poilu.

— Et tout cela vous autorise à kidnapper Diane, puis moi après m'avoir drogué ?

— Un médicament inoffensif dans votre nourriture, Bjørn. Quasiment un somnifère. Je suis
vraiment navré. Mais vous ne m'auriez guère suivi
volontairement, n'est-ce pas ?

— Ça, vous pouvez en être sûr !

— Nous devions faire en sorte que vous compreniez la situation, nous n'avions pas le choix.

— Il baisse les yeux.

— Et dans ces cas-là, il faut parfois recourir à des
moyens inhabituels. Nous ne recherchons pas déli-
bérément les méthodes les plus spectaculaires pour
vaincre nos difficultés.

— J'ai une question.

— Oui ?

— Qu'y a-t-il dans la châsse ?

— Ce n'est pas un artefact norvégien, s'empresse
de préciser Loland.

— La châsse est en or. La valeur de l'or à elle seule
s'élèverait à plusieurs millions de couronnes.

— Sur le marché commercial, la châsse en elle-
même vaudrait au moins cinquante millions de
livres, m'indique MacMullin. Mais pour nous, sa
composition n'a aucune importance. Pas plus que sa
valeur marchande.

— Parce qu'il y a quelque chose de plus précieux
encore à l'intérieur.

MacMullin se penche en avant.

— Et ni la châsse ni son contenu ne sont norvégiens !

— Elle a été trouvée en Norvège.

— Certes. Par une coïncidence, elle se trouve en
Norvège. Mais elle n'est pas norvégienne. C'est pourquoi les autorités norvégiennes ne voient pas d'objec-
tion à sa restitution.

Le directeur du Patrimoine opine un peu trop vigoureusement du chef.

— Bien au contraire, enchaîne MacMullin, il est primordial que l'artefact soit analysé par les instances adéquates. La Norvège est une parenthèse dans l'histoire de la châsse. Même si elle ne l'est pas dans le temps.

— Je ne comprends pas de quoi vous parlez. Quelle histoire ?

MacMullin inspire profondément.

— Une longue histoire. N'est-ce pas, Messieurs ? Une longue histoire !

Loland et Llyleworth acquiescent : oui, c'est bien une longue histoire.

— J'ai le temps, dis-je en repliant les bras et en m'enfonçant dans mon fauteuil.

— Permettez-moi de commencer par la SIS. La Society of International Sciences, mon appareil de soutien. Sous sa forme actuelle, elle a été fondée en 1900. Mais ses racines remontent à plusieurs siècles en arrière. La SIS réunit des branches scientifiques et des chercheurs pluridisciplinaires. Mais, officieusement, la SIS représente quelque chose que vous pourriez qualifier de… hum… de service de renseignement scientifique. Nous rassemblons des données de toutes les branches de recherche pertinentes et essayons de découvrir des… pistes. L'essentiel des activités de la SIS a consisté à surveiller, en toute transparence, toutes les fouilles archéologiques importantes du siècle écoulé. Parfois avec un émissaire, comme le professeur Llyleworth, sous la couverture d'un projet de recherche. Mais, en règle générale, en demandant au directeur des fouilles de nous adresser un rapport.

— J'ai rejoint la SIS en 1963, glisse Loland. On

m'a chargé de la surveillance des fouilles norvégiennes. Et j'ai envoyé à la SIS tous les rapports et thèses pertinents qui ont été écrits dans ce pays.

— Comme c'est gentil, dis-je.

— Et laissez-moi souligner, ajoute Loland, que tout s'est passé dans la plus stricte légalité. Nous ne sommes pas des truands.

— Nous entretenons des contacts dans le monde entier avec des hommes de qualité, comme Sigurd Loland et votre beau-père, le professeur Arntzen, expose MacMullin. Et nous avons des hommes du calibre du professeur Llyleworth comme agents sur le terrain.

— Exactement comme 007, commente Llyleworth, impassible.

C'est la première fois que je l'entends plaisanter. MacMullin et Loland eux-mêmes le scrutent avec surprise. Il fait un rond de fumée.

— Nous approchons maintenant du cœur de l'affaire, annonce MacMullin. Il se trouve que la SIS protège un secret. Qui est indirectement lié à la châsse.

— Enfin !

Il toussote. Il a quelque chose de solennel. D'irréel.

Quelques secondes s'écoulent.

— Personnellement, ce que j'ai fait, c'est que j'ai imaginé un fleuve. Et j'aimerais que vous en fassiez autant. Rendez-moi ce service, Bjørn. Fermez les yeux. Imaginez un fleuve.

J'imagine un fleuve. Il est large et coule calmement comme de l'acier fondu sous un soleil tropical. La journée est bien avancée. Les insectes planent en nuées engourdies au-dessus des roseaux de la rive.

Dans les vaguelettes tourbillonnent des brindilles et des algues. Le fleuve traverse une scène désertique, ponctuée de cyprès. Sur une falaise se dresse un temple en marbre, mais je ne vois aucun humain.

MacMullin laisse l'image se fixer avant de reprendre :

— Et imaginez maintenant un groupe de voyageurs, pas très nombreux, deux ou trois, peut-être. Ils sont en expédition sur une embarcation qui descend le fleuve en route vers un paysage étranger et mystérieux.

Le film apparaît en moi comme sur un écran de cinéma : l'embarcation est un radeau. Des rondins reliés par de la corde épaisse. Un mât et, derrière, un abri de branches et de lianes entrelacées. Les hommes sont à la proue. L'un a plongé ses pieds nus dans l'eau. L'autre tète un brûle-gueule. Ils ruissellent sous la canicule.

— Ce sont des élus, m'informe MacMullin. Du fait de leurs qualifications. Et de leur courage. Le voyage est dangereux. L'expédition traverse des pays étrangers. Une nature qu'ils n'ont jamais vue, ni visitée, qu'ils ne connaissent que par leurs lectures.

Je ferme les yeux pour mieux voir.

— Le fleuve est interminable. Il se poursuit encore et encore.

— Jusqu'à ce qu'il débouche dans l'océan.

— Eh non ! Il ne se termine nulle part.

— Nulle part ?

— Il faut que vous songiez qu'il n'a ni source ni embouchure.

— Un sacré fleuve, alors…

— Il ne fait que continuer, inlassablement. Et l'embarcation des voyageurs ne peut que dériver, pas avec le courant, mais contre. L'expédition est condamnée à contrer la volonté du fleuve. Ils ne peuvent pas faire demi-tour. Ils ne peuvent pas revenir au point de départ. Il ne leur reste qu'à naviguer contre le courant.

— Ne peuvent-ils pas accoster ?

— Si, mais parce qu'ils se sont échoués. Ils ne peuvent pas progresser. Ils peuvent établir un campement, mais ils ne pourront ni revenir en arrière ni avancer sur le fleuve.

— Qui ne se termine jamais.

— Tout juste. Qui ne se termine jamais.

— Un voyage sans fin.

— Précisément.

— Et sans but ?

— Le voyage est un but en soi.

— Ça doit finir par devenir ennuyeux à la longue.

Il rit, puis pose ses paumes l'une contre l'autre et écarte les doigts, qui forment ainsi cinq flèches, avant de poursuivre :

— Ils n'ont aucun contact avec ceux qu'ils ont quittés. Et uniquement avec quelques rares élus en chemin. Mais ils laissent une… oui, appelons cela une bouteille à la mer, destinée à ceux qu'ils ont quittés. Des récits de voyage, si vous voulez dans lesquels ils racontent tout ce qu'ils voient et vivent. Des observations scientifiques. Le tout vu à la lumière du savoir qu'ils possèdent.

— Donc la bouteille à la mer peut aller dans l'autre sens ?

— Avec le temps.

Il acquiesce pour lui-même.

— Car pouvez-vous me dire ce qu'est le temps ?

Je ne le peux pas.

— Le temps, dit-il, est une chaîne sans fin d'instants.

J'essaie de saisir la métaphore. En vain. Je tente le coup :

— Se trouverait-il que ce fleuve est l'espace ? Que l'expédition vient d'une autre planète ? Là-bas dans l'infini ?

C'est une question délirante. Je l'entends alors que les mots se déversent hors de moi. Et, pourtant, le regard de MacMullin me fait croire que j'ai tapé dans le mille. Que cet hurluberlu de Winthrop Jr. m'a raconté la vérité. Que cette métaphore traite d'un groupe d'extraterrestres disposant d'une technologie si sophistiquée qu'ils ont parcouru les années-lumière séparant un système solaire étranger de la Terre. Cela expliquerait bien des choses. Ils auraient pu venir ici il y a des centaines d'années et avoir laissé leurs cartes de visite technologiques, ébahissant les archéologues qui seraient tombés dessus entre des débris de poterie et des pointes de flèches. Des humanoïdes. Des êtres très évolués avec un message pour nous, les habitants de la Terre.

— Est-ce le cas ? je demande avec un enthousiasme incrédule.

MacMullin me tend une coupure d'*Aftenposten*, une brève :

Des particules jouent à cache-cache avec des chercheurs du CERN

Meyrin, Suisse.
Une équipe internationale de chercheurs travaillant à l'accélérateur de particules du CERN en Suisse a découvert, lors d'une expérience à la vitesse de la lumière, que la masse disparaissait sans produire d'énergie.

Le professeur Jean-Pierre Latroc, directeur du programme, a déclaré à l'agence de presse Associated Press qu'il ne s'expliquait pas ce qu'il qualifie « d'impossibilité physique ». « D'après les lois de la physique, la masse ne peut pas disparaître ainsi, explique Latroc.

C'est pourquoi nous consacrons à présent nos efforts à
rechercher ce qu'il est advenu de ces particules. »

— Le CERN... L'organisation européenne pour la recherche nucléaire.

La prononciation de MacMullin est impeccable, celle d'un francophone.

— Qu'est-ce que c'est ?

— Le laboratoire européen de physique nucléaire. Un projet entamé au milieu des années cinquante. Situé à Meyrin, en Suisse. Des dimensions énormes ! Le laboratoire se situe dans un tunnel à cent soixante-dix mètres sous terre, sa circonférence est de vingt-sept kilomètres. C'est le plus grand du monde.

— Le plus grand laboratoire du monde ?

— Le plus grand accélérateur de particules !

— Accélérateur de quoi ?

— Un œilleton donnant sur la Création !

— Hein ?

— C'est un accélérateur de particules ! Qui transforme un faisceau de particules à la vitesse de la lumière en masse.

Parfois j'ai du mal à trouver les mots justes.

— Ça alors, dis-je simplement.

— Ainsi nous pouvons étudier ce qui s'est passé pendant les premiers millionièmes de seconde qui ont suivi la naissance de l'univers. Dans un cadre expérimental, nous réussissons à recréer des états semblables à ceux apparus juste après le big bang, la naissance de l'univers.

— Ça alors.

— Pour comprendre la Création, nous devons explorer les plus petites briques qui ont servi à la construction de l'univers. Les atomes, les électrons, les protons, les neutrons. Les quarks. Les antiparticules.

Il marque une pause dans laquelle je laisse mes pensées reposer.

— Ça alors.

Pas très impressionnant comme contribution à la conversation. Mais la physique n'a jamais été mon fort, surtout pas la physique expérimentale des particules.

— Est-ce que je parle trop vite pour vous ? s'inquiète MacMullin.

— Vite ou lentement, je ne comprends rien de toute façon.

— Ce que l'accélérateur de particules fait, c'est briser les particules les plus petites, croyez-le ou non, en morceaux plus petits encore.

— Je vous crois.

— À l'aide de champs magnétiques, les particules circulent encore et encore sur une trajectoire circulaire dans l'accélérateur de particules, jusqu'à ce qu'elles approchent de la vitesse de la lumière.

— Ça c'est rapide !

— Et à ce moment-là, on laisse les particules entrer en collision frontale pour étudier les conséquences physiques.

— Écoutez, je n'y comprends strictement rien. Qu'essayez-vous de m'expliquer au juste ? Quel est le rapport avec la châsse ?

MacMullin me tend une nouvelle coupure de presse - du *New York Times*.

Le concept de temps à la loupe
par Abe Rosen.

Les chercheurs du prestigieux CERN, le laboratoire européen de physique nucléaire, ont placé le temps sous une énorme loupe. Si ces chercheurs parviennent à démontrer leurs théories et suppositions, d'étourdissantes perspectives s'ouvriront.

Lors d'une expérience dans l'accélérateur, il y a quelques mois, les physiciens ont constaté à leur grande stupéfaction que des particules disparaissaientsans dégager d'énergie.

Cette expérience — baptisée The Wells Experiment, d'après le célèbre roman de H. G. Wells La machine à explorer le temps — a été reproduite à plusieurs reprises avec le même résultat.

Le professeur Jean-Pierre Latroc, physicien des particules français qui dirige le programme, indique que les chercheurs n'ont pas réussi à trouver d'explication infaillible à ce paradoxe physique. « À ce stade précoce, notre théorie est que les particules ont été accélérées hors du temps. » Il souligne qu'il faut envisager cette théorie comme une hypothèse de recherche et rien d'autre. « Si nous arrivions à démontrer que les particules se sont déplacées dans le temps pour y demeurer, dit Latroc, il serait question d'une approche fondamentalement neuve des lois de la nature. Nous ne pourrions plus parler d'avant et d'après. Ni de cause et d'effet. Une sphère sans temps ni espace. Certains y verraient la définition d'une dimension, d'un univers parallèle, d'un hyperespace. »

Jean-Pierre Latroc se garde bien de tirer des conclusions, mais souligne que même d'éminents scientifiques comme les astrophysiciens Stephen Hawking et Kip Thorne évoquent sérieusement la possibilité de voyager dans le temps à travers ce que l'on appelle des « trous de vers » dans l'univers.

On a laissé entendre que les trous noirs seraient les portes d'entrée et de sortie de ces « trous de vers », qui sont des raccourcis dans les distances infinies de l'es-

pace. Si ces suppositions de la théorie astrophysique ont du vrai, la barrière absolue et magique du temps serait déjà brisée.

Une expérience autrichienne au photodétecteur a récemment documenté le phénomène de physique quantique de « non-localité ». Cette notion implique que des particules ayant été reliées à un moment donné restent attachées où que les particulesséparées se trouvent dans l'univers, et dans le tempset l'espace.

La théorie de l'équipe de recherche du professeur Latroc a semé le trouble académique chez les sommités de la physique en Europe et dans les plus grands milieux universitaires américains.

L'un de ses critiques les plus éminents, le physicien nucléaire et prix Nobel Adam C.G. Thrust III affirme que la notion de temps est le dernier retranchement inexpugnable de la science. « Même dans la nature, il existe des absolus, souligne Thrust. La vitesse de la lumière en est un. »

Cette réaction ne surprend pas Jean-Pierre Latroc etson équipe. « Nous sommes les premiers à admettre que notre théorie semble démente. Au sein de ma propre équipe, plusieurs pensent que la solution est tout autre. Mais, personnellement, je ne vois aucun autre moyen d'expliquer où sont passées ces particules. »

Je lève les yeux de la coupure de presse.

— Vous comprenez ?

— Absolument pas.

— Vous ne voyez pas le lien ?

— Lequel ? Que suis-je censé en retirer ? Quel est le rapport avec la châsse ?

MacMullin inspire très profondément et très lentement. Je me sens comme un élève long à la détente qui n'a pas bien appris sa leçon.

— Imaginez, dit MacMullin, que dans deux cent cinquante ans les chercheurs réussissent enfin à briser la barrière du temps. Tout comme en 1969 la NASA a réussi à envoyer l'homme sur la Lune. Imaginez que les scientifiques de demain permettent à l'homme de voyager dans le temps.

J'essaie. Sans succès.

— Vous parlez de retourner dans le passé ?

MacMullin renâcle avec un sifflement.

— Imaginez que nos voyageurs dans le temps basculent hors de leur embarcation dans un passé lointain. Aussi inexorablement qu'Armstrong sur la Lune. Imaginez maintenant qu'ils y laissent un message. Pas précisément le drapeau américain, mais pour autant un message à ceux qu'ils ont abandonnés dans l'avenir. Un message indiquant qu'ils sont bien arrivés.

— Attendez, dis-je en essayant de trouver une queue et une tête à cette image insaisissable. Alors ils auraient eux-mêmes pu lire leur message, avant d'entreprendre leur expédition dans le temps... Car s'ils réussissent dans le passé, ils vont forcément pouvoir lire leur message dans l'avenir...

— Au bout du compte, oui. Mais c'est l'éternel paradoxe : que se passerait-il si l'on allait dans le passé et tuait ses parents avant d'être né ? Nous pensons qu'il s'agit de cours du temps différents. D'univers ou de sphères parallèles.

Je reste muet. Finalement je demande :

— Vous voulez dire que c'est cela que la châsse contient ? Un message d'un groupe de voyageurs dans le temps ?

Je croise les bras.

Tous trois m'observent d'un air solennel. Le temps passe. S'il est une chose dont je dispose en quantité, c'est de temps. Je laisse les secondes filer.

— Nous avons trouvé la capsule temporelle, raconte MacMullin. Leur vaisseau. La machine à explorer le temps, si vous voulez.

— Au monastère de Værne ?

— La châsse du monastère de Værne contient le message qu'ils ont laissé.

— Ah ! D'accord. Je vois... Et comment donc la châsse a-t-elle atterri là ?

— C'est une longue histoire. Les Égyptiens voyaient ces voyageurs dans le temps comme des êtres divins. Lorsque la châsse d'or contenant leurs écrits a été amenée d'Égypte au Moyen-Orient, on la considérait comme sacrée. Une relique. De fil en aiguille, ce sont les chevaliers de Saint-Jean qui l'ont prise en main. Eux aussi pensaient être en présence d'écrits divins. Ils ont vu le monastère de Værne comme une cachette sûre. Le bout du monde.

J'acquiesce pour moi-même, comme si je comprenais enfin.

— Et où avez-vous trouvé cette capsule temporelle ?

— En Égypte.

— En Égypte ?

— Ce n'est pas un astronef qui a été découvert sous la pyramide de Kéops. C'est la capsule.

Et puis je ne parviens plus à me retenir. Une fois de plus, je me mets à pouffer. C'est un problème récurrent chez moi.

Llyleworth semble avoir envie de me piétiner avec chacun de ses cent cinq kilos.

— Franchement !

Llyleworth s'assied lourdement et prend le cigare dans le cendrier. Il s'est éteint. L'air renfrogné, il lui redonne vie en clappant de la langue.

— Oui ? fait MacMullin sur un ton policé.

— Franchement ! Pour qui me prenez-vous ?

MacMullin me dévisage avec les pouces sous le menton et les doigts en flèche devant le nez. Dans une autre situation, j'aurais cru qu'il trouvait cela divertissant.

— Surtout n'hésitez pas à me mystifier. Ne vous privez pas de penser que je suis un imbécile facile à berner.

— Qu'est-ce qui vous fait croire que nous cherchons à vous tromper ? s'offusque Loland.

— Des voyages dans le temps ? Franchement ! Même un stupide assistant de recherche en archéologie sait que c'est une impossibilité physique. De la science-fiction.

— On disait la même chose des expéditions sur la Lune. Bien des éléments de notre environnement actuel étaient de la science-fiction il y a cinquante ans.

— Même ! Suis-je censé croire que dans une châsse d'or antique, trouvée au monastère de Værne dans l'Østfold se cache un message laissé par des gens de l'avenir qui ont voyagé dans le temps pour finir dans le passé ?

— Précisément.

— À d'autres !

Je ris et pousse un soupir théâtral, gesticule, et en fais globalement des tonnes.

— Les copains, vous oubliez une chose. Un détail essentiel.

Ils m'interrogent du regard. Ce sont des gens de pouvoir. Ils ont l'habitude d'obtenir ce qu'ils veulent. Mon schéma de réaction les perturbe.

— Vous oubliez que c'est moi qui sais où est la châsse.

— C'est tellement vrai, soupire MacMullin.

Je ne peux pas m'empêcher de servir la balle de match.

— Et puis je connais l'existence de Rennes-le-Château...

MacMullin se fige. Il retrouve aussitôt son self-control. Mais il s'est déjà trahi.

— Vraiment ? demande-t-il d'un ton rassurant.

Mon toussotement parle de lui-même.

— Y avait-il autre chose ?

MacMullin pose la main sur mon épaule.

— Bientôt, dit-il en regardant en coin vers Llyleworth. Nous allons parler de Rennes-le-Château dans un moment.

La main sur mon épaule il me raccompagne dans le couloir jusqu'à ma chambre.

8

J'arpente fébrilement la moquette verte. Il fait lourd et chaud. Lorsque j'entrebâille la fenêtre, afflue une odeur de gazon coupé et de gaz d'échappement.

Un bourdon entre par l'ouverture et se rue frénétiquement contre la vitre. Il ne se plaît pas ici, et je le comprends. Il est gros et velu. Il paraît que d'après les lois de l'aérodynamique, les bourdons ne sont à proprement parler pas censés pouvoir voler. Quelque chose me plaît chez les bourdons. Je ne sais pas vraiment quoi. Peut-être reconnais-je l'insoumission qui l'habite. J'ai l'art de m'identifier avec tout et rien.

Je ne comprends pas ce qu'ils ont fait de Diane, ni où ils la cachent. Je me demande comment la police réagirait si je débarquais pour porter plainte en donnant une explication approximativement analogue à la vérité. Je doute que la voix de fausset s'empresserait de m'aider toutes affaires cessantes. Bon sang, je ne connais même pas le nom de famille de Diane. Quand j'ai commandé nos billets d'avion, elle a insisté en pouffant pour se faire appeler Mme Beltø.

Je ne suis pas un héros. Enfoncer la porte pour partir à la recherche de Diane dans cette débauche de pièces m'est impensable. Je serais incapable de faire sauter le moindre verrou — je me démettrais sans doute l'épaule avant — et quand bien même je réussirais à sortir de la chambre, le premier monsieur muscles venu me réduirait à l'obéissance d'un simple regard fâché.

Je suis si nerveux que je sursaute à la vue d'une enveloppe sur la table de chevet. Une enveloppe blanche ordinaire. avec mon nom écrit en lettres capitales.

Je la décachette avec l'ongle de mon index et sors la lettre manuscrite :

Bjørn,

Que puis-je te dire d'autre, mon chéri, que je te prie de m'excuser ? Si seulement tu pouvais me pardonner. S'il te plaît ! Je suis tellement désolée…

Ils ne savent pas que j'écris cette lettre, donc ne la leur montre pas. Ni à eux ni à personne. Ces mots sont entre toi et moi. Et nul autre.

Tu dois te poser tant de questions. Si seulement je pouvais te donner des réponses, des réponses qui aient du sens, qui puissent en tout cas expliquer un tout petit peu ce qui s'est passé. Mais je ne le peux pas. Pas maintenant.

Je veux toutefois que tu saches ceci : je tiens à toi ! Je ne t'ai jamais trahi ! Je n'ai jamais fait semblant d'avoir pour toi des sentiments qui n'étaient pas sincères. S'il te plaît, fais-moi confiance, je ne suis pas une putain. Mais peut-être le suis-je tout de même...

Qui a dit que les choses devaient être faciles ? La vie n'est pas une équation qui se résout si les facteurs concordent. La vie est une équation insoluble. Ma vie à moi ? Une catastrophe sur toute la ligne. Une catastrophe qui a commencé le jour de ma naissance.

Bjørn ! Je suis navrée d'avoir croisé ton chemin. Pardonne-moi d'être tombée sous ton charme. Et de t'avoir entraîné dans cette histoire. Tu méritais mieux. Peut-être que j'apprendrai un jour. Mais je parle, je parle. Et tu ne comprends rien. Parce que le but n'est pas que tu comprennes.

Si tu t'inquiètes pour moi, c'est sans raison. Ils ne m'ont rien fait. Peut-être que je pourrais t'expliquer quand tout cela sera terminé. Je ne sais pas. Peut-être pas. Mais tout s'explique.

Si seulement nous avions pu nous enfuir ! Toi et moi ! Sur une île déserte. Où personne ne nous aurait importunés. J'aurais pourtant dû savoir. J'aurais dû savoir ce qui allait se passer. Mais je suis si obstinée, si entêtée, si déterminée à suivre ma propre voie. Quand papa disait « Mets donc ta robe rouge, elle te va si bien », je mettais mon pantalon gris et mon chemisier violet. Si papa disait « Ce garçon n'est pas pour toi », je le baisais jusqu'à plus soif. J'ai dit baiser, pas faire l'amour. Avec toi j'ai fait l'amour, Bjørn.

Comprends-tu quoi que ce soit de ce que j'essaie de dire ? Je ne sais même pas ce que je veux dire moi-même. Si ce n'est que je ne veux pas que tu me haïsses.

Oublie-moi ! Oublie que tu as rencontré une fille stupide qui s'appelle Diane ! Oublie que tu la trouvais

peut-être un peu mignonne ! Oublie qu'elle est tombée
sous ton charme ! Tiens, voici une gomme, efface-la de
ta mémoire et de ta vie !

Ton ange,
Xxx
Diane

Je déchire le drap en deux, en noue les extrémités
et les attache à la housse de la couverture molleton-
née. J'ouvre grand les deux fenêtres. Le ballot de tissu
virevolte dehors.

Le bourdon exulte.

Je passe le tissu quelques fois autour du montant
central. Puis je me hisse sur le rebord et me laisse
glisser sur le sol.

9

Le cri n'a duré qu'une seconde ou deux. Mais dans
ma tête son écho résonne depuis vingt ans.

La veille de l'accident, papa était silencieux, absent,
comme s'il pressentait un événement terrible.

Au crépuscule, Trygve avait allumé le feu de
camp. Les bûches étaient debout en tipi et entourées
de galets. À une branche au-dessus des flammes était
suspendue une cafetière carbonisée. Une chouette
petite construction pour la vie au grand air, comme
un dessin du livre de Géo Trouvetou.

Trygve chantait *Blowing in the Wind* en s'accom-
pagnant à la guitare. La forêt embaumait le café, les
aiguilles de pin et le parfum de maman. Papa avait
sorti la spirale à moustiques qui dégageait une puanteur épouvantable, sans pour autant traumatiser les

moustiques outre mesure. Il était à demi couché, appuyé contre une souche. Maman était assise entre ses jambes, adossée à son buste. Papa racontait la découverte au début de l'été de grandes quantités de perles, d'or, d'argent et d'objets ornementaux sur le site de Gaalaashaugen à Nes dans le Hedmark. Maman ne lui prêtait qu'une oreille distraite. Mais moi, j'étais comme ensorcelé et j'essayais d'imaginer ce trésor inestimable.

Trygve avait une voix profonde et claire. Il chantait les paupières closes. Les flammes faisaient rougeoyer ses longs cheveux blond pâle et sa barbe naissante. Ses avant-bras robustes tenaient tendrement la guitare. Maman lui a envoyé un coup d'œil rempli de petits baisers invisibles.

Les notes de guitare s'élevaient parmi les arbres. Le ciel était blanc d'étoiles. À travers le feuillage scintillait l'étang. Dans les pentes boisées, un pouillot finissait sa journée. La forêt s'est refermée sur nous, majestueuse et enchanteresse.

Dans la soirée, papa est allé vérifier le matériel d'escalade. Il avait toujours été d'un naturel inquiet. Je le revois encore. Il avait porté les sacs à dos derrière la tente et, penché en avant, triturait le matériel quand je l'ai surpris. Il s'est détourné l'air bête, comme pris en flagrant délit. Je l'ai oublié aussi sec et l'image de papa, voûté au-dessus des sacs à dos, est devenue une parenthèse dans le temps, une étincelle qui s'est rallumée vingt ans plus tard.

Trygve lui a ouvert une bière, mais il n'avait pas soif. Plus tard il a vidé la bouteille à grands traits.

Papa s'est couché tôt. Maman et Trygve sont restés debout — tout rires et secrets, avec chacun sa bière et sa voix basse — à griller des marshmallows sur le feu.

Il faisait nuit et le ciel était dégagé quand je me suis

glissé dans la tente. J'avais plus ou moins la nausée et j'étais agité. Avant de m'endormir, je suis resté à écouter la nuit, et les gloussements bas de maman.

J'étais assis sur une souche en train de tailler un chalumeau lorsque papa est tombé. Je n'étais pas très loin.

Pendant que je galopais à travers le fourré, j'espérais de tout mon cœur que c'était Trygve qui avait crié. Mais en mon for intérieur, je savais que c'était papa.

Dans des moments pareils, la conscience se fragmente, des bribes d'images pétrifiées et de sons se gravent dans la mémoire.

Le ciel bleu.

Un oiseau.

Des voix aiguës.

Le rocher gris qui se dresse au milieu de l'éboulis.

Trygve, une touche colorée sur l'avancée rocheuse.

Un cri : Bjørn ! Va t'en ! Va t'en !! Ne reste pas ici !

La ligne verticale de la paroi rocheuse.

La corde qui s'enroule sur l'éboulis.

Le hurlement de maman.

Le sang.

Le tas de vêtements au pied de la paroi. Pas des vêtements. Mais papa.

Le tronc d'arbre dans mon dos. L'écorce qui m'écorche la nuque alors que je m'effondre.

Les sauveteurs n'ont pu aider Trygve à redescendre de l'avancée rocheuse que le lendemain matin. Papa avait emporté la corde dans sa chute.

Il y a eu une enquête. Un rapport a été écrit.

Plus aguerri, Trygve avait été en charge de l'assurage. C'est pour cela qu'il était sur l'avancée, afin de vérifier que tout était comme il faut. Ce qui n'était pas le cas. Le descendeur s'est cassé en deux pendant le rappel. Usure du matériel, a-t-il été affirmé dans le rapport. Même si personne ne s'expliquait comment le défaut était apparu. C'était le genre de casse qui n'est pas censée arriver. Papa n'avait aucune chance de s'en sortir.

Mais personne n'a voulu faire de reproche à Trygve Arntzen. Ni maman ni la commission d'enquête. Il avait très mal vécu l'accident.

Six mois plus tard, il épousait maman.

V

LE DÉSERT

1

Le soleil rougit. Le ciel est atone.

Je viens d'ouvrir les paupières et je n'aurais pas dû. Les rayons se fragmentent au fond de ma tête, la lumière embroche mes pupilles et me perce le crâne. Lorsque je me suis endormi, le front contre la vitre fraîche, il faisait encore nuit et un peu frisquet. L'avion a atterri depuis quatre heures. Le soleil les a bien employées. Les environs apparaissent comme une cocotte-minute, à pleine vapeur.

Je détourne les yeux de l'éclat du désert et cherche à tâtons une paire de lunettes de soleil achetées à Gardermœn pour 745 couronnes en solde. Ray Ban certes. Mais 745 couronnes ? En solde ? Si la vendeuse n'avait pas été aussi mignonne, je les aurais sans doute laissées sur le comptoir en soufflant avec dédain. Mais en fin de compte, me voici en train de les chausser.

La route est tracée au cordeau dans un paysage stérile accidenté. La bande goudronnée s'évanouit dans la brume de chaleur qui gomme l'horizon miroitant.

Je me trouve dans un car à air conditionné, dans un désert de pierres. Ou peut-être sur une autre planète, Jupiter par exemple. Les falaises au loin sont couleur de rouille. Entre les cailloux du bas-côté poussent quelques plantes rebelles que l'on s'attendrait plutôt à trouver dans un terrarium ou un herbier, ou entre les dalles d'un jardin à l'abandon. Un rang de cyprès borde la chaîne de collines, comme un paysage biblique brodé sur un coussin chez une tante extrêmement pratiquante du Sud-Ouest de la Norvège.

Pour la cinq millième fois de ce voyage, je sors la lettre de Diane et la relis ; mot par mot, ligne par ligne. Je la sais par cœur. Mais j'essaie une fois de plus d'en décrypter le sens.

Je suis seul avec le chauffeur. Sans échanger un mot, nous roulons dans un désert infini. L'allure du chauffeur m'induit à me demander s'il était déjà vissé au volant quand le car est sorti de l'unité de montage. S'il a été conçu par une équipe talentueuse de bio-ingénieurs et de généticiens, avant d'être construit avec soin dans une aile spéciale de l'usine de production. Il a une chemise à manches courtes et des bras velus, des auréoles sous les bras, le cheveu clairsemé, une barbe pas rasée, des sourcils fournis. Parfois, il me regarde dans son rétroviseur géant. Mais il ne marque pas le fait qu'il a noté ma présence ne serait-ce que d'un signe de tête.

Je n'ai jamais eu le contact facile. Les années aidant, j'ai réussi à dissimuler ma timidité sous un camouflage de gaieté affectée et de sarcasmes. Il en est qui auraient saisi l'occasion pour deviser gaiement avec le chauffeur noiraud sur les Juifs et les Arabes, ou les voitures de sport et le football européen. Sur le christianisme et l'islam. Sur la pêche à la mouche dans le fleuve Namsen ou les putains de Barcelone. Mais pas moi. Et à en juger par l'expression de son visage, il s'en félicite.

Nous tournons après une avancée rocheuse ; une luxuriante oasis se déploie dans la vallée. Un jardin d'Éden d'oliviers, arbres à oliban, santals, camphriers et cèdres. Une figuerie habille le coteau de vert passé. Dans des canaux d'arrosage élaborés s'écoule de l'eau de source provenant d'un puits équipé d'une pompe branchée sur un bruyant groupe électrogène au diesel.

C'est dans cette oasis qu'on a choisi de construire l'institut Schimmer. Ne me demandez pas pourquoi. On peut difficilement faire plus loin du monde.

Ainsi, au moins, vous êtes tranquille pour travailler.

L'institut est une démonstration flagrante de ce désir constant qu'a l'homme d'unir l'ancestral et l'hypermoderne. Avec plus ou moins de bonheur. Il y a sept cents ans, les moines ont établi leur monastère au cœur de l'oasis. Un bâtiment en pierres du désert, taillées avec une précision géométrique, polies, ajustées, et assemblées en un complexe de cellules, couloirs et salles. Un sanctuaire dédié à la méditation et au recueillement religieux. Autour de ce monastère séculaire, architectes et ingénieurs ont bâti, au début des années 1970, un mastodonte de verre, de miroirs et d'aluminium. Un cri de modernité dans l'intemporel. L'institut ne s'élève pas en hauteur, mais s'étale en une masse qui brasille au soleil.

2

— *Bjorn ! My friend ! Welcome !*
Le car a emprunté le rond-point à la végétation

abondante, puis s'est arrêté en soufflant après ce long voyage.

Il m'attend sur le trottoir pavé devant la réception de l'institut. Petit, gros, les yeux doux et enjoués, le crâne dégarni et de bonnes joues. Vêtu d'une bure, il serait une caricature de moine.

Son nom est Peter Levi.

L'institut Schimmer est un centre de recherche qui attire étudiants et chercheurs du monde entier. On peut y louer une chambre pour quelques semaines ou quelques mois à l'hôtel de l'institut et s'enterrer dans sa riche bibliothèque. Une aile est spécialement affectée à la restauration de vestiges de manuscrits et à l'interprétation de mots consignés sur du parchemin ou du papyrus des milliers d'années plus tôt. Un joyeux mélange de théologiens, historiens, linguistes, paléographes, philosophes, archéologues et ethnologues. Aspirant tous à apporter un éclairage explicatif sur le passé.

L'allégresse avec laquelle Peter Levi vient à ma rencontre me fait croire à une méprise. Mais il s'exclame encore « *Bjorn !* » et me serre la main en me regardant dans les yeux avec un large sourire.

— *Welcome !* Soyez le bienvenu ! J'espère que nous allons pouvoir vous être utiles !

Son anglais est marqué d'un gros accent râpeux.

Nous nous sommes parlé une seule fois il y a deux jours. Je l'ai appelé de l'appartement de Torstein Avner après avoir fui MacMullin. Il n'était qu'un nom sur la lettre d'invitation de l'institut. Un nom, c'est tout, un contact quelconque. Il va être mon guide et mon conseiller. Chaque visiteur est parrainé par un résident permanent, mais Peter Levi se comporte comme si nous avions fait la guerre ensemble. Comme si nous nous étions mutuellement sauvé la vie dans les tranchées, tandis que les projectiles sifflaient au-dessus de nos têtes, dans une véritable purée de pois de gaz moutarde, et que nous partagions fraternellement un masque à gaz qui n'était pas étanche.

Je ne sais pas s'il m'inspire confiance, mais il me plaît.

Il insiste pour porter ma valise, que le chauffeur a hissée hors de la panse du car. La main gauche sur mon épaule, Peter me mène à la réception, où nous obtenons une carte magnétique et procédons à mon enregistrement :

NOM : *Bjørn Beltø*
TITRE : *Assistant de recherches / Archéologue*
PROVENANCE (VILLE / PAYS) : *Oslo, Norvège*
INSTITUTION : *Université d'Oslo*
SPÉCIALITÉ : *Archéologie*
BUT DE LA VISITE : *Recherches*

Peter m'accompagne jusqu'à ma chambre, la 207, située dans une aile à part et semblant sortir droit d'un Holiday Inn. Puis il m'abandonne à moi-même en « attendant que l'âme rejoigne le corps après le voyage ». Je défais ma valise et suspends mes vêtements dans le placard. Avec un soupir dû davantage à l'épuisement qu'à l'ennui, je me pose sur le petit canapé vert. Sur les genoux, j'ai tous les documents que Torstein Avner m'a imprimés et donnés avant mon départ.

Il a été efficace. À partir des mots-clefs et des noms que je lui avais indiqués, il a fait des recherches sur Internet et imprimé tous les sites où se trouvait l'information que je souhaitais. Il y a ici des renseignements dont je ne saisis pas vraiment la logique. Comme le fait que le mot-clef « chevaliers de

Saint-Jean » lui ait donné trente-deux résultats avec le moteur de recherche d'AltaVista et dix-sept avec MetaCrawler. Des sites historiques et pseudo-scientifiques sur les chevaliers de Saint-Jean, les francs-maçons et des sectes hermétiques. Je feuillette les documents avec une irritation impatiente. J'ignore ce que je cherche et suis bombardé d'un savoir dont je n'ai pas besoin.

Je suis injuste de diriger mon agacement contre Torstein. Il a fait ce que je lui demandais. C'est ma propre impuissance que je maudis.

Où est Diane ? Quel est son rôle dans ce jeu ? Que signifient les allusions dans sa lettre ?

Pourquoi mentent-ils sur tout et n'importe quoi ? Pourquoi m'ont-ils drogué pour ensuite me servir les mensonges les plus faciles à percer à jour ? Cherchent-ils à me déconcerter ?

Qu'y a-t-il dans la châsse ? Quel secret cachent-ils en vérité ?

S'efforcent-ils de voiler un secret en en inventant de plus formidables encore ? Je ressasse ces questions, mais suis à cent lieues du moindre balbutiement de réponse.

Torstein insistait pour que j'aille révéler tout ce que je savais à la police en apportant la châsse. J'ai été tenté, mais quiconque lutte contre quelque chose de grand et de pas tout à fait visible, développe un chouïa de délire de persécution. Je n'ai pas confiance en la police qui aurait agi conformément au manuel et à la logique en restituant la châsse au musée des Antiquités, et m'aurait arrêté pour vol qualifié. Ainsi, nous en serions au même point.

Et comment la police aurait-elle pu trouver Diane ? Je ne sais rien d'elle, si ce n'est qu'elle se prénomme Diane, vit dans un gratte-ciel à Londres et travaille pour la SIS. Si ce n'est que j'ai été terriblement naïf d'être favorablement disposé à son égard, même si je sais qu'elle n'a jamais fait semblant quand nous nous aimions.

Je passe environ une heure à feuilleter l'épaisse pile de documents de Torstein. Je lis des pages sur les chevaliers de Saint-Jean et la noblesse française, sur la renommée internationale de l'institut Schimmer, le monastère de Værne, Rennes-le-Château, Bérenger Saunière, les rouleaux de la mer Morte, le monastère de la Sainte-Croix, le suaire de Turin, la source Q et Nag Hammadi. Je trouve même un article signé Peter Levi sur l'influence de sectes non chrétiennes sur les Mandéens, je trouve trente-quatre pages tirées du propre site de la SIS, y compris des biographies succinctes de MacMullin et Llyleworth.

Mais rien me permettant de progresser.

3

Je me repose. Et, dans le courant de l'après-midi, mon âme rejoint mon corps.

Après ma sieste un peu trop longue, j'erre sans but dans l'institut avec le sentiment réfrigérant d'être un intrus. J'ai facilement tendance à penser que je ne suis pas à ma place. L'institut Schimmer transpire une agitation effrénée. C'est une fourmilière académique et je suis la fourmi noire qui rend visite aux fourmis rouges besogneuses.

D'un pas déterminé, elles se hâtent sur leurs sentiers au marquage invisible, s'arrêtent, discutent, repartent en vitesse. De fervents étudiants filent

(bourdonnant ! gesticulant !) dans un couloir interminable. Peut-être va-t-il jusqu'à la chambre de la
Reine ? Tout en me gardant constamment à l'œil,
m'évaluant, m'analysant, chuchotant à mon sujet. Le
docteur Wang aurait sans doute répondu : c'est quelque chose que vous vous imaginez, Bjørn.

Que se passe-t-il ici ? me dis-je en frissonnant.

Au milieu du hall d'accueil, sur un îlot rond de fougères émergeant d'un sol d'ardoise, se dresse un pilier avec
des flèches et des pancartes. Il signale la direction des
départements de recherche, laboratoires, unités d'enseignement, salles de cours, ailes de séminaires, lieux
de restauration, kiosques à journaux, librairie, cinéma,
bibliothèque, studios et salles de lecture.

Au plafond, dans les coins, sont accrochées de petites caméras de surveillance avec des voyants rouges.
Je ne suis pas inattentif.

4

Le soir.

Peter Levi est assis dans un fauteuil à oreilles et
boit du café et du cognac dans un lieu sombre et
bondé qu'on appelle le Cabinet d'étude. Un bar
bibliothèque à l'ameublement classe et à la fumée de
cigarette dense, comme dans un club de gentlemen
britannique. Les fenêtres sont occultées pour créer
une illusion de nuit permanente. Bougies sur les
tables. Piano en fond sonore. Les voix sont basses,
animées. Certains rient bruyamment et on leur fait
chut. Discussions vives dans des langues étrangères.
En me voyant, Peter agite le bras. Son engouement et
son bonheur de me voir me stupéfient.

Il fait signe à un serveur, qui accourt avec une tasse de thé et un verre tulipe de cognac sur un plateau. Le thé est très fort. Je me demande si le cognac est censé le faire passer. Je songe : du thé ?

— Je suis content que vous ayez eu le courage de descendre, dit Peter. Vous devez être épuisé par votre voyage.

— J'ai de la peine à refuser quand on m'appâte avec du cognac.

Nous rions un peu pour couvrir tout l'inexprimé.

— Nous avons bien des choses à nous dire.

— Ah oui ?

— Votre recherche, explique-t-il, mi-interrogateur. L'intérêt que vous portez aux chevaliers de Saint-Jean, au mythe de la sainte châsse. Et comment nous pouvons vous aider.

Je lui demande s'il connaît Uri, qui a été envoyé par l'institut Schimmer sur le chantier du monastère de Værne. Il le connaît. Uri est encore en mission.

Peter allume un cigarillo.

Il inhale avec contentement et, à travers le nuage de fumée, m'observe avec curiosité.

— Pourquoi, demande-t-il en promenant le cigarillo entre ses doigts, pourquoi êtes-vous venu chez nous, en réalité ?

Je raconte. En tout cas un petit peu. Je tais tous les mensonges et les incidents mystérieux liés à la châsse et prétends enquêter sur cette découverte archéologique hors du commun. J'explique que je suis à la recherche d'informations sur les chevaliers de Saint-Jean et sur tout ce qui peut avoir un rapport avec le monastère de Værne et avec *Le Reliquaire des secrets religieux*.

— Je sais tout cela. Mais j'ai dit : en réalité ?

Nous nous toisons.

— Si vous pensez que j'ai un secret, vous savez aussi pourquoi, dis-je avec ambiguïté.

Peter ne répond pas. Il se contente de me regarder en tirant une grosse bouffée. La braise progresse sur le cigarillo.

Pour combler le silence, je lui parle des fouilles du monastère de Værne, qui l'intéressent modérément. Pendant ce temps, il entreprend de faire voyager son cognac. Il a les yeux braqués sur le tourbillon mordoré, comme si ses pensées tournoyaient inlassablement dans l'alcool. Ses yeux sont las. En ce moment précis, il ressemble à l'un de ces types que l'on s'attend à trouver sur un tabouret au comptoir en formica d'un bar dans une ruelle de New York City près d'une fille à bas résille et au regard de plomb.

Quand enfin je me tais, Peter m'observe avec une mimique qui ressemble à de la condescendance, mais n'est vraisemblablement que de la pure curiosité.

— Croyez-vous en Jésus ?

La question me prend au dépourvu. Je l'imite et hume l'arôme du cognac.

— Le Jésus historique ?

Une légère ivresse commence à me picoter le sang.

— Ou divin ?

Il se contente de hocher la tête, comme si c'était une réponse. Mais ce n'en était pas une. Je lui demande comment il a atterri à l'institut. À voix basse, comme s'il ne voulait pas que d'autres l'entendent, il me raconte son enfance dans un quartier pauvre de Tel Aviv, son père fanatiquement religieux et sa mère qui avait le sens du sacrifice, sa sœur à la recherche d'une foi, et ses études. Peter est historien de la religion, spécialiste des sectes qui faisaient florès avant de s'éteindre à l'époque du Christ et de leur influence sur le christianisme.

— Vous intéressez-vous aux débuts du christianisme ?

Son ton exprime plus que clairement que je suis censé acquiescer.

— Absolument !

— Bien ! Je me doutais que nous aurions beaucoup de points communs, beaucoup de choses à échanger. Saviez-vous, fait-il en se penchant au-dessus de la table avec un sourire en coin, que les chevaliers de Saint-Jean avaient de nombreuses ressemblances avec les sectes gnostiques mandéennes ?

Je trempe lentement les lèvres dans le thé corsé tout en répondant :

— Ça, je ne crois pas l'avoir vraiment saisi.

— Mais c'est le cas ! Les mandéens rejetaient Jésus et considéraient Jean Baptiste comme leur prophète. Et ils pensaient que le salut passait par la connaissance, *manda*.

Je me dis qu'à coup sûr maman était mandéenne quand j'étais écolier.

Peter continue :

— Les écritures saintes des mandéens, le *Trésor* et le *Livre de Jean Baptiste*, avaient cinq siècles lorsque l'ordre des chevaliers de Saint-Jean a été fondé. Les mandéens ont leur Roi Lumière. Et, cher ami désorienté, j'en viens maintenant au fait.

Il hésite avant de lâcher la bombe :

— Jésus et ses contemporains avaient une connaissance détaillée des écrits des esséniens !

Il me lance un regard de défi triomphant.

— Et alors ?

Dépité par mon incompréhension et mon manque d'enthousiasme, il vide son cognac d'un trait. Prend son souffle.

— Vous avez raison. Ce sont des choses connues de longue date. Tout cela, vous le savez déjà.

Je ne réponds pas tout de suite.

— Moui. Pas très en détail.

Il m'interroge du regard et me donne un petit coup dans l'épaule en riant tout bas. Je tente encore le thé et me contiens pour ne pas grimacer. Quelque part, le pianiste du bar recommence à jouer. Je n'avais pas remarqué qu'il s'était interrompu. Un serveur arrive de nulle part avec un nouveau cognac pour Peter.

— Vous devez mourir d'envie de me parler des esséniens.

— C'est vraiment intéressant !

Il lève son verre de cognac. Nous trinquons.

Il repose son verre, puis s'éclaircit la voix.

— Les esséniens, ou les nazaréens, comme on les appelle aussi, avaient une foi influencée par la religion babylonienne. Ils pensaient que l'âme était constituée de particules lumineuses émanant d'une figure de lumière fragmentée par des forces maléfiques. Ces particules de lumière restaient captives dans le corps humain jusqu'à la mort de leur hôte, moment auquel elles pouvaient retrouver la figure de lumière.

— Peter…

Je cherche mes mots.

— … pourquoi me racontez-vous cela ?

— Je pensais que cela vous intéressait ?

— Oui. Dès lors que j'aurai compris ce que vous essayez de m'expliquer.

Il s'approche et pose sa main tannée sur la mienne. Il va parler. Mais quelque chose le retient.

— Demain j'aurai tout oublié, dis-je.

Il a le hoquet. Nous rions.

— C'est peut-être aussi bien. Je suis trop bavard.

— Si seulement vous m'expliquez le lien, je vais effectivement trouver cela passionnant.

— Bien sûr que c'est passionnant !

Mon timide encouragement lui met du baume au cœur.

— Mon propos est que l'influence des esséniens semble avoir été bien plus importante qu'on ne le supposait.

— J'ignorais qu'ils avaient eu une quelconque influence.

Il baisse la voix, comme pour me révéler un secret.

— Beaucoup pensent que certaines parties du Nouveau Testament donnent une image altérée et idéalisée du fondement religieux du christianisme.

— Ma foi…

Je laisse ma phrase en suspens, comme pour aller dans son sens, avant de reprendre.

— Après tout, ça commence tout de même à faire un moment. Ce n'est peut-être pas si grave.

— Et pourtant nous continuons de vivre en harmonie avec l'esprit de la Bible !

— Parce que beaucoup croient que ce sont les paroles de Dieu !

— Et parce que la Bible est le livre le plus inspirant jamais écrit.

— Et le plus beau.

— Un guide de la vie et de la mort. De la morale et de l'amour de son prochain. Un ABC des valeurs et du respect humains.

— De grands mots…

— Un grand livre, renchérit Peter, recueilli.

Nos yeux errent dans le vague. Les spots encastrés dans le plafond fendent la fumée de leurs rayons d'argent. Voix, rires, musique forment un mur sonore qui ne nous atteint pas vraiment. Peter écrase son cigarillo dans le cendrier et pose son regard sur moi.

— Mais les mots de la Bible sont-ils vraiment ceux de Dieu ? interroge-t-il sur un ton étonnamment vif.

— Ce n'est pas à moi qu'il faut poser la question.

— Pas une ligne n'a été écrite par Dieu ! Les vingt-sept Écritures ont été sélectionnées à l'issue d'un processus long et douloureux.

— L'intervention divine ?

— La dispute pure et simple !

Je me mets à rire, mais cesse en constatant qu'il ne plaisante pas.

Il porte son cognac à ses lèvres, le hume et boit, baisse les paupières un instant, repose délicatement son verre sur la table.

— Ce n'est pas comme si un groupe d'auteurs sacrés s'était rassemblé pour *écrire* la Bible une fois pour toutes. L'Église a eu de nombreux manuscrits à évaluer au fil des années. Certains ont été écartés, d'autres inclus. Il est essentiel de savoir que la canonisation du Nouveau Testament s'est produite en même temps qu'une lutte de pouvoir, dont elle a été un facteur, à la fois au sein de l'Église et dans l'Empire romain affaibli, agonisant.

— Lutte de pouvoir ? Cela semble bien froid.

— Mais souvenez-vous que l'Église a activement participé à la bataille pour le pouvoir culturel, politique et économique dans le vide que l'Empire romain a laissé derrière lui.

Peter contemple le bar, en souriant à demi.

— Si la chute de l'Empire romain n'avait pas concordé avec le schisme des juifs et l'émergence d'une toute nouvelle religion, le monde d'aujourd'hui serait tout autre.

— Je n'y avais jamais réfléchi, je l'admets. C'est

vrai que notre civilisation est un joyeux mélange de valeurs et d'usages romains, grecs et chrétiens.

— Pour revenir à la place et au rôle de la Bible dans ce processus, presque quatre siècles se sont écoulés de la naissance de Jésus à la reconnaissance de la Bible que nous avons aujourd'hui. Mais même parmi les textes qui ont été inclus dans le Nouveau Testament, beaucoup de ceux qui sont tout à fait centraux aujourd'hui étaient très contestés à l'époque.

— Qui a décidé ces choses-là ?

— Les ecclésiastiques bien sûr. L'Église primitive.

— Les prêtres...

— Plus exactement les évêques. Qui ont reçu leur autorité directement des apôtres.

— Comme le Pape ?

— Même principe. Les évêques ont vigoureusement débattu de ce qui serait inclus dans la Bible. Le recueil de textes qui constitue la Bible actuelle a été reconnu lors des conciles de Rome en 382, Hippone en 393 et Carthagène en 397. Ce n'est sûrement pas Dieu qui a rédigé la Bible. Ce sont les évêques et plus tard les communautés religieuses. Les protestants, par exemple, ne reconnaissent pas tous les textes de l'Ancien Testament comme le font les catholiques. L'Église protestante se réfère à un canon de l'Ancien Testament établi par des savants juifs à Yavné en 90 après J.-C. Ils n'ont accepté que les 39 livres qui avaient été écrits en hébreu et sur le territoire palestinien. Le canon de l'église catholique romaine a été traduit en grec à Alexandrie, en Égypte, deux cents ans avant le Christ et contient 46 écrits. C'est cette dernière version à laquelle le Nouveau Testament renvoie plus de 300 fois. Et nous n'avons pas encore abordé les écritures saintes des juifs !

Je ne parviens pas à retenir un ricanement.

— J'imagine de gros ecclésiastiques qui, nonchalamment, incluent et excluent des manuscrits bibliques.

Peter aspire de l'air entre ses dents de devant avec un bruit répugnant.

— C'est une conception vulgarisée et simpliste, mais avec un soupçon de vérité tout de même.

— Des hommes puissants.

— Puissants, calculateurs, déterminés. Quelles étaient leurs motivations ? Étaient-ils croyants ? Étaient-ils chrétiens ? Étaient-ils des charlatans qui se servaient de cette nouvelle croyance comme d'un tremplin pour leurs propres ambitions ?

— Quelle importance ? Ce qui est arrivé est arrivé.

— Il s'agit de savoir si les écritures de la Bible offrent une image représentative de l'enseignement de Jésus.

— C'est le cas, non ? C'est tout de même écrit dans la Bible.

— Hum. Mais imaginez que la sélection et la rédaction des Écritures du Nouveau Testament aient été un processus politique. Un maillon dans la lutte pour la souveraineté. Dès après la mort de Jésus, l'Église a été divisée en communautés et en sectes aux conceptions théologiques largement différentes. Et imaginez ensuite que les écrits qui ont finalement été sélectionnés aient été ceux qui servaient le mieux les évêques et les ambitions de l'Église. Je ne fais que poser la question.

Je m'efforce de digérer ses paroles. Un soupçon naissant point dans mon diaphragme. Je n'arrive pas vraiment à l'identifier, mais je me doute que Peter est juif, que l'institut Schimmer est juif. Et que quelque chose dans la châsse du monastère de Værne confirmera la conception juive de l'histoire sainte.

— Êtes-vous en train de dire que la Bible dissimule les événements réels ?

Il produit un long « hum ».

— Je pose la question… de savoir si les Écritures sélectionnées donnent une image complète et juste de l'enseignement de Jésus. De savoir si certains ont pu éprouver le besoin d'adapter la nouvelle religion pour qu'elle serve les buts personnels de l'Église et des évêques.

Je hausse les épaules.

— Quoi qu'il en soit, on dit souvent que la Bible est un livre sur la conception des Juifs de l'existence et de leur époque.

Peter attrape son verre, mais se ravise.

— Sans oublier un ensemble de règles de conduite, ajoute-t-il.

Je vide mon cognac et me lève. Je suis fatigué. J'ai eu ma dose d'histoire sainte. Maintenant j'ai envie de dormir.

— De mon côté, je suis enclin à considérer le christianisme comme une superstition vieille de plus de deux mille ans venue du Moyen-Orient.

5

Une odeur singulière, comme de papier et de caramel brûlé, parfume la bibliothèque de l'institut Schimmer.

C'est tôt le matin. La clarté du désert tombe à travers les coupoles de verre et se pose en colonnes obliques sur les allées de rayonnages. La poussière voltige sur des travées et des travées de livres et de boîtes pleines de manuscrits sur papyrus, parchemin ou papier. Un véritable melting-pot de chercheurs et d'étudiants est voûté au-dessus des tables de lecture : des Américains aux cheveux longs, des juifs orthodoxes, des femmes à foulard et queue-de-cheval, des Asiatiques énergiques, de petits hommes à lunettes qui mordillent frénétiquement leur crayon. Je suis frappé par l'idée que je me coule naturellement dans ce tableau légèrement excentrique.

Le fonds de livres et la foule de manuscrits sont particulièrement liés au Moyen-Orient, à l'Asie Mineure et à l'Égypte. Des sections entières sont dédiées à des langues, dont je n'arrive même pas à identifier les caractères. Le catalogue d'ouvrages spécialisés en anglais est étonnamment maigre.

Et, partout, des femmes et des hommes enfermés dans leurs propres univers de spécialités et d'expertises étranges, des gens dont l'identité est d'être les plus grands spécialistes mondiaux des domaines les plus obscurs : les tablettes cunéiformes sumériennes, les véritables auteurs du Pentateuque, l'interprétation de mythes babyloniens et l'influence des rites funèbres égyptiens sur les dogmes préchrétiens. Et, dans cet éther de savoir, je déambule comme un petit écolier désorienté qui ne sait trop que faire de lui-même. Je ne suis expert en rien. Découragé, je médite sur notre besoin infini de connaissances sur le révolu. Je deviens instantanément l'archéologue qui s'interroge sur cet immense désir de connaître le passé alors même que notre savoir sur le monde d'aujourd'hui demeure restreint.

Je ne remarque pas Peter avant de me trouver nez à nez avec lui. Debout sur la pointe des pieds, il cherche un livre dans le rayon « *Ancient Mythology : Egypt-Greece* ». Nous nous saluons. Son sourire est insondable, comme si ma vue le comblait systématiquement de joie.

— Merci pour hier, dit-il en m'adressant un clin d'œil.

— Tout le plaisir était pour moi.

— En forme ?

C'est plutôt une plaisanterie. Peut-être me trouve-t-il un peu pâlot.

Nous déambulons à l'écart pour ne pas déranger ceux qui sont plongés dans leurs livres.

— Mal à la tête ! fait-il avec un soupir étudié.

Nous nous arrêtons à une visionneuse de microfilms. Nous nous jaugeons, tels deux amants se demandant à quel point l'autre a pris la veille au sérieux.

— Vous m'avez raconté quelque chose...

— Vraiment ? Aïe ! Je vous en ai sans doute bien trop dit. J'ai la langue tellement déliée quand je bois. Il faut que je vous demande de traiter tout ce que je vous ai raconté avec discrétion.

— Vous savez que vous pouvez me faire confiance.

— Oui... Je pense plutôt que je ne sais quasiment rien de vous. Mais vous avez raison, j'ai confiance en vous.

— Vos propos ont éveillé ma curiosité.

— Pas très étonnant. Encore que je ne me souvienne plus de ce que j'ai dit. Et n'aurais jamais dû dire.

Riant doucement, il explore la bibliothèque du regard.

— Venez !

Il m'empoigne le bras, m'entraîne dans un dédale de couloirs, me fait monter, descendre des escaliers, ouvre des portes, jusqu'à un petit bureau avec son nom sur la porte. La pièce oblongue déborde de livres et de piles de papiers. La fenêtre est occultée par un store. Au plafond tourne un ventilateur.

Il pousse un soupir satisfait.

— Ici ! Ici, on sera mieux pour parler.

Il s'assied sur une chaise. De mon côté, je disparais au fond d'un pouf poire de l'autre côté du bureau. Je me débats pour remonter et trouver une position à peu près confortable, et pas trop indigne.

— Et que contiennent-ils alors, ces manuscrits que vous analysez ici ?

— Des détails, des détails et encore des détails. Je vais vous dire une chose : la plupart du temps, nous réexaminons de vieux manuscrits.

— Réexaminez ? Pourquoi cela ?

— Parce que nous avons appris. Nous en savons davantage que la dernière fois que nous avons étudié et traduit les manuscrits. Nous lisons et traduisons avec le savoir d'aujourd'hui. Quelle est la précision des traductions des écrits bibliques ? Les connaissances actuelles peuvent-elles jeter une nouvelle lumière sur la compréhension et l'interprétation des écrits anciens ? Des manuscrits découverts récemment, comme les rouleaux de la mer Morte, ont-ils une influence sur la compréhension de textes bibliques découverts antérieurement ?

— Vous vous en posez des questions…

— Et je cherche de nouvelles réponses. Quand on traduit des textes millénaires, il s'agit tout autant d'une question de lecture et de connaissances nouvelles que de linguistique et de compréhension de la langue.

— Et peut-être de foi ?

— De foi au plus haut point.

— Et si vous tombiez sur des faits pouvant ébranler la foi ?

Il me dévisage. À la lumière qui filtre par le store, je vois combien le blanc de ses yeux est trouble.

— Pourquoi croyez-vous que nous soyons si secrets ? rétorque-t-il d'un ton rageur.

Je me tortille dans une tentative relativement vaine de me hisser sur le pouf.

— Laissez-moi vous donner un exemple, poursuit Peter. Moïse a-t-il séparé les eaux de la mer Rouge avec l'aide de Dieu, afin que les Israélites en fuite puissent se mettre à l'abri et que l'armée de Pharaon se noie au moment où les eaux se refermaient ?

Il s'accoude au bureau, joint les mains et appuie son menton sur ses pouces.

— L'institut a passé de nombreuses années à étudier le mythe de Moïse et de l'ouverture de la mer. Nos linguistes ont découvert une possibilité d'erreur de traduction, ou d'interprétation, de l'expression hébraïque « *Yam suph* ». Dont l'explication est « un endroit si peu profond qu'il y pousse des roseaux ». « *Yam suph* », reprend-il lentement.

J'essaie de le répéter, mais le résultat ne ressemble à rien d'autre qu'à un défaut de prononciation.

Peter sort un atlas historique d'une étagère et feuillette jusqu'à S, *Sinaï*.

— Dans l'antiquité, la baie de Suez s'étirait bien plus au nord.

Il lève le livre et pointe son doigt sur la carte.

— Toute cette zone était peu profonde et couverte de roseaux. Nos chercheurs — une équipe pluridisciplinaire de linguistes, historiens, géographes et météorologues — se sont attaqués à ce détail linguistique. Ils ont découvert que les Israélites pouvaient avoir traversé la mer à l'endroit qu'on appelle aujourd'hui lagune de Bardawil.

Il appuie fortement son index sur le papier. Je plisse les yeux en m'orientant dans la géographie.

— Nous avons testé un certain nombre de modèles dans notre simulateur informatique. Les conditions de base sont telles que par un vent suffisamment fort et persistant, les trois ou quatre mètres de profondeur d'eau pouvaient être chassés.

Du bout des doigts, il fait mine de balayer l'eau.

— Ainsi Moïse pourrait avoir traversé une mer quasiment asséchée. Mais…

Il dresse l'index.

— … le vent se calmant enfin ou changeant de direction, les masses d'eaux auraient de nouveau afflué.

Il claque sa paume sur l'atlas.

— Waouh !

Ce n'est sans doute pas très scientifique. Mais c'est tout ce qui me vient à l'esprit.

Content de lui, il s'appuie contre le dossier de sa chaise.

— Prenons maintenant le cas du Déluge. Que s'est-il passé au juste ? Nos archéologues, paléontologues et géologues ont trouvé la preuve qu'une inondation avait repoussé l'agriculture de la mer Noire, il y a plus de sept mille ans.

— Je croyais que le Déluge avait frappé les zones de peuplement entre l'Euphrate et le Tigre ?

— Moui. Une supposition parmi tant d'autres. Tout repose sur des suppositions. Des hypothèses. Mais nous avons reconstituer ce qui a pu se passer en examinant des sources anciennes.

— Lesquelles ?

— Oh ! elles sont nombreuses. La Bible. Les

tablettes cunéiformes, qui remontent à quatre mille ans. *L'Épopée de Gilgamesh*, le recueil d'écrit indien *Rigveda*. Et d'autres récits moins connus.

— Et qu'avez-vous découvert ?

— Commençons par les géologues. Ils ont trouvé dans la mer Morte des fossiles d'animaux marins remontant à sept mille ans. Ces fossiles s'étaient formés rapidement, comme lors d'un raz-de-marée. Souvenez-vous qu'à l'origine, la mer Noire était une étendue d'eau douce, une mer intérieure, séparée de la Méditerranée par une langue de terre au niveau du détroit du Bosphore. Et songez à la manière dont, progressivement, avec une intensité croissante, la Méditerranée a forcé cette fragile barrière terrestre. Jusqu'à ce qu'elle se brise. Comme cela a dû être majestueux ! Une mer qui en inonde une autre... Le rugissement des masses d'eaux était audible à cinq cents kilomètres à la ronde. Il a fallu trois cents jours pour que le niveau des deux mers s'égalise. La mer Noire a monté de cent cinquante mètres. Mais, du fait de l'immensité de ces régions, les zones cultivées fertiles au nord ont dû être inondées lentement. Jour après jour, les gens ont été repoussés dans les terres par la mer qui montait.

— Une sacrée expérience, dis-je en frissonnant.

— Et maintenant nous arrivons à l'indice suivant. Car des vestiges montrent l'apparition d'une agriculture évoluée en Europe de l'Est et en Europe centrale précisément à cette époque.

— Des réfugiés de la mer Noire ?

— Nous ne savons pas, mais c'est vraisemblable. La linguistique conforte cette hypothèse. Quasiment toutes les langues indo-européennes sont issues d'une langue d'origine, qui relate le mythe d'une terrible inondation. Ces récits ont été transmis oralement avant d'être consignés par écrit deux mille cinq cents ans plus tard, lorsque l'homme a maîtrisé l'écriture. Nous pensons que cela a pu être l'origine du mythe du Déluge biblique.

— Le mythe ? Je croyais que vous cherchiez plutôt à démontrer que la Bible avait raison.

Il fait une grimace énigmatique.

— Je ne dis pas que Dieu n'y a pas participé.

Puis il se lève brusquement, la leçon est terminée, et nous retournons à la bibliothèque. Sans un mot.

— À plus tard, marmonne-t-il en me tapant sur l'épaule avant de me laisser.

Je reste planté là, passivement, seul et décontenancé par toutes ces allusions inexprimées.

6

Au-dessus de Potala flottait un cerf-volant solitaire.

J'ai toujours eu de l'attirance pour les monastères. Le silence, la contemplation, l'intemporalité. Les murmures du mysticisme. La proximité de quelque chose de grand, d'impalpable. Mais rien dans l'institut Schimmer ne me donne le sentiment de me trouver dans un monastère. Je songe à Potala, le fameux monastère de Lhassa, avec ses toits et ses coupoles dorés. Encadré par les sommets du Tibet. Au-dessus de Potala flottait un cerf-volant solitaire. C'est sur cette fin évocatrice que s'achève le livre qui m'a offert ma première rencontre avec la vie dans un monastère. La bible hippie *Le troisième œil*, de 1956, est une autobiographie écrite par le lama tibétain Lobsang Rampa. Un récit séduisant sur la vie au sein de cette lamaserie tibétaine et dans ses environs, une existence d'étude, de vols suspendus à des cerfs-volants, de prière, de philosophie et de voyages astraux.

J'ai été stupéfait d'apprendre que Lobsang Rampa n'était absolument pas un moine de petite taille, emmailloté dans les drapés de l'Orient, mais au contraire un grand Anglais avec l'accent du Devonshire et une fascination pour la mystique *new age* bien avant l'invention du concept. Non seulement il se voyait comme un lama tibétain dans un corps d'Anglais, mais il affirmait en outre que les chats étaient l'incarnation sur Terre d'êtres venus d'une autre planète pour nous observer. Est-ce étonnant que je ne supporte pas les chats ?

Je suis sensible aux illusions, à tout ce qui n'est pas tout à fait comme nous l'imaginons. Je ne parviens pas vraiment à situer l'institut Schimmer. Cela ne veut pas forcément dire grand-chose.

Parfois je ne parviens pas vraiment à situer mon bureau du musée des Antiquités, ni mon appartement très tôt le dimanche matin.

L'après-midi, après ma sieste, je passe longtemps à écrire mon journal. J'aime le bruit du stylo qui gratte le papier. C'est comme écouter ses pensées. L'une de celles qui grattent actuellement le papier est que l'institut Schimmer est un instrument de MacMullin. Il est possible que je sois paranoïaque, mais au moins j'ai de la suite dans les idées.

Je laisse mes réflexions errer dans une forêt sombre et brumeuse de craintes et de questions. Si l'institut a un fondement juif, il peut avoir intérêt à révéler le contenu de la châsse et à dévoiler une fois pour toutes que les chrétiens se sont trompés. Mais si l'institut est chrétien, il souhaite peut-être détruire le contenu de la châsse pour protéger la croyance, l'Église, le pouvoir. La forêt est un peu vaste pour moi, le brouillard un peu dense, mais il y a l'embarras du choix.

Deux conspirations pour le prix d'une !

7

Dans la soirée, écrasé par le poids de mes pensées compulsives, je descends à la réception avant de migrer vers le bar. Je ne vois aucune connaissance. Mais quelques minutes plus tard, Peter arrive au pas de charge. Nous nous saluons et trouvons une table derrière le piano. Le garçon est attentif. Il nous apporte café, thé et cognac avant que nous le demandions. Peter lève son verre et nous trinquons.

— Puis-je vous demander quelque chose ? dis-je en trempant les lèvres dans mon cognac.

— Bien sûr.

— À votre avis, que contient la châsse ?

— *Le Reliquaire des secrets religieux*, répond-il en s'attardant avec recueillement.

Il plisse pensivement le front.

— Comme tous les mythes, c'est une distorsion de la vérité. Au fil des siècles, l'Église a arrangé l'histoire. Comme elle en a l'habitude.

— Qu'y voyez-vous ?

— L'un des manuscrits que nous avons examiné ici, à l'institut — et nous parlons d'écrits du IIIe siècle —, sous-entend que Jésus-Christ a laissé derrière lui un recueil de textes qu'il a lui-même dictés ou écrits.

— Vous êtes sérieux ?

— Oui.

— Quel genre de textes ?

— Comment le saurais-je ? Aucun de nous ne les as lus. Mais c'est malgré tout une hypothèse.

— Mais qu'est-il écrit dans le manuscrit que vous avez lu ?

— Il y est suggéré qu'il pourrait s'agir d'un ensemble de règles de conduite, d'injonctions, de nouveaux commandements, si vous voulez. Le manuscrit se trouvait dans une jarre scellée dans une chambre funéraire égyptienne. Nous taisons cette information. Le temps de mieux la comprendre. Au début nous ne mesurions pas l'ampleur de ce que nous avions découvert, puis nous avons vu le lien avec le mythe du *Reliquaire des secrets religieux*.

— C'est à ne pas y croire.

— Le Vatican a complètement disjoncté lorsque la nouvelle est arrivée là-bas. Nous avons eu une délégation papale à notre porte, mais nous ne les avons jamais impliqués. Le Vatican a tant de paramètres à prendre en compte. La vérité en est un parmi d'autres, et il est à vrai dire relativement secondaire. À présent, le Vatican est à l'affût, et sait que nous avons découvert quelque chose, mais pas précisément quoi. Son enthousiasme n'est pas franchement débordant.

— Attendez ! Êtes-vous en train de dire que la châsse d'or que nous avons trouvée au monastère de Værne contenait peut-être un manuscrit dicté par Jésus-Christ ?

Peter balance les bras.

— Tout peut s'imaginer.

Il frissonne.

— Se peut-il que ce soit le Vatican qui ait lâché ses agents à mes trousses ? Pour récupérer la châsse ?

— Des agents ?

Il rit.

— Le Vatican a sans doute ses méthodes, mais ils sont si habitués à se faire obéir qu'ils ne savent sûrement pas comment gérer ceux qui refusent d'obtempérer. Non, je ne pense pas que le Vatican soit à vos trousses.

— Si ce manuscrit existe, même en théorie, ils ont bien dû en entendre parler ?

— Ou alors certains ont éprouvé le besoin de garder cette connaissance secrète.

— Pourquoi cela ?

— Vous devez bien vous en douter.

Je bois un coup.

— Ce serait fantastique. Des faits religieux divergents... Des faits qui changeraient notre compréhension du christianisme.

— Idée effrayante pour beaucoup.

— Effrayante ?

— Ce serait la nouvelle la plus remarquable de l'histoire mondiale, plus grande que le premier pas de l'homme sur la Lune. Le propre Évangile de Jésus-Christ.

J'en ai le vertige. À moins que ce ne soit le cognac.

8

Le bar bibliothèque ferme à onze heures. Les bons chercheurs se couchent tôt, en tout cas dans le désert, où les péchés ne se bousculent pas au portillon. Nous traversons mollement le marbre étincelant du hall de réception presque désert. Peter est embrumé.

— On va prendre l'air ?

Je réponds que c'est une bonne idée.

Dehors il fait nuit noire et la voûte est étoilée. L'air doucereux est hérissé de givre. Peter me montre le chemin pour contourner les bâtiments et grimper dans la colline jusqu'au jardin de figuiers et d'oliviers. Nous crapahutons à la faible lueur du ciel et des fenêtres éclairées de l'institut.

Un peu plus haut sur le coteau, nous nous arrêtons sous un arbre dont le branchage forme un toit. L'écorce est sillonnée par les griffes des siècles. La lune luit dans le feuillage comme une lanterne chinoise. L'étonnante fraîcheur de l'air du désert a un effet légèrement grisant, comme si se cachait au tournant un petit coquin de cactus dégageant des gaz et des fluides narcotiques.

— Autrefois il y avait une oasis naturelle ici.

Peter inspire profondément par le nez, comme pour goûter les arômes.

— Ce sont les moines qui ont planté les arbres et les ont soignés. C'est un miracle que la moindre végétation puisse pousser ici.

— Qui étaient ces moines ?

— Un groupe de juifs et de chrétiens, des dissidents, des rebelles. Ils voulaient créer une nouvelle communauté.

Il rit, son rire a quelque chose de toxique.

Mon regard prospecte l'obscurité. D'ici, l'institut ressemble à un astronef écrasé en train de fondre en rougeoyant sur le paysage, tel un trucage de cinéma prémédité, une étoile filante déchire le ciel.

— Quel spectacle ! dis-je.

— À proprement parler, rien de plus qu'un grain de sable qui se consume au contact de l'atmosphère terrestre.

Tout est sombre, noir, silencieux. L'atmosphère me met en confiance.

— Qui êtes-vous, Peter ?

Avec un rictus, il sort une flasque de sa poche intérieure. Il dévisse le bouchon et me tend le flacon plat, gainé de cuir.

— Dans le contexte général ?

— Commençons par là.

— Strictement personne.

Je bois. Le cognac traîne derrière lui une queue de feu.

— Et dans un contexte particulier ?

Je lui propose la flasque d'un signe de tête encourageant.

Peter avale une gorgée, frémit, puis en prend une autre.

— Dans le contexte particulier, je suis l'abeille la plus industrieuse de la ruche !

Nous nous regardons. Il me fait un clin d'œil, comme s'il avait conscience que sa réponse n'en est absolument pas une.

— Vous semblez en savoir long sur la châsse.

— Des théories, répond-il doucement. Je suis un scientifique. C'est normal de savoir ces choses-là.

— Mais ce que vous savez est si précis.

— Qui a dit que je savais ? Je devine.

— Alors devinons encore.

— Que voulez-vous savoir ?

— Si *Le Reliquaire des secrets religieux* existait vraiment, et si c'était cette relique que nous avions trouvée au monastère de Værne…

Je m'interromps pour le scruter.

— … pourquoi serait-il important pour quelqu'un de s'assurer la châsse ?

— C'est sans doute plutôt son contenu qui est recherché.

— Par qui ?

362

— Les possibilités sont multiples. Des chercheurs. Des collectionneurs. Le Vatican. Des groupements secrets.

— Et pourquoi ?

— Imaginez que le message du manuscrit soit de nature délicate.

— Par exemple ?

— Par exemple quelque chose qui pourrait bousculer les dogmes.

— De quelle façon ?

— De façon à imposer une réécriture de l'histoire sainte.

— Et alors ?

— Là vous vous faites plus bête que vous n'êtes. Par définition, la Bible ne contient aucune erreur. On ne peut pas la corriger.

— Mais cela aurait-il une implication pratique que ce manuscrit renverse quelques représentations ?

Il plisse le front.

— Vous n'êtes pas sérieux, mon cher. Réfléchissez ! Les règles de conduite des chrétiens risqueraient de tomber. Leur foi commencerait à vaciller. La position de l'Église pourrait être menacée et d'autres bricoles de ce genre…

Je siffle. La note est frêle et chevrotante.

— Conséquence extrême ! précise-t-il.

Il soulève sa flasque et boit tout en me regardant. Puis déglutit bruyamment.

— Mais ce sont là de pures devinettes.

— Quelles théories passionnantes !

— L'histoire, c'est passionnant. Avant tout parce que l'histoire est interprétation.

— Interprétation avec les yeux de la postérité.

— Précisément ! Pour ses contemporains, Jésus-Christ était avant tout une figure politique.

— Et le Fils de Dieu.

— Moui. C'est plutôt par la suite qu'on s'est focalisé sur sa divinité.

— Par la suite ?

— Largement. Pour situer Jésus dans l'histoire, il faut prendre en compte à la fois le judaïsme, dont l'attente du Messie était millénaire, et la situation politique en Judée et en Palestine.

Il se pourlèche les lèvres avant de les essuyer du revers de sa main.

— Je ne suis pas un expert dans ce domaine, admets-je.

— L'empire romain était devenu puissant. La Judée était une sorte de royaume local, dont le roi était Hérode, mais qui, en réalité, était dirigé de Rome par l'intermédiaire de Ponce Pilate. Pour les Judéens, Rome était un abcès lointain, mais irritant. La société ressemblait à un véritable méli-mélo de sectes et de groupements, de fourbes et de traîtres à la patrie, de prêtres et de prophètes, de bandits, d'assassins et d'escrocs.

— Comme n'importe quelle grande ville aujourd'hui, dis-je en saisissant la flasque.

Le goût du cognac est chaud, anesthésiant.

Peter a une expression absente, cette mine absorbée qu'arborent certains quand ils portent un intérêt infini à un sujet et pensent que tout le monde partage cette fascination.

— C'étaient des temps de révolte ! poursuit-il. Les zélotes ont rassemblé pharisiens, esséniens et autres dans un mouvement politique et militaire qui s'est développé au moment de la naissance de Jésus. Jésus est né juste au début de cent quarante ans de révolte. Et tous, sans exception, attendaient le Messie, le Sauveur, un guide politique et spirituel.

— Et ils l'ont eu.

— Si l'on veut...

Il fronce le nez.

— L'ont-ils vraiment eu ? Penchons-nous sur la langue, la sémantique. De nos jours, Messie et Sauveur ont un autre sens qu'à cette époque. « Messie » en grec, c'est « *Christos* » : « Christ ». En hébreu et en grec, cela signifie « l'élu » ou « l'oint », une sorte de roi ou de dirigeant.

— Une figure de chef ?

— Précisément. En fait, tous les rois juifs qui descendaient de David étaient dénommés messies. Même les prêtres, que les Romains appelaient roitelets, s'autoqualifiaient de messies. Mais pour les zélotes, aucun d'eux n'était le bon Messie. Leur sauveur devait descendre de David. Le rêve d'un Messie frisait l'hystérie. Mais souvenez-vous : ce n'était pas avant tout un être divin qu'ils attendaient, c'était un roi, un chef, un dirigeant ! « Messie » était une dénomination politique. L'idée du Fils de Dieu, tel que nous connaissons Jésus aujourd'hui, leur était relativement étrangère. En revanche, ils pensaient que le règne de Dieu allait arriver d'un jour à l'autre.

— Mais c'est maintenant le Fils de Dieu en qui nous croyons et que nous révérons. Aujourd'hui encore. Des centaines de millions de personnes. Dans une grande partie du monde.

Peter ramasse une pierre et la lance dans le noir. Nous l'entendons heurter le sol et ricocher deux ou trois fois avant de se poser.

— C'est un fait, dit-il.

Je me ressers de cognac.

— Mais maintenant vous me dites que la châsse d'or pourrait contenir quelque chose qui ébranlerait cette foi ?

— Je ne sais pas ! Je ne sais vraiment pas ! Peut-être...

Il inspire profondément.

— Vous voulez savoir ce que je pense ? Je pense que votre châsse contient quelque chose de...

Il s'interrompt, comme s'il avait senti la présence de quelqu'un qui nous écoutait dans le noir. J'essaie de plisser les yeux dans l'obscurité, de tendre l'oreille, à l'affût d'un bruit, du bruissement d'un vêtement, d'un pied contre une branche. Mais je n'entends rien. Je me tourne vers Peter. Il détourne les yeux. Je lui tends la flasque. Il boit plusieurs petites gorgées rapides, puis se rafraîchit le gosier en aspirant l'air frais à grandes goulées.

Nous écoutons le silence.

— Vous disiez que vous pensiez que la châsse contenait quelque chose...

— ... qui pourrait changer notre compréhension de l'histoire, enchaîne-t-il. Et du christianisme.

Je me tais, mais songe que ce serait là un début de justification de l'intérêt hystérique suscité par la châsse.

Il trouve un nouveau caillou et le lance dans la nuit. Il n'a peut-être pas été dérangé depuis cinq siècles. Ce voyage nocturne dans les airs a dû être un sacré choc, mais le voilà de nouveau immobile, peut-être pour cinq cents nouvelles années.

— Pourriez-vous être plus précis ?

Il secoue légèrement la tête.

— Mais pourquoi le manuscrit est-il nécessairement si important ? Peut-être que la châsse contient... des cantiques ?... des poèmes ?... la lettre d'amour secrète d'un pape ? Ou quelque chose comme ça.

Il hennit, shoote dans une racine qui affleure.

— Cher ami, un manuscrit qu'on amène dans

une châsse d'or au sein d'un monastère au bout du monde ne contient pas des conseils pour bien choisir et soigner son âne, cela, je peux vous le dire.

— Alors, que contient-il à votre avis ?

Il réfléchit. Pendant qu'il médite sur ma question, il me dévisage sans retenue.

— Quelque chose sur le christianisme ? suggère-t-il.

Ou affirme-t-il. Je ne suis pas vraiment sûr.

— La source Q ? renchéris-je.

Il fait un bruit approbateur.

— Peut-être. Peut-être pas. En fait, je ne serais pas surpris. Mais j'ai le sentiment... non, je ne crois pas que ce soit Q.

— Pourquoi pas ? Cela concorderait avec votre hypothèse.

— Bjørn, réplique-t-il, que savez-vous de l'institut Schimmer ?

Je jette un coup d'œil sur le palais incandescent.

— C'est l'une des plus grandes institutions de recherche en histoire juive et chrétienne ?

— Exact. C'est là notre alibi académique et notre renommée.

Il s'approche, son haleine est chargée de cognac.

— Laissez-moi vous confier un secret.

Il se tait et attend. Me donne la flasque. Je me contente d'une larme.

— La plupart de nos recherches paraissent dans les plus grandes revues spécialisées du monde ou sont publiées sous forme de rapports, mémoires, thèses de doctorats. Mais nous effectuons aussi des recherches que nous ne communiquons jamais à nos confrères. Des recherches réservées à de très rares élus.

— Sur quoi ?

— Sur des textes anciens.

Par bonheur il ne regarde pas dans ma direction, parce que je n'ai pas l'air particulièrement impressionné. J'espérais sans doute quelque chose de plus palpitant. Des trésors cachés. Des tombes royales oubliées. Des énigmes immémoriales jamais résolues. Le secret des pyramides. Des cartes mystérieuses de vallées perdues et inaccessibles où les scintillants flots bleus de l'élixir de jeunesse s'écoulent de glaciers préhistoriques. Je suis pourvu d'une imagination relativement simpliste.

— Des textes anciens, répète-t-il en faisant claquer ses lèvres, les codes ADN de la civilisation et de la connaissance, si vous voulez. La source de notre compréhension du passé. Et ainsi de notre compréhension de qui nous sommes aujourd'hui.

— De grands mots. Mais je vois ce que vous voulez dire.

— Des manuscrits originaux. Des récits. Des lettres. Des lois et des règlements. Des hymnes. Des Évangiles. Des textes bibliques. Les rouleaux de la mer Morte. Nag Hammadi. Des manuscrits qui auraient très certainement pu être dans la Bible, mais n'ont jamais atteint le sommet, car certains le souhaitaient ainsi.

— Pas Dieu ?

Il souffle par le nez.

— Certainement pas Dieu.

— Si personne ne sait ce qu'il y a dans la châsse d'or, ou ce qui pourrait être écrit dans l'éventuel manuscrit, pourquoi la chercher avec un tel acharnement ?

Peter lève les yeux. Le ciel est dégagé. Les étoiles sont du lait à travers le feuillage. Je me laisse submerger par l'idée que les lumières qui étincellent dans le ciel sont le passé. Les étoiles les plus lointaines ont cessé de briller bien avant que la Terre existe.

Nous faisons quelques pas. Peter s'assied sur un rocher.

— Si je peux jouer aux devinettes, dit-il, je pense qu'il pourrait s'agir de textes bibliques.

Je m'affale à côté de lui. La pierre est froide à travers le tissu de mon pantalon.

— Vous voulez dire des manuscrits bibliques originaux ?

— Soit des manuscrits complètement inconnus, mais centraux tout de même. Soit des manuscrits originaux de textes connus qui démontrent comment le temps a changé leur contenu.

— Dans la Bible ?

Il penche la tête.

— Oui. Cela vous surprend ?

— Au fond, oui. Y a-t-il eu des gens pour oser trafiquer la Bible ?

— Bien entendu.

Peter pêche un cigarillo et l'allume. La flamme de son briquet est un océan de clarté dans le noir. Je devine la présence d'essaims d'insectes que nous ne voyons pas. L'odeur de fumée couvre le parfum de fleurs et d'arbres de l'oasis.

— La Bible n'a pas été écrite une fois pour toutes. La Bible était une compréhension et une interprétation collectives. Engagée par certains. Achevée par d'autres. Entre-temps, les histoires ont été arrangées.

Il inhale puis souffle la fumée par les narines.

— Pour comprendre le Nouveau Testament, nous devons aussi comprendre l'histoire. Vous ne pouvez pas lire la Bible en la sortant de la réalité historique dans laquelle vivaient les prophètes et les évangélistes.

Je grogne, bois un petit coup. Quelqu'un allume la lumière dans la bibliothèque. Les coupoles de verre clignotent à contrecœur en bleu néon, comme si les tubes fluorescents s'étaient profondément endormis et rechignaient à se faire réveiller.

— J'ai de la peine à voir le chemin qui mène de l'histoire sainte aux chevaliers de Saint-Jean.

— Ils sont apparus très longtemps après. Comme administrateurs et protecteurs du savoir que la châsse recelait et recèle encore. Les chevaliers de Saint-Jean ont déplacé leur siège au fort croisé d'Acre lors de la chute de Jérusalem en 1187 et ils y sont restés plus d'un siècle.

Il hésite.

— Peu de gens savent que l'ordre de Saint-Jean s'est divisé à l'époque d'Acre.

— Divisé ?

Sans savoir pourquoi, je sens que cette information est primordiale. Dans le noir, ses yeux sont de braise.

— Cela peut sembler anodin. Très peu d'historiens et de chercheurs en religion le savent. Et moins encore connaissent les motifs. L'aile historiquement connue est partie à Chypre et Rhodes, puis Messine et Malte en 1530.

— Et l'autre ?

— A disparu ! Ou plus exactement, elle a pris le maquis.

— Pourquoi ?

— Je ne sais pas.

— Mais...

— Spéculons un peu. Et si l'aile clandestine protégeait un secret ? Et si sa seule fonction était de transmettre une information ? De sauvegarder cette information ?

— Et qui veillerait à tout cela ?

— Peut-être existe-t-il encore un Grand Maître ?

— Vous voulez dire que les chevaliers de Saint-Jean ont encore un Grand Maître ?

— Un Grand Maître dont même les membres de l'ordre de Saint-Jean ignorent l'existence. Un Grand Maître secret.

— À quoi leur sert-il s'il est si secret ?

— C'est peut-être lui qui transmet cette information sur le passé. C'est peut-être lui qui a besoin du manuscrit.

— C'est une question que vous posez ? dis-je.

— Je devine.

— Vous *savez* quelque chose.

Peter lève les yeux au ciel.

— Moi ? Que pourrais-je bien savoir ? Que diable les chevaliers de Saint-Jean avaient-ils à faire dans le Nord ? Dans cette Norvège lointaine et froide ? Pourquoi auraient-ils eu l'idée de cacher quoi que soit dans un octogone au bout du monde ?

Je ne réponds pas. Pas plus que je ne fais remarquer qu'il connaît l'existence de l'octogone. Ce n'est pas moi qui lui en ai parlé. Il doit être exceptionnellement bien informé.

— Peut-être qu'il s'agit d'indications ?

— De quoi ?

— De l'endroit où trouver un trésor ?

— Un trésor ?

Peter semble interloqué.

— Quel trésor ?

— Eh bien... La fortune cachée et oubliée de la dynastie mérovingienne ?

Il éclate de rire.

— Donc vous êtes de ceux qui croient à ces histoires de bandits ? Qui croient qu'il y a vraiment eu une époque où des gens ont si bien caché leur fortune qu'on ne les a toujours pas retrouvées ?

— Je ne crois rien, en fait. Je spécule, comme vous.

— Laissez-moi seulement vous dire ceci : avec les théories de la conspiration historiques sur les francs-maçons et les juifs, ces histoires de trésors doivent compter parmi ce qu'on fait de plus coriace et durable.

— Et alors ? Peut-être ont-elles du vrai ?

— Le problème est qu'elles présupposent que quelqu'un de prodigieusement riche aurait l'idée de faire quelque chose d'aussi prodigieusement bête que d'enterrer ou de cacher sa fortune au lieu de la mettre en sûreté chez une personne de confiance, ricane-t-il. Souvenez-vous que, dans l'ensemble, les gens riches sont devenus riches parce qu'ils vénèrent l'argent et tout ce qui va avec ! Personne n'irait planquer sa fortune quelque part sans dire où à ses proches.

— Si quelqu'un devait le découvrir, ce serait vraisemblablement vous.

Il maugrée des paroles qui sont vraisemblablement une confirmation.

Je toussote nerveusement.

— Peter, êtes-vous de confession chrétienne ou juive ?

Il inspire, avec un sifflement tendu.

— Ce en quoi je crois, murmure-t-il, a peu d'importance. Je me préoccupe davantage de ce que je sais.

Plus tard lorsque, après avoir vidé la flasque, nous crapahutons de nouveau vers l'institut, Peter manque de trébucher sur une racine. Seule ma réaction fulgurante prévient sa chute dans la pente escarpée. Il marmonne un remerciement destiné à moi ou à un dieu, dont la flamme de justice brûle dans son cœur en cet instant précis.

Nous nous disons bonne nuit à la réception.

Je suis saoul, groggy et plus que légèrement nauséeux. Avant de m'écrouler sur le lit, et d'être centrifugé dans le sommeil, je m'agenouille (non sans ressemblance avec un moine) devant les toilettes en porcelaine blanche étincelante pour vomir.

9

Après un petit-déjeuner si tardif que l'on peut assez raisonnablement le qualifier de déjeuner — composé de pain blanc grillé, d'œufs brouillés pas assez cuits, de yaourt aux pruneaux et d'une orange pressée —, je déambule jusqu'à la bibliothèque.

Là, je feuillette les notices classées par ordre alphabétique dans un fichier à l'ancienne jusqu'à Varna, qui me renvoie un centimètre plus haut à Vaerne [1], où je trouve les références de quatre livres et d'un recueil de manuscrits, que je mets trois quarts d'heure à dépister sur un rayonnage à deux mètres du sol dans le magasin au sous-sol. Un bibliothécaire, qui semble être diplômé d'une école de sous-officiers en Uruguay et aspirer plus que tout à rafraîchir les astuces apprises en option « Raffinements de la torture V - IX », sort les manuscrits de la boîte et les transfère sur un pupitre couvert de feutre. Mais je vois aussitôt qu'ils ne me serviront à rien : l'alphabet est hébraïque.

J'emploie les heures suivantes à feuilleter un ouvrage britannique sur les ordres de chevaliers, où deux cents pages sont consacrées à ceux de Saint-

---

1. L'alphabet norvégien compte trois lettres supplémentaires, qui viennent après le z. Il s'agit de æ, ø et å. On écrit en norvégien Værne et non Vaerne, la carte devrait donc se situer après celle de Varna, pas avant. (N.d.T.)

Jean et le triple à ceux du Temple. Je trouve une thèse américaine de 1921, qui analyse les talents littéraires de l'évangéliste Luc. D'après son auteur, Luc le médecin (qui était vraisemblablement compagnon de voyage de Paul) est ce que nous faisons de plus approchant d'un romancier moderne. Luc avait la plume épique que goûtaient les lecteurs gréco-romains éduqués et sophistiqués. Dans son Évangile, et dans les Actes des apôtres, il dépeint Jésus comme un majestueux prophète de l'Ancien Testament. S'inspirant des poètes grecs, Luc évoque un personnage de héros démiurge.

Je trouve un mémoire vieux de 60 ans qui traite de la présentation par Luc et Jean de la rupture entre le judaïsme et le christianisme naissant. Je lis que Luc crée le concept « chrétiens » en décrivant l'essor de cette nouvelle confession dans l'Empire romain. Je lis avec étonnement que Luc lui-même était païen et que ses lecteurs étaient avant tout des gens qui s'interrogeaient sur la possibilité d'être à la fois chrétien et heureux citoyen de l'empire. Jean est d'inclination un peu moins pragmatique. Plus que les autres évangélistes, il se préoccupe de spiritualité, de divinité, du mystère céleste. Le chercheur, un dénommé J.K. Schulz, né en 1916, met en avant la façon dont Jean fait s'exprimer Jésus en longs monologues où il se déclare ouvertement divin. Jean décrit comment les judéo-chrétiens sont repoussés hors de la synagogue puis du judaïsme. Mais c'est là davantage qu'une querelle théologique, affirme l'auteur. La lutte entre juifs et chrétiens est une bataille pour le pouvoir politique et économique, bref, pour la souveraineté.

Des heures durant, je me glisse dans les idées d'autrui, les interprétations d'autrui, en quête d'un élément qui puisse me faire avancer, m'apporter de la compréhension. Mais je ne sais pas ce que je cherche, et je ne le trouve pas non plus.

Voyant un poste informatique se libérer, je traverse la salle à grandes enjambées et devance un chercheur juif. Le terminal est relié à la base de données de la bibliothèque et de l'institut. Je me connecte à l'aide d'un nom d'utilisateur collectif inscrit au feutre sur l'écran. Le programme de recherche est simple : je peux faire des recherches par thème, mot-clef et auteur et combinées.

Pour commencer, je tape *Le Reliquaire des secrets religieux*. J'obtiens neuf résultats. Le premier est la thèse de papa, Llyleworth et DeWitt. Bouffée de fierté... Plus bas, je trouve le résumé du mythe. Puis une série de renvois croisés à Bérenger Saunière, aux rouleaux de la mer Morte, à Varna, à l'ordre de Saint-Jean, au monastère de la Sainte-Croix, à Cambyse, Rennes-le-Château, au suaire de Turin, à Clément III, Ézéchiel, Q, Nag Hammadi et à la bibliothèque de l'institut Schimmer. Les autres documents sur le mythe sont protégés par un mot de passe.

Ces références éveillent en moi un fourmillement imprécis et désagréable, comme quand vous reconnaissez la tête du bourreau de votre enfance dans la file du bus.

Je fais signe à un bibliothécaire et lui demande s'il connaît le mot de passe donnant accès aux documents protégés. Il me demande de regarder ailleurs pendant qu'il tape les caractères secrets. Puis il toussote préventivement. Je regarde l'écran.

Accès interdit. Niveau 55 requis, chatoient les lettres.

Un frisson glacial me parcourt.

10

Pensif, j'erre dans le long couloir qui mène à ma chambre. La moquette est vert foncé. Mes pas sont silencieux. Je tire la carte magnétique de ma poche et entre.

Je m'en aperçois immédiatement.

La pile des documents trouvés sur Internet est exactement là où je l'ai laissée. Mais le fil à coudre gris que j'avais glissé entre deux feuilles a disparu. Le morceau de ruban adhésif que j'avais collé au sommet de la porte du placard s'est détaché. L'allumette que j'avais placée dans l'ouverture de la valise est sur le sol.

Je n'ai pas peur. Je suis furieux contre moi-même, qui ne me suis pas rendu à l'évidence qu'ils étaient partout, y compris ici, peut-être plus encore que n'importe où ailleurs. Si cela se trouve, Peter Levi touche son salaire directement de la SIS. Il est peut-être l'assistant de direction de Michael MacMullin. Llyleworth est peut-être dans une pièce pleine de moniteurs et de haut-parleurs, où il me surveille à l'aide de caméras et de micros.

Et rit des mensonges dont Peter m'abreuve pour masquer ce que contient la châsse.

11

Il faut respecter ses habitudes, y compris celles qui sont difficiles à conserver. Je tiens à ma sieste après le repas, même si je n'ai pas mangé, c'est une manière de déconnecter le cerveau.

J'éteins la lumière, tire les rideaux beiges et me

couche, remonte le drap frais et amidonné sur moi, me recroqueville en une boule d'os, de peau, de poils et de cheveux.

Je dors deux heures. Mes rêves ne me procurent aucune paix. Ils sont précipités, effrayants, houleux. Je me sens entouré d'ennemis qui se gaussent de moi. Parmi eux, je vois le professeur Arntzen et maman. MacMullin et Llyleworth. Sigurd Loland et papa. Ils chuchotent, sous-entendent, ricanent, mais se retirent et disparaissent dans une brume onirique dès que j'essaie de m'approcher.

À mon réveil, j'ai la sensation d'avoir été transpercé. Et que tout en moi est en train de se déverser sur le sol. Il me faut trois quarts d'heure pour retrouver mes esprits.

Quand j'arrive au bar dans la soirée, Peter Levi m'attend, à moitié dissimulé dans les ombres. La flamme de la bougie se reflète dans ses prunelles. Il lève son cognac en guise de salut. Je réponds en agitant la main.

— Nous ne pouvons pas continuer de nous voir de cette façon, dis-je pour plaisanter en m'asseyant.

— Vous avez trouvé des choses intéressantes aujourd'hui ?

— Et vous ?

Il fait semblant de ne pas comprendre.

— Je viens de faire une sieste.

— Aussi tard ?

— Je dors quand je suis fatigué, pas quand ma montre estime que je devrais le faire.

— Mais après vous n'arrivez pas à dormir la nuit, souligne-t-il avec sollicitude.

— Ce n'est pas très grave. J'aurai toujours le temps de dormir quand je serai mort.

Il s'esclaffe.

— Vous avez dit hier quelque chose qui m'intéresse.

— Je l'espère bien !

— Quelque chose sur la Bible comme processus. Et sur les récits qui ont été arrangés.

Il m'agrippe le bras.

— Je n'aime pas parler de ces choses-là ici. Tant d'oreilles !

— Ne pouvons-nous pas aller dehors, dans le jardin ? Je m'y suis bien plu.

Il vide son cognac. Sans un mot nous nous levons et quittons le bar. J'ai l'impression que cent paires d'yeux me brûlent la nuque, mais lorsque je me retourne, personne ne nous regarde.

12

Nous marchons sur les pavés, traversons la place asphaltée et pénétrons dans le jardin. Tout est calme. Je commence à me sentir chez moi au pied des arbres.

— Pour suivre mon raisonnement, explique Peter tandis que nous progressons sur le versant, il faut comprendre l'époque dont nous parlons. La plupart des gens ont sans doute une image intérieure du temps de Jésus. Mais elle est colorée par la version de la Bible. Or, dans le Nouveau Testament tout tourne autour de Jésus-Christ.

— Et ce n'était pas le cas ?

— Jésus est venu à une époque turbulente. Et ça ne s'est pas arrangé lorsqu'il est parti. Les Évangiles ont été écrits longtemps après la vie et la mort de

Jésus. Ils rapportaient ce qu'on leur avait raconté. Ils paraphrasaient des sources écrites. Mais eux aussi, les chroniqueurs, étaient des enfants de leur temps, marqués par leur entourage, l'esprit de l'époque.

Nous nous assistons mutuellement pour franchir un tronc renversé. Les branches sont couvertes de feuilles satisfaites, qui semblent continuer de croire que tout est parfaitement en ordre. Peter époussette de l'écorce de son pantalon, puis nous reprenons notre chemin.

— Il faut partir de l'insurrection juive, de la chute de Jérusalem et de la destruction du Temple. Et de l'image de soi des Juifs suite à l'ignominie de cette défaite. Les rebelles les plus furieux se sont réfugiés dans la haute forteresse de Massada. Lorsque les soldats romains ont fini par la prendre, ils n'ont trouvé personne. Strictement personne. Tous s'étaient suicidés, plutôt que de se soumettre aux Romains. Ainsi Massada est devenue un symbole de l'honneur juif.

— Même s'ils avaient perdu ?

— Ils avaient subi une défaite, d'accord, mais une défaite pleine de fierté et de bravoure. Ils n'étaient pas assez nombreux face à l'adversaire. Mais cette insurrection ratée avait formé le terreau du doute, à la fois chez les juifs et chez les nouveaux chrétiens. Ils avaient besoin de réponses. Jérusalem était détruite. Le temple en ruine. Où était leur Dieu ? Que désirait-il ? Que voulait-il dire ? Sans le lieu de rassemblement qu'était le Temple, l'ancien clergé perdait la base de son pouvoir.

— Mais il devait bien y avoir des gens qui étaient prêts.

— Ô combien. À savoir les pharisiens, donc les rabbins. Ils ont comblé le vide que laissait le clergé.

Ce sont les rabbins qui ont mené le judaïsme vers son orientation actuelle.

— Et les chrétiens ?

— Les nouveaux chrétiens faisaient encore partie du judaïsme. Leur trouble était, si possible, plus grand encore. Où était passé le Règne de Dieu promis ? Où était passé le Messie ? Ce sont toutes ces questions auxquelles Marc s'est efforcé de répondre. Il a écrit son propre Évangile en l'an 70 après J.-C. Quarante ans après la crucifixion. C'est le premier Évangile, même s'il est placé en deuxième dans le Nouveau Testament. Mais il l'a donc écrit quarante ans après la mort de Jésus. C'est long.

Nous nous arrêtons. Peter allume un cigarillo et contemple la braise en dessinant des cercles dans l'obscurité.

— Pendant ces années, l'histoire de Jésus a été transmise sous forme de récits oraux et d'hymnes, poursuit-il. Dans les petites communautés chrétiennes, on se racontait à la lueur du feu de camp ou autour de l'âtre ce que d'autres avaient relaté. Certains modifiaient légèrement les histoires. Retranchaient un peu ici, ajoutaient un peu là. Ils narraient les paraboles et les miracles de Jésus. Ses paroles et ses actes. C'étaient des souvenirs qu'ils partageaient, mais teintés d'espoir et de rêves, de nostalgies. Les faits fusionnaient avec les légendes, les mythes et les hymnes.

Non loin de nous, le groupe électrogène au diesel du réseau d'irrigation se met à bourdonner.

— De nombreux chercheurs pensent que Marc était à Rome quand il a écrit, d'autres plutôt à Alexandrie ou en Syrie. Mais tous s'accordent sur le fait qu'à la fois Marc et ses lecteurs étaient en exil, hors de leur patrie, qu'ils parlaient le grec et n'étaient pas très familiarisés avec les usages juifs.

— Presque des profanes ?

Il acquiesce pensivement.

— Dans un sens. Ces gens étaient à la recherche de leurs racines. L'Évangile de Marc a été rédigé au lendemain de l'échec de l'insurrection juive. Imaginez leur état d'esprit ! Ils étaient désespérés. Furieux ! Ils avaient besoin d'une nouvelle croyance, ils avaient besoin d'espoir. À l'instar de Jésus sur la croix, les lecteurs de Marc se sentaient abandonnés par leur dieu. On les persiflait, on les méprisait.

— Et ils sont allés chercher du réconfort chez Marc ?

Il aspire la fumée à pleins poumons et la crache tout en parlant.

— Marc se voyait comme un inspirateur. Quelqu'un capable de rassembler les Juifs autour d'un nouvel espoir. Nombre d'entre eux avaient subi les agressions des Romains.

Une brise agréable souffle sur le jardin. Elle transporte des arômes vagues qui, l'espace d'un instant, masquent l'odeur de tabac parfumé.

— Conformément à l'esprit de l'époque, il a dessiné l'image d'un Jésus énigmatique, mystérieux, divin. Chez Marc, Jésus n'est pas un rebelle, comme beaucoup d'autres l'ont vu jusqu'à la révolte. Il a une dimension plus profonde. Qualité qui a créé ce que les historiens de la religion appellent le secret du Messie.

— Ce qui signifie ?

— Les gens doivent pressentir, mais pas comprendre qui il est. Il nimbe son identité de brouillard. Seul Jésus sait ce que Jésus doit faire. Sa mission sur terre n'est pas de faire des miracles. À cette époque, les miracles étaient à la portée d'un mage sur deux. Mais seul Jésus savait qu'il était le Fils de l'Homme. Il était venu sur Terre pour souffrir et mourir. Pour sauver l'humanité.

— Pas de la gnognote.

Peter tient le cigarillo du bout des doigts et aspire la fumée, les paupières mi-closes. Je vois la lumière s'éteindre dans une pièce de l'institut et s'allumer dans une autre. Je devine une ombre derrière un rideau. Peter sort sa flasque et me la présente. Elle est pleine. J'avale une gorgée de cognac et la lui rends. Il regarde devant lui, boit un peu, me la redonne.

— Matthieu avait un tout autre lectorat que Marc. Matthieu était un chrétien juif qui a écrit son Évangile quinze ans après Marc. Il avait lu Marc et l'a en grande partie intégré dans son propre texte. Les lecteurs de Matthieu étaient chrétiens et juifs à la fois. Ils s'étaient réfugiés dans des villages au nord, en Galilée, ou au sud, en Syrie. Là aussi les rabbins avaient largement pris le pouvoir. Les chrétiens étaient en minorité. Il était essentiel pour Matthieu de faire ressortir que Jésus était aussi juif qu'un autre. Ce n'est pas un hasard si Matthieu a ouvert sur l'arbre généalogique de Jésus, qui remonte à Abraham. Même s'il est paradoxal que ce soit la lignée de Joseph qu'il suive, alors que Joseph n'est pas précisément considéré comme le père de Jésus.

Nous gloussons doucement.

— Matthieu essaie de créer une image de Jésus à la Moïse, explique Peter. Chez lui, Jésus s'adresse à son peuple depuis une montagne, comme Moïse, où on lui attribue cinq sermons, ce qui correspond aux cinq livres de Moïse. Je pense que Matthieu souhaitait peut-être que les lecteurs envisagent Jésus comme plus grand que Moïse. Si les pharisiens sont si prépondérants chez Matthieu, c'est parce que ce sont précisément eux qui indignent ses lecteurs. Leur pouvoir s'est accru après l'insurrection. Les pharisiens et les chrétiens se battent pour contrôler l'évolution du judaïsme.

Peter marque une courte pause et soupire sans bruit. Il observe son cigarillo, écrase la braise entre ses doigts et jette le mégot.

— Il y a eu encore une insurrection juive, qui une fois pour toutes a séparé les juifs des chrétiens. Soixante après Massada, Bar-Kokhba, un rebelle juif populaire a mené une nouvelle révolte contre les Romains. Il se proclamait descendant du roi David et se qualifiait de nouveau Messie. Les juifs ont recommencé à s'agiter. Était-ce lui qu'ils avaient attendu ? Leur Sauveur était-il enfin arrivé ? Ils ont été nombreux à se rassembler autour de ce nouveau héros. Mais pas les chrétiens. Qui avaient déjà leur Messie. Bar-Kokhba a mené ses partisans dans des grottes non loin de Massada. Les Romains ont découvert la cachette et l'ont assiégée. Certains juifs ont abandonné. D'autres se sont laissés mourir de faim. Dans la Grotte de la Terreur, les archéologues ont récemment découvert quarante squelettes de femmes, d'enfants et d'hommes. Dans la Grotte des Lettres, on a trouvé des écrits de Bar-Kokhba qui montrent qu'il avait sans doute l'espoir de tenir bon. Ça n'a pas été le cas. Avec Bar-Kokhba l'espoir des juifs de voir un nouveau messie est mort aussi.

— Et les chrétiens ?

— ... attendaient toujours que Jésus revienne, comme il l'avait promis.

— Mais il ne s'est rien passé ?

— Rien du tout. Chez les chrétiens comme chez les juifs l'espoir du règne de Dieu est devenu plus abstrait, plus spirituel, moins concret. On peut dire que le christianisme a deux fondateurs : Jésus, avec sa chaleur et son enseignement en définitive simple. Et puis Paul, qui a transformé Jésus en un personnage mythologique, divin et qui a enrichi son enseignement de dimensions abstraites religieuses et spirituelles.

— Mais si Jésus n'était qu'une figure politique, le fondement du christianisme disparaît.

— Ainsi que l'une des clefs de voûte de l'héritage culturel de la civilisation occidentale.

Sur ces paroles, nous restons à contempler l'obscurité.

Une sonnerie se déclenche. Au début je ne comprends pas de quoi il s'agit, mais ça vient de Peter.

— Mon biper, s'excuse-t-il en souriant.

Il farfouille dans une poche récalcitrante et en extirpe le petit boîtier où il lit le message les yeux plissés sur l'écran étroit.

— Il fait frisquet, remarque-t-il. On rentre ? Nous avons le temps de commander une boisson chaude avant la fermeture.

Le regard sur le sentier obscur, nous descendons prudemment vers l'institut.

— Pensez-vous que le manuscrit de la châsse pourrait révéler quelque chose de cet ordre-là ? Quelque chose qui jetterait un nouvel éclairage sur la compréhension de Jésus ? Ce n'est pas une supposition déraisonnable. J'aimerais tellement savoir.

— Et vous n'êtes pas le seul, conclut-il en riant doucement.

13

Le hall est doux et accueillant, plein de bruits. Piano d'ambiance et bourdonnement de voix au

Cabinet d'étude. Un téléphone sonne impatiemment. Derrière la réception, une alarme électronique pépie doucement, intensément.

Peter me pousse dans le bar et me prie de commander pendant qu'il s'absente pour une mission urgente.

— Ma vessie, chuchote-t-il en levant les yeux au ciel.

Thé et café viennent d'arriver quand il revient. Son visage a un curieux aspect.

— Quelque chose ne va pas ?

— Pas du tout.

Je passe à l'attaque :

— Peter... Connaissez-vous la SIS de Londres ?

— Bien entendu.

Je suis surpris qu'il l'admette. Je pensais qu'il continuerait de jouer les innocents.

— Pourquoi ? demande-t-il d'un ton assuré.

— Que savez-vous d'eux ?

Il hausse les sourcils.

— Que voulez-vous savoir ? Ils financent une grande partie de nos recherches. Nous collaborons étroitement sur plusieurs projets.

— En est-il qui me concernent ?

— J'ignorais que vous étiez un objet d'étude...

— Je suis, en tout cas, l'objet d'une certaine attention.

— De la part de la SIS ?

— Absolument.

— Bizarre. Ils organisent une conférence ici ce week-end sur les nouvelles connaissances sur l'étymologie étrusque.

— Vraiment bizarre.

— Pourquoi s'intéressent-ils à vous ?

— Vous devez bien le savoir. Ils veulent la châsse.

— Ah ha !

Il n'en dit pas plus.

— Et je commence à comprendre pourquoi.

— Avez-vous envisagé qu'ils puissent avoir une légitimité à la revendiquer ?

Cela, je l'attendais. Le signe qui montre que Peter aussi est davantage qu'un satellite fortuit en orbite autour de mon existence.

— Peut-être...

— Ils veulent sûrement juste examiner le contenu.

— Sûrement.

— Vous semblez très sceptique.

— Ils essaient de me mystifier. Tous. Vous aussi, je parie.

Ses lèvres se recourbent en un rictus.

— C'est donc une affaire personnelle ?

— Éminemment personnelle.

Le garçon qui nous a servis vient discrètement glisser un billet à Peter. Celui-ci y jette un œil avant de le ranger dans sa poche.

— Il se passe quelque chose ?

Il regarde fixement son verre.

— Vous êtes un dur à cuire, Bjørn Beltø.

Son ton semble admiratif. Et, pour la première fois, il arrive presque à prononcer mon nom correctement.

— Vous n'êtes pas le premier à le dire.

— Vous me plaisez !

Lorsqu'il termine son verre, ses yeux sont alourdis et absents. Puis il me surprend en se levant et en me souhaitant bonne nuit. Je pensais qu'il me tirerait les vers du nez ou qu'il me proposerait de l'argent, ou me lancerait une menace voilée. Au lieu de cela, il me serre la main, fort.

Après son départ, je reste à boire mon thé tiède en observant les gens, qui bavardent en sourdine, nimbés de fumée et de rires.

Parfois vous avez le sentiment que tous les autres sont des figurants dans votre vie, engagés pour être là à tout moment, mais sans s'occuper de vous, et que les maisons et le paysage sont des décors construits à la hâte pour parfaire l'illusion.

Le thé a un effet extrêmement diurétique sur moi. Après deux tasses, je dois fendre la foule pour me rendre un peu plus loin que l'issue de secours aux toilettes messieurs, qui sont d'une propreté éclatante et sentent l'antiseptique. Je m'efforce de ne pas me regarder dans la glace pendant que je pisse.

C'est sans doute de la pure chance. En sortant, j'aperçois, à travers le foisonnement de bras et de têtes, le garçon en conversation avec trois hommes. Je reste figé sur place. Si quelqu'un m'avait accordé un regard, il aurait sans doute cru que je m'étais transformé en statue de sel. Tout blanc et complètement immobile.

De l'autre côté de la foule, je distingue Peter, King Kong et mon bon vieil ami Michael MacMullin.

Devant l'entrée principale, je trouve un parking à vélos, des VTT modernes, dont on se sert pour aller d'un bâtiment à l'autre. Ils ne sont pas verrouillés. Ils sont en prêt libre. Qui pourrait bien avoir l'idée de dérober une bicyclette dans le désert ?

14

La lune brille. Autour de moi tout est sombre et infini. Je perçois les montagnes au loin, pas avec les yeux, mais comme l'intuition d'une courbe dans l'obscurité. Tout est grand, plat, noir. J'ai la sensation de pédaler dans les airs. Mon attention se porte tantôt sur le ciel qui se voûte au-dessus de moi, tantôt sur le cône lumineux du phare qui, tremblotant, traîne à sa suite le vélo sur l'asphalte.

J'ai froid. J'ai peur. C'est exactement ainsi que doit se sentir l'astronaute qui plane de plus en plus loin de l'astronef. Il n'y a pas un bruit. Aucun coyote qui aboie ou de train qui siffle au loin ou de grillons qui stridulent. Tout ce que j'entends sous ce dôme de silence, c'est le vélo qui grince.

La nuit est interminable. Le clair de lune plat, froid. Dans l'obscurité profonde, la lumière du phare ronge la ligne médiane mètre par mètre.

Au petit matin, une bande jaune s'insinue sur l'horizon. J'ai essayé de pédaler de toutes mes forces pour transpirer, mais je claque des dents de froid.

Je m'arrête près d'un rocher couleur de rouille, à bout de souffle et grelottant. Je reste assis sur la selle rigide, à savourer l'aurore.

15

Quand j'avais 8 ans, papa et Trygve m'ont emmené pour la première fois dans un sauna. Nous avions fait une longue promenade à ski, par un froid glacial, et cette invitation était comme une initiation aux rituels secrets des adultes. Pendant les premières minutes, je suis resté à suffoquer stoïquement, puis papa a vidé une louche d'eau sur les pierres brûlantes du poêle.

Dans le désert il n'y a aucune porte en bois par laquelle sortir en courant.

La chaleur m'enveloppe comme une serviette bouillante. L'air est lourd et saturé. La canicule est un étau. Respirer m'est douloureux. Les rayons de soleil me transpercent et m'oppressent.

Je pédale mécaniquement. Chaque tour est une victoire. Soudain, je m'aperçois que je suis descendu du vélo et que je le pousse en marchant.

L'air vibre. La chaleur est un mur de caoutchouc mou.

J'entends la voiture longtemps avant qu'elle se matérialise. C'est pourquoi je réussis à sortir le vélo de la route et à me cacher dans un fossé. Un jour un ruisseau a coulé ici, cela remonte à loin, à peu près à l'Antiquité.

J'ai soif. Je n'ai rien emporté à boire. J'imaginais que quatre ou cinq heures de vélo me permettraient de rejoindre la civilisation depuis le complexe. Je m'en sortirais pendant quatre ou cinq heures sans eau, pensais-je. Si on peut appeler cela penser.

Dans le lit sec du ruisseau se trouvent de l'ardoise et de la terre sableuse ocre en strates irrégulières. Le sillon s'étire vers un massif montagneux violet au loin. Juste sous mes yeux, s'élance un insecte à pattes longues. Il ressemble à une mutation radioactive, à mi-chemin entre le scarabée et l'araignée. Il y a donc de la vie dans ces contrées.

Le soleil me lacère le visage et les mains et appuie avec impatience sur mes épaules. Ses rayons pèsent plusieurs kilos. Si je n'avais pas eu la bouche aussi sèche, j'aurais craché sur une pierre pour voir si l'eau crépitait avant de s'évaporer.

Je retourne sur la route. Après seulement quelques minutes, des flammes se mettent à ramper sur mon dos. J'essaie de faire un bout de chemin en marchant en crabe à côté du vélo. L'asphalte bout. J'avance dans de la glu. Au-dessus de la route vibre la brume.

Mon cœur bat la chamade. La sueur de mon front ruisselle dans mes yeux. Lentement, l'air se vide de son oxygène. Je dois me concentrer pour éviter l'hyperventilation. À travers un film de larmes, je guette un ruisseau, une source, quelque chose qui projette une ombre. Je me ratatine sous la fournaise. J'ai des points noirs au fond des yeux. Mon champ de vision se réduit, comme quand on regarde dans des jumelles par le mauvais côté. Mais la soif ne m'a pas encore rendu fou. Si encore j'avais fait l'expérience d'un mirage, d'une Fata Morgana, d'une oasis aux couleurs vives à la Donald Duck ! Mais tout ce que je vois, c'est un océan stérile de pierres, de chaleur et de montagnes lointaines.

16

Agenouillé sur un rocher au bord d'une cavité qui pourrait, à un moment donné, avoir été une source, je reviens à moi. Le vélo n'est plus là.

Je me lève avec difficulté et titube, à l'affût de la route, du vélo, de quelque chose pour accrocher mon regard. Ma langue est collée à mon palais et émet des bruits secs de déclics. J'ai des explosions dans la tête. La nausée. Je vomis. Mais rien ne remonte. Je tombe à genoux en gémissant. Je lève les yeux. Le soleil lance des flammes blanches.

Puis je ne me souviens plus de rien.

VI

LE PATIENT

1

Ils m'ont vissé une vis de braise dans le crâne, badigeonné le visage à la soude caustique et plongé les mains dans des jarres de lave bouillante.

J'entends le pouls d'un appareil électronique. Le bruit évoque le tic-tac de l'horloge de la maison biscornue, creux et régulier, le souffle du temps. Toutes les heures elle se mettait à carillonner.

Maman a cessé de la remonter le jour de l'enterrement de papa. Immobile, elle témoignait du départ de papa et de sa propre mort intérieure, silencieuse.

2

— Bjørn Beltø, vous êtes un dur à cuire !

La lumière est tamisée. J'inspire délicatement, expire, inspire. Mes maux couvent.

Lillebjørn... il faut que tu te réveilles... Bjørn chéri... petit prince...

Je suis couché dans une chambre à la hauteur de plafond vertigineuse. La pièce sent le vieux. Les murs en maçonnerie sont crépis à la chaux. Une fissure très fine sillonne le plafond taché d'humidité.

— Réveillez-vous !

Un écran vert pâle, à moitié transparent, cache le lit.

Quand j'humecte mes lèvres gercées du bout de la langue, ma peau se fendille des commissures jusqu'aux tempes. Mon visage est un masque de porcelaine resté bien trop longtemps au four, qui craquellera si quelqu'un le tapote du bout des doigts.

Lillebjørn, réveille-toi maintenant… !

J'ai un cathéter planté dans l'avant-bras. Un liquide s'écoule lentement dans les méandres d'un tuyau qui pend d'une poche de perfusion, au-dessus du lit, jusqu'à mon sang. Sérum de vérité ? me dis-je. Du penthotal, pour graisser les plaquettes de frein de l'esprit.

La voix :

— Êtes-vous réveillé ?

Je l'ignore. Peut-être que je me trouve dans un hôpital. On dirait qu'ils ont rempli la première pièce venue de matériel médical pour me soigner. Ou peut-être pour me berner.

Je lève mes mains bandées. Deux plombs brûlants. Je gémis.

— Insolation.

Cette voix me semble familière.

Je laisse ma tête se renverser sur le côté.

Je vois ses genoux.

Les mains jointes dessus.

Tel un grand-père soucieux, Michael MacMullin est assis sur une chaise à côté du lit. Ses yeux m'examinent de la tête aux pieds.

— Brûlures aux deuxième et troisième degrés sur les mains, la tête et la nuque, commente-t-il. Coup de chaleur, naturellement. Déshydratation. Cela aurait pu très mal tourner.

Je geins. Relève la tête avec précaution. Au fond, je me sens comme si cela *avait* très mal tourné. Les gestes raides, j'essaie de m'asseoir. J'ai la tête qui tourne. Des deux mains je me retiens aux barres en acier brillant du lit.

— C'est à peine si nous avons réussi à vous retrouver.

Il ne porte pas d'arme, mais cela ne veut, bien sûr, rien dire. Ils disposent sans doute de méthodes plus humaines pour se débarrasser d'albinos pénibles. Comme l'injection. Ou peut-être nous attachent-ils nus à des potences dans le désert avant de siffler les fourmis.

Derrière l'écran, comme une ombre grise, je devine quelqu'un, qui écoute, légèrement penché en avant.

Il n'a pas dû s'écouler beaucoup de jours. C'est quand on s'amuse que le temps file. De l'autre côté de la fenêtre le feuillage bruit. Chêne ? Tremble ? Je suis trop bas pour voir, mais j'ai l'impression que je ne suis plus dans le désert. Le soleil est plus clément, la lumière moins vive, l'air sent le fumier et la végétation.

— Où suis-je ?

J'ai la voix rauque. Le désert a enduit mes cordes vocales de sable.

— Vous êtes en sécurité, Bjørn. N'ayez crainte.

Son timbre est posé, doux, chaleureux.

Je ne peux détourner le regard de l'ombre derrière l'écran.

— On vous soigne à la morphine pour atténuer la

douleur. Et avec une pommade à base d'aloe vera, le fin du fin. La morphine risque de vous rendre un peu groggy.

Une douleur glaçante m'écartèle.

Il pose des mains légères sur ma couette.

— Bjørn, mon jeune et vaillant ami. Ceci est allé beaucoup trop loin. S'il vous plaît, ne voulez-vous pas me dire où vous avez caché la châsse ?

Alors que je le considère, sans répondre, mes paupières se referment toutes seules. Un peu plus tard, je l'entends partir.

L'ombre a disparu.

Cette nuit-là, je bois disons à peu près mille litres d'eau. Une infirmière vient régulièrement vérifier que je vais bien et que la morphine agit. Elle agit bien, merci, mes fantasmes sont suaves, la plupart concernent Diane.

Délirant, j'attends leur prochaine manœuvre.

C'est Diane.

De bon matin, un léger coup à ma porte me tire de ma léthargie. Je cherche mes mots avant de me souvenir que le « *kom inn* » norvégien se dit « *come in* » en anglais, pareil.

Une voix claire dit :

— Comment vas-tu aujourd'hui ?

Son timbre est chaud et froid à la fois — réservé, cérémonieux, tâtonnant —, comme si j'avais passé deux ans à la guerre et venais d'être ramené chez ma bien-aimée sans bras ni jambes.

Diane va droit à la fenêtre. Elle y reste, me tournant à demi le dos et serre ses poings contre sa clavicule. Je vois à son dos que sa respiration est rapide et lourde, ou qu'elle pleure.

Nous attendons tous deux que l'autre parle.

— Où suis-je ?

Elle se retourne lentement. Elle a les yeux rouges et embués de larmes.

— Tu es dans un de ces états...

— Je suis allé me balader. Dans un désert.

— Tu aurais pu mourir !

— C'est bien ce dont j'avais peur. C'est pour cela que je me suis enfui.

— C'est mon père.

Elle est tellement jolie. Angélique.

— Tu m'entends ? Mon père ! répète-t-elle.

— Qui ça ?

— Michael MacMullin !

Je baisse les yeux sur mes mains. Les bandages. Les doigts qui l'ont caressée.

— C'est mon père, dit-elle encore.

Je conserve mon masque. Pas un sentiment ne perce. Pas un mot ne m'échappe. Je l'observe. Elle attend que je dise les mots libérateurs. Je ne le fais pas. Je m'efforce simplement de comprendre.

— Ne te méprends pas...

Elle s'approche. Presse les poings contre sa poitrine.

— Ce n'est pas ce que tu crois.

Je suis mutique.

— C'est par hasard que nous nous sommes rencontrés. Toi et moi. Que nous nous sommes... plus. C'était un hasard. Tu m'as conquise. Je suis navrée... Ils ont découvert mes recherches sur l'ordinateur, explique-t-elle en s'éclaircissant la voix. Papa m'a demandé de l'aider.

Finalement, je croise son regard.

— Et tu les as aidés ?

— Ne vas pas croire que...

Elle n'arrive pas à poursuivre, les mots se coincent dans sa gorge.

Moi-même j'ai de la peine à respirer. C'est mon cœur qui bat si vite.

— Je comprends pourquoi tu voulais à tout prix m'accompagner en Norvège.

Elle fait un pas vers moi, puis s'arrête.

— Bjorn, ce n'est pas ça ! Ce n'est pas ce que tu crois. Tout est si difficile. Je n'avais pas l'intention de… Je ne voulais pas… Il y a tant de choses que tu ignores. Tant de choses que tu ne comprends pas.

— Sur ce point tu as raison.

— Ce n'était pas une manigance. Ce n'est pas comme si j'avais effectué une mission pour eux. Toi et moi… ce serait arrivé de toute façon. Cette histoire avec papa… ça n'a fait que tout gâcher pour nous.

— Ça, on peut le dire.

— Ne peux-tu pas simplement la rendre ? La châsse ? Tu n'en as pas besoin.

Quand elle se tient ainsi, Diane n'est pas sans me rappeler maman, sa silhouette et sa gestuelle. Curieux que je ne l'aie pas remarqué plus tôt.

— Tu me détestes ?

Elle s'assied sur le bord du lit et me regarde au fond des yeux.

— Non.

— Tu n'as pas entendu ce que je te disais ? demande-t-elle rageusement.

On dirait qu'elle ne supporte pas ce qu'elle a fait.

— Je les aidés pour mettre fin à cette histoire. Pour toi !

Je digère ses paroles l'une après l'autre. Tels d'ir-résistibles petits fours plongés dans un poison à action lente. J'examine son regard. Pour voir si elle est sincère. Mais elle pourrait tout aussi bien disposer d'un arsenal de clichés à employer dans ces situations-là.

— Mais il y a autre chose… commence-t-elle.

— Oui ?

— Nous…

— Quoi ?

— Toi et moi…

— Qu'est-ce que tu essaies de dire ?

— Bjorn, nous…

Elle ferme les yeux si fort qu'on dirait qu'elle les presse pour en recueillir les larmes.

Tâtant le terrain :

— Diane ?

— Je ! N'en ! Peux ! Plus !

Chaque mot est arraché.

Je pose ma main bandée sur la sienne. Nous restons à nous écouter respirer, à écouter le bourdonnement des appareils. Au loin, j'entends un tracteur. Le vent dans le feuillage. Un marteau. Une mobylette au pot d'échappement défectueux démarre avant d'être peu à peu absorbée par le silence.

— Ne peux-tu pas simplement admettre que ceci est trop grand pour toi ? suggère-t-elle doucement.

— Qu'est-ce que tu fais ici, Diane ?

— Ils sont venus me chercher.

— À Londres ?

— Ils m'ont amenée ici en avion.

L'écho de mon pouls se répercute sur mon souffle.

— Que se passe-t-il au juste ?

Elle fait une chose étrange. Elle se met à rire par salves aiguës. Frisant l'hystérie. Je ne sais pas ce qui lui prend, mais son rire est contagieux. Je souris et ce sourire embrase mon visage d'une douleur qui me renvoie dans ma léthargie.

Quand je me réveille, elle n'est plus là.

Plus tard, l'infirmière vient avec une seringue gigantesque. Elle rit doucement à la vue de ma mine effrayée et agite une main tranquillisante.

— *Medicine !* hurle-t-elle en mauvais anglais en désignant la poche de perfusion. *Good for you*, oui ?

— *Where am I ?*

Elle enfonce la seringue dans le tuyau et hoche une tête rassurante en injectant le liquide.

— *Please… Where ? Am ? I ?*

— *Yes, yes !*

Du regard je suis la solution jaunâtre qui s'écoule lentement vers le cathéter dans mon avant-bras et efface douleurs et questions.

3

MacMullin revient me voir dans l'après-midi. La pommade et les drogues estompent certes les maux, mais ma peau me pique et me démange, et la morphine transforme mon cerveau en une soupe aqueuse où clapotent les pensées.

— Ah ! Vous avez l'air beaucoup mieux ! s'exclame-t-il.

Mensonges.

Il tire sa chaise jusqu'au lit.

J'essaie de me redresser. Ma peau est deux tailles trop petite. Malgré mon cocon morphinique de détachement hébété, je ne parviens pas à réprimer un gémissement.

— Ça va passer, affirme-t-il. Le médecin assure que les brûlures sont superficielles.

— Quand pourrai-je rentrer chez moi ?

— Dès que vous serez en état de voyager.

— Je ne suis pas prisonnier ?

Il rit.

— Prisonniers, nous le sommes certainement tous. Mais vous n'êtes pas le mien.

— J'aimerais bien réfléchir à un certain nombre de choses.

Il se passe la main dans sa chevelure d'argent.

— J'imagine que vous n'avez jamais agi dans la précipitation, Bjørn.

— Il m'arrive tout de même d'être spontané. En tout cas, à petites doses. Où est Diane ?

— Diane ?

Son regard s'assombrit. Il se tait. Ouvre la bouche, mais s'interrompt. J'essaie de lire son expression.

— Je sais que vous êtes son père.

Il ne répond pas tout de suite, comme s'il lui fallait réfléchir, mais finit par acquiescer :

— Oui.

Doucement. Dans un soupir. Comme s'il n'en était pas tout à fait sûr.

— Cela explique bien des choses.

Il me fusille du regard.

— Écoutez ! Elle ne vous a jamais trahi ! Jamais !

— Elle…

Il lève une main décourageante.

— Stop, fait-il. Pas maintenant.

Son visage s'anime sous l'effet d'une pensée manifestement réjouissante. Ses lèvres remuent sans bruit, dans un demi-sourire. Ensorcelé, j'observe la mutation qui s'opère en lui. J'ai l'impression d'espionner un solitaire qui soliloque.

— Nous sommes deux têtes de mules, Bjørn.

— Parlez pour vous.

— Vous ne rendrez pas la châsse avant d'avoir tari mes connaissances ?

— Ce n'est pas à vos connaissances que j'en veux, MacMullin.

— Que voulez-vous, alors ?

— Simplement la vérité. Sur la châsse. Et son contenu.

Il me regarde dans les yeux et respire péniblement.

— Cela, cher ami, c'est un secret dont des gens ont payé la protection de leur vie.

— Parfois, vous êtes un tantinet mélodramatique.

Sa mine stupéfaite cède le pas à un joyeux rire tonitruant. Les vexations n'ont jamais prise sur lui. Pour ceux d'entre nous qui nous servons de l'ironie et des sarcasmes comme armes, c'est une qualité détestable.

— Curieux de voir deux vieux cabochards comme nous tirer chacun sur un bout de cette corde, dit-il. Je veux avoir la châsse et protéger son secret. Et vous, vous refusez de me la donner avant de savoir ce qu'elle contient.

— N'allez pas croire que j'aie pitié de vous.

— Ce n'est d'ailleurs pas ce que je vous demande.

— Dites-moi, pourquoi devrais-je vous croire ?

Il incline la tête d'un air interrogateur.

— Vous m'avez parlé d'une machine à explorer le temps. Winthrop a affirmé qu'il s'agissait d'un astronef. Peter m'a exposé ses théories théologiques vaporeuses. Que suis-je censé croire ? Vous mentez. Tous !

Il m'observe longuement. Son sourire est menaçant.

— Nous voulions vous déstabiliser.

— Vous avez réussi. Félicitations ! Mission accomplie. Je suis déstabilisé !

— Nous ne faisons jamais rien sans raison.

— Ça, je vous promets que je veux bien le croire !

— Mais, si vous le pouvez, essayez de comprendre. Il n'a jamais été prévu que la châsse échoue entre vos mains. Vous n'êtes qu'un élément perturbateur, Bjørn. Vous ne devez pas nous condamner parce que nous ferions n'importe quoi pour la récupérer.

— N'importe quoi ?

— Vous savez ce que je veux dire.

— Mais oui. Vous vouliez me déstabiliser...

— ... et vous donner une solution que personne ne croirait si jamais vous la colportiez. Mais qui néanmoins serait si formidable qu'elle expliquerait tous nos efforts pour protéger la châsse.

— La protéger ? Mais pourtant, c'est moi qui l'ai.

— Justement.

Il se lève et prend délicatement ma main bandée, me dévisage longuement. À la fin, je suis obligé de détourner le regard. Il se penche en avant et me caresse la tête. On dirait qu'il a les yeux brillants. Un reflet sans doute.

— Qui êtes-vous ?

Il regarde ailleurs, ne répond pas.

— En réalité. Qui êtes-vous en réalité ?

— Bientôt nos chemins vont se séparer. Pour toujours. Vous allez rentrer à Oslo. Ils ont dit que le pire devrait être derrière vous dans deux ou trois jours.

— Ils ?

— On va vous donner une pommade. Pour apaiser les brûlures et les démangeaisons.

— Génial.

— Nous allons vous procurer un avion pour le retour.

— Nous ?

— Vous êtes si sceptique, Bjørn.

— Je n'ai pas l'habitude d'avoir le monde entier à mes trousses.

— Peut-être n'est-ce pas à vos trousses qu'il est.

— Ha, ha, ha !

— Peut-être sont-ils à la recherche d'un objet que vous avez en votre possession ?

— Peut-être suis-je disposé à donner cet objet ?

— À quel prix ?

Il est tentant de dire dix millions de couronnes. Une Ferrari. Et une semaine aux Maldives avec une danseuse nue péruvienne, qui depuis toujours entretient des fantasmes coupables à l'égard des albinos. Mais je me contente de ceci :

— Une explication.

— Que voulez-vous savoir de plus ?

— La vérité. Juste un bout de la vérité.

— Vous n'avez toujours pas compris ?

— Non. Mais certains pensent que les albinos sont plus longs à la détente.

Il rit doucement sans gaieté.

— Est-ce la source Q ?

Il hausse les sourcils.

— Q ? Dans la châsse ? Ce serait décevant. Encore que je ne puisse rien exclure.

Je le regarde, mais il n'entend visiblement pas m'en révéler davantage.

— Et puis il y a autre chose que je voudrais savoir, dis-je. Quelque chose de complètement différent.

— Quoi encore ?

— Le lien entre les morts de papa et DeWitt.

— Il n'y en a aucun.

— Arrêtez ! Tout est lié.

— Ils sont morts. Aucun d'eux n'a été tué. Des

coïncidences, des accidents, les circonstances. Tout le monde meurt tôt ou tard.

— Comment pouvez-vous être si sûr qu'on ne les a pas assassinés ?

— Je les connaissais tous les deux. J'étais même présent lorsque DeWitt est mort. Nous faisions des fouilles au Soudan. J'avais une théorie selon laquelle la châsse aurait pu être enterrée lors d'une croisade suivant le Nil. Charles pensait, avec la même conviction, que je me trompais. Que la châsse avait été enterrée en Norvège. Il a trébuché. Stupide infection d'une blessure. Nous étions sous les tropiques, loin des secours. Ce qui devait arriver est arrivé. Mais personne ne l'a tué. Et personne n'a tué votre père.

— Quelle assurance vous avez.

— Laissons donc les vieilles histoires.

— Comment est mort papa ?

— Demandez à Grethe.

— J'ai demandé à Grethe. Elle ne veut rien dire. Que sait-elle ?

— Grethe sait quasiment tout.

— Qu'est-ce que cela signifie ?

— Vous n'aurez qu'à lui demander. Grethe et moi… nous… nous…

Un bref instant, il cherche ses mots. Puis il retrouve son self-control.

— Nous étions amoureux, comme vous le savez peut-être. Cela s'est tassé avec le temps. J'ai fini par devenir son ami. Tout ce que je sais sur la mort de votre père, c'est elle qui me l'a raconté.

— Elle n'était même pas présente quand c'est arrivé. Moi si.

— Elle sait. Et c'est pour cela que nous savons.

— Comment Grethe peut-elle savoir quelque chose sur la mort de papa ?

— Elle était une amie proche de votre père.

— Ils étaient collègues.

— Et amis ! Amis très proches.

Une idée me glace :

— Amants ?

— Non. Mais aussi intimes que deux personnes peuvent l'être.

— Elle ne me l'a jamais dit.

— Pourquoi l'aurait-elle fait ?

Je me tais.

— Ils s'écrivaient des lettres, poursuit MacMullin. Nous les avons dans nos archives. Des milliers de lettres où ils mettaient des mots sur toutes leurs pensées, tous leurs sentiments. Vous pouvez dire qu'ils se servaient l'un de l'autre, comme amis, comme thérapeutes. C'est pour cela que nous savons.

4

Cette nuit-là, je dors mal. J'ai le visage en feu. Chaque fois que je commence à m'assoupir, je suis réveillé en sursaut par les rêves qui se bousculent au portillon.

Dans l'obscurité je pense à Farmor. Elle vivait au rez-de-chaussée de la grande maison biscornue. La nuit elle ressemblait à un revenant à silhouette concave, farfouillant dans les recoins les plus sombres. Elle mettait ses dents dans un verre d'eau sur la table de chevet et portait une chemise de nuit blanche qui traînait par terre. Quand maman et papa sortaient le soir, je ne voulais jamais dormir dans sa chambre pesante et sombre, qui sentait le camphre et le baume. Je préférais les frayeurs de ma propre chambre et la certitude qu'elle m'entendrait si je criais.

De jour, elle était toute mignonne et gaie avec ses cheveux gris. Dans sa jeunesse, elle avait été une chanteuse belle et adulée. Il était difficile de concevoir que cette vieille carcasse tassée ait un jour pu susciter l'émoi des hommes. Mais il arrivait que de vieux bonshommes l'accostent dans la rue pour lui demander si elle n'avait pas chanté sur la scène du théâtre Tivoli après la guerre. Et ce qu'ils entendaient par là, c'était la première guerre mondiale.

Dans le tiroir de sa table de chevet, Farmor gardait le programme d'un spectacle de music-hall de 1923. Il y avait un portrait ovale d'elle. Elle était méconnaissable. Telle une star du cinéma muet, elle rayonnait jusqu'à moi depuis le papier brun jauni. Sous la photo était inscrit son nom de jeune fille : Charlotte Wickborg. Et, en plaçant mes doigts sur tout sauf ses yeux, je voyais que c'était elle, à une autre époque.

Je ne sais pas grand-chose sur mon grand-père. Il semblait inhibé et matois. Il était maigre comme un clou et portait des pantalons bien trop larges, que ses bretelles remontaient haut sur sa poitrine. Son haleine sentait les pastilles au camphre et le tabac à chiquer. À quoi s'ajoutait le parfum corsé d'eau-de-vie, dont il conservait les bouteilles dans des cachettes qu'il s'imaginait secrètes. Des dépotoirs vitaux dans son existence.

Je ne sais pas quand je finis par m'endormir. Mais la journée est largement avancée quand je déchire tant bien que mal la membrane coriace du sommeil.

5

Ses yeux sont chaleureux, avec une lueur de douce compréhension. Ses pupilles sont sombres comme un étang de forêt. Y plonger, c'est couler dans l'eau tiède et s'abandonner à la lente mort de la noyade. Comme si dans la vie vous n'aspiriez à rien d'autre que vous perdre dans ces yeux et être agréable à celui qui vous témoigne sa miséricorde en vous laissant lui rendre son regard insistant.

J'ai dormi, et me suis réveillé pour croiser ces prunelles. Un peu de moi est resté accroché à la folie des rêves.

— Nous revoici donc.

MacMullin est debout à côté de mon lit, les bras croisés, et m'observe en irradiant quelque chose que je ne peux qualifier que de tendresse. J'essaie de me réveiller, de me dégourdir, de retrouver mes esprits au sortir du sommeil.

— Je suppose que vous m'apportez une nouvelle corbeille de surprises.

— Vous êtes un dur à cuire, Bjørn Beltø !

Quelque part en moi, quelque chose se rétracte.

D'un ton solennel, il m'annonce :

— Je suis venu parce que je souhaite avoir une conversation avec vous.

Dehors, c'est le soir. Ou la nuit. La fenêtre est sombre. Si noire que l'obscurité pourrait être de la peinture sur la vitre. Je ne sais toujours pas où je suis, si je me trouve à l'infirmerie de l'institut ou dans un hôpital urbain.

— De quoi souhaitez-vous parler ?

MacMullin se tourne et se dirige lentement vers la fenêtre. Son visage s'y reflète. Ses rides disparaissent, ses traits s'estompent et s'adoucissent, et il a l'air d'un jeune homme.

— Vous est-il déjà arrivé, demande-t-il, de porter un secret si lourd que vous souhaitiez l'emporter dans votre tombe ?

Je pense à papa. À maman et au professeur. À Grethe.

Il continue de me tourner le dos et de parler à son reflet.

— J'ai reçu mon destin en héritage.

Ce doit être un sacré fardeau, me dis-je, c'est peut-être pour cela que tu as fini par devenir si pompeux.

— Mon père, et avant lui tous ses ancêtres, ont protégé le secret jusqu'à leur mort.

Il se tourne vers moi avec une mine pacificatrice :

— Pardonnez-moi si je semble mélodramatique. Mais ceci n'est pas très facile pour moi.

— Si cela peut vous consoler, ça ne l'a pas été pour moi non plus.

Avec un sourire, il s'assied lourdement sur la chaise à côté du lit.

— Qu'avez-vous deviné ?

— Pas grand-chose.

— J'ai cru comprendre que vous aviez parlé avec Peter ?

Je me tais.

— Il n'y a pas de problème, s'empresse-t-il de préciser. Il n'a rien fait de mal.

— Qu'y a-t-il dans la châsse ?

Sa bouche est un trait fin. Ses yeux abritent quelque chose de profond, d'indéfinissable.

— Je continue de croire que c'est Q.

— Qui sait ? Permettez-moi d'approfondir l'un des points que Peter n'aura pas manqué d'aborder. Lorsque les chevaliers de Saint-Jean se sont divisés en 1192, c'était suite à un désaccord à propos d'une relique qui, par la suite, a été nommée *Le Reliquaire des secrets religieux*. Eux-mêmes l'appelaient *The Shrine*, autrement dit « La châsse, le reliquaire ». Un objet sacré que de nombreuses personnes ont essayé de retrouver. Les rois, seigneurs, princes, archiprêtres, croisés et papes de l'époque et ceux qui ont suivi.

— Parce qu'il contient quelque chose de précieux ?

— Ce qui est curieux, c'est que personne, ou tout au plus quelques-uns, n'a su ce que cette châsse renfermait. À part que c'était quelque chose de fabuleux, de sacré. Beaucoup ont joué aux devinettes. On a parlé du Reliquaire comme de l'Arche d'alliance. Ce qui, que ce soit bien clair, est de la pure fiction. Tout bonnement une mythification médiévale.

— Est-ce *Le Reliquaire des secrets religieux* que nous avons trouvé au monastère de Værne ?

— Après la scission de 1192, la partie secrète de l'ordre a pris le contrôle de la châsse. Mais comment la cacher ? En qui pouvait-on avoir confiance ? Tout le monde la voulait. Et puis ils ont eu un trait de génie. Ils ont suivi les frères envoyés au monastère de Værne. Trois moines — appelés les « Gardiens de la Châsse » — les ont accompagnés dans le Nord lointain. Dans le plus grand secret. Nul ne connaissait leur réelle mission. Ils étaient hautement considérés, respectés. L'un était Grand Maître. Leurs compagnons de voyage ignoraient qu'ils appartenaient à une aile dissidente de l'ordre de Saint-Jean. Ils avaient une mission sacrée et personne n'a posé de questions. Tous ont accepté en silence qu'ils viennent avec eux en Norvège et vivent au monastère, à l'écart des autres moines. Aux yeux de qui, ils avaient pour seul mérite d'avoir fait construire un octogone auquel était attribuée une puissance sacrée.

MacMullin baisse les yeux. Je tressaille. Nous commençons à approcher du cœur de l'affaire.

— Mais il y avait un petit hic dans cette organisation. Les trois moines étaient les seuls à connaître la cachette de la châsse.

Il se mord la lèvre.

— Ce qui allait se révéler lourd de conséquences. L'un a succombé à une maladie pendant l'automne de l'an 1201. Le deuxième a été tué par des bandits de grand chemin alors qu'il se rendait à Nidaros en 1203. Et, l'année suivante, en 1204, le Grand Maître a entrepris de rentrer afin de s'assurer que son successeur, son fils, le prochain Grand Maître, se verrait transmettre les informations sur la châsse et sa cachette.

MacMullin prend son souffle. Comme par réflexe, il cache ses cheveux gris avec ses doigts.

— Que lui est-il arrivé ?

— Le Grand Maître a été frappé par la maladie au cours du voyage. Il a été soigné par le prêtre d'un village d'Italie du Nord, où il est mort en quelques semaines seulement. Ensuite, l'histoire a plusieurs versions. Selon les uns, il a laissé un message écrit. D'autres pensent que ce message a été transmis oralement à l'ordre et au fils par un messager, de façon pour le moins inintelligible, en expliquant que la châsse était cachée dans l'octogone. Mais personne ne savait d'où il arrivait. Vous comprenez ? Personne n'avait raconté qu'il était allé en Norvège. Personne ne le savait ! Personne n'a été capable de replacer cette information dans son contexte.

Il secoue la tête en inspirant profondément.

— À un moment donné de l'histoire, la connaissance de la mission des trois moines a disparu. Tout a revêtu une dimension de mythe, de mystère. Le seul élément auquel l'ordre secret a pu se raccrocher pendant tous ces siècles a été la certitude que la châsse égarée se trouvait dans un octogone.

Je suis coi. J'ai l'intuition d'entendre enfin la vérité. En tout cas, des fragments de vérité, ceux que MacMullin veut bien que je découvre.

Il se lève. Va de nouveau à la fenêtre.

— Aujourd'hui encore existe un Grand Maître.

— Comment le savez-vous ?

Il ne répond pas directement.

— Nul ne sait qui il est. Ni où il se trouve.

— Alors comment sait-on qu'il existe ?

— Il existe parce qu'il est impensable qu'il n'existe pas.

— Cela ressemble à la manière dont les croyants justifient l'existence de Dieu.

— Le Grand Maître n'est pas une divinité. Il est juste un être humain.

— Mais sûrement pas n'importe qui ?

— À l'instar du Grand Maître qui l'a précédé, il descend du tout premier Grand Maître.

— Qui était ?

— Les origines du Grand Maître peuvent être retracées jusqu'à l'histoire sainte. Il est issu de la vieille noblesse française. De la dynastie mérovingienne, la lignée de rois qui ont fondé le grand empire franc, pour ensuite régner jusqu'au milieu du VIIIe siècle.

— Ça alors…

— Mais personne, Bjørn, quasiment personne ne sait qui il est. La Secte Secrète a un Conseil constitué de douze hommes. Ces douze hommes sont les seuls à connaître son identité et lui ont juré loyauté. Même les places du Conseil sont héréditaires. Les liens de sang remontent à des siècles et des siècles. Davantage, même ! Des millénaires.

Il se tourne vers moi. Je me tais.

— Le Conseil n'est pas constitué de croyants fanatiques. C'est bien plus que cela. Il s'agit d'hommes puissants. Comme le Grand Maître, ils sont nombreux à être d'extraction royale, à appartenir à la noblesse. Ils possèdent de somptueux châteaux, des terres gigantesques. Tous sont riches. Immensément riches. Des fortunes familiales bâties sur le trésor de l'Église médiévale. Certains sont célèbres du fait de leur richesse, de leur savoir. Mais aucune personne extérieure ne sait qui est membre du Conseil, nul ne sait ce qu'est le Conseil, personne ne sait quel secret cache le Conseil. C'est à peine si quelqu'un connaît son existence.

— Et vous alors, comment savez-vous tout cela ?

— C'est le Conseil qui, en 1900, a fondé et financé la SIS pour intensifier la chasse au Reliquaire. Un nouveau siècle naissait, une nouvelle époque. Les membres du Conseil avaient conscience de la nécessité d'un outil pour coordonner tout le savoir dispersé dans les milieux de recherche, les universités, chez les scientifiques et les amateurs. D'où la SIS.

Il s'éclaircit la voix, se tord les mains. Je me rends compte, sans toutefois être en mesure de le démontrer, qu'il me raconte la vérité tout en la voilant.

— C'est ainsi que nous avons fini par trouver la solution, dit-il. Au bout de huit cents ans. Nous savions depuis longtemps que circulait la légende d'un octogone au monastère de Værne. Mais, en dépit de décennies d'études et d'enquêtes sur place, à partir des années 1930 et jusqu'à récemment, il avait été impossible de trouver la moindre petite piste menant à l'octogone. Jusqu'à ce que la technologie moderne nous vienne en aide, quasiment du jour au lendemain, en tout cas, à l'échelle historique. *Archaeological Satellite Survey Spectro-Analysis.* L'année dernière nous avons eu accès à des photos satellites qui nous ont clairement montré l'emplacement de l'octogone du monastère de Værne. *Just like that !*

Il claque des doigts.

— À un mètre et demi sous un champ !

Il rit doucement.

— Est-ce que vous imaginez notre exaltation ? Au bout de huit cents ans, nous avions enfin la possibilité de trouver le Reliquaire. De l'ouvrir. D'ôter le coffret en bois et de dénuder la châsse d'or, avant de découvrir enfin son secret.

Il respire lourdement par le nez.

— Le reste était un jeu d'enfant, poursuit-il. Nous avons obtenu une autorisation de fouilles. Souvenez-vous que le Conseil dispose de ressources illimitées. Moyens financiers, carnet d'adresses... Le directeur du Patrimoine norvégien est un ami de la SIS. Comme l'était votre père. Comme l'est le professeur Arntzen. Mais même eux ne savent qu'une fraction de ce que je vous ai raconté ce soir. Vous êtes privilégié.

— Je suis éperdu de reconnaissance.

Une pensée l'amuse, mais son rire est dirigé vers l'intérieur. Je ne bouge pas. C'est comme si je n'avais pas le droit d'être ici, comme si le moindre bruit, le moindre geste allaient le faire sursauter et se taire.

— Nous voulions procéder dans les règles. Personne ne s'est donc opposé à ce que nos fouilles soient surveillées par un contrôleur norvégien, un assistant de recherche. Nos contacts nous ont assuré qu'il ne poserait pas de problèmes. Un jeune homme de bonne volonté à qui nous avions à peine besoin d'accorder la moindre pensée.

— Mais vous vous êtes trompés.

MacMullin me considère gravement. Puis il fait quelque chose d'inattendu : un clin d'œil en me poussant légèrement l'épaule du poing.

— Ça, on peut le dire, camarade. Sur ce point, nous nous trompions.

Une infirmière entre avec la cuvette, mais tourne les talons dès qu'elle aperçoit MacMullin.

— Je ne comprends toujours pas ce que la châsse peut contenir de si phénoménalement précieux. Est-ce sa valeur en or qui suscite une telle convoitise ? Est-ce aussi simple que cela ?

— La châsse n'est qu'un emballage. Un conditionnement.

— Donc…

— C'est le contenu, Bjørn ! Le contenu !

— Qui est ?

— Du savoir.

— Du savoir ?

— Du savoir. De l'information. Des mots !

— Un manuscrit ?

— N'ayant de valeur qu'entre les mains adéquates.

— Les vôtres ?

— Même pas les miennes. Je dispose uniquement de la clef de la compréhension.

— Je ne saisis toujours pas.

— Réfléchissez. Un manuscrit !

— Donc, c'est Q ?

Je lâche cette question comme un soupir. Cela paraît si décevant. Après tout ce que j'ai traversé, j'espérais quelque chose de plus tangible. La couronne d'épines de Jésus. Une écharde de la croix.

— Un manuscrit, répète-t-il calmement, recueilli.

Un récit écrit à la main. Mais sans une compréhension juste, ce manuscrit n'est rien de plus qu'un artefact historique vieux de deux mille ans. Pour comprendre les manuscrits, il faut les lire avec les bons yeux.

— Deux mille ans ?

— Pendant mille ans, avant qu'il soit placé sous la protection de l'ordre de Saint-Jean, il a été pris bien soin du manuscrit. Les Grands Maîtres l'ont personnellement gardé dans leurs donjons et leurs églises jusqu'au IVe siècle, où la châsse a été cachée dans le monastère de la Sainte-Croix. Nous savons qu'elle a fait l'objet de plusieurs tentatives de vol, et la crainte que quelqu'un la ravisse explique vraisemblablement l'implication de l'ordre de Saint-Jean, dont la scission a été l'aboutissement de dissensions internes au sujet du destin du manuscrit.

— Ce manuscrit, que raconte-t-il ?

MacMullin a le visage presque transparent. Sous sa peau, je vois un réseau de veines très fines. Il semble que sous un autre éclairage, j'aurais pu voir à travers lui. Il ouvre la bouche pour mieux respirer. Il porte un secret qu'il a de la peine à laisser partir.

J'insiste :

— Deux mille ans… Puis-je deviner ? Cela a quelque chose à voir avec Jésus. Le Jésus historique.

Ses lèvres se relèvent en un sourire en coin.

— Vous avez parlé avec Peter, c'est évident.

— Et maintenant vous allez me faire croire que Peter n'agissait pas selon vos instructions ?

Il me scrute avec insistance.

— Et qu'il ne m'a pas révélé précisément ce que vous vouliez qu'il révèle ? En m'abreuvant de faits et de semi-vérités ?

MacMullin incline la tête avec coquetterie, fait

claquer le bout de sa langue, mais ne répond toujours pas à mes accusations.

— Je crois que ce jeu vous plaît.

Une pointe de colère s'est insinuée dans mon inflexion.

— Ce jeu ?

— Fausses pistes ! Mensonges ! Allusions ! Cachotteries... Tout cela est une sorte de jeu pour vous. Une compétition.

— Dans ce cas vous êtes un adversaire de taille.

— Merci. Sauf que vous ne m'avez jamais expliqué les règles du jeu.

— Soit. Mais vous ne vous laissez pas berner. C'est quelque chose que j'apprécie.

Il presse ses doigts pulpe contre pulpe.

— Mon jeune ami, vous êtes-vous jamais posé cette question : Qui était Jésus-Christ ?

— Non !

— Qui était-il réellement ?

Il m'observe.

— Le fils unique de Dieu ? Le Sauveur ? Le Messie, le roi des Juifs ? Ou était-il un philosophe ? Un moraliste ? Un rebelle ? Un censeur ? Un homme politique ?

Il n'attend sûrement pas de réponse. Et je ne lui en donne pas.

— Certains diraient qu'il était tout cela et plus encore.

— Je ne vois pas où vous voulez en venir. Peter m'a déjà donné ce cours. Je vois le tableau. Inutile de répéter. Venez-en au fait !

Mon impatience le laisse de marbre.

— Pourquoi pensez-vous que la crucifixion soit l'événement isolé de l'histoire de l'humanité qui nous a le plus marqués ?

— Aucune idée... J'aboie presque. Et honnêtement, cela ne m'intéresse pas plus que cela !

— Mais y avez-vous déjà réfléchi ? Est-ce la brutalité du crucifiement lui-même ? Est-ce parce que Dieu a sacrifié son Fils ? Ou parce que Jésus s'est laissé sacrifier ? Pour les hommes ? Pour vous, pour moi ? Pour le salut de nos âmes ?

— MacMullin, je ne suis pas croyant. Je n'y ai jamais réfléchi.

— Je suis sûr que vous pouvez tout de même partager vos vues avec moi. Qu'est-ce, dans la crucifixion, qui a créé une religion ?

— Peut-être le fait que Jésus ait ressuscité d'entre les morts ?

— Précisément ! Exactement ! Tout commence avec la crucifixion ! Notre héritage culturel occidental commence par la crucifixion. Et la Résurrection.

J'essaie d'interpréter son expression. Ce qu'il veut dire, où il veut en venir.

— La crucifixion... Essayez de voir le tableau général, Bjørn...

Sa voix est un délicat murmure. Son regard s'emplit d'images qu'il est seul à voir.

— Jésus est entraîné vers le Golgotha par ses gardes romains. Il est éreinté. La peau de son dos est lacérée par les coups de fouet. La couronne d'épines l'écorche et le sang se mêle à la sueur, dessinant des filets rouge pâle sur ses joues. Sa peau est blême, ses lèvres desséchées. Les spectateurs jubilent en l'insultant. Des voix perçantes l'interpellent, l'injurient. Certains pleurent de compassion, se détournent. Les odeurs... Au parfum des prés et des jardins s'ajoute l'âcre relent des égouts, de l'urine, de la sueur, des chèvres, du crottin d'âne. Sur ses épaules, Jésus porte le madrier transversal auquel ses mains sont attachées. Il vacille sous son poids. De temps à autre, il tombe à genoux, mais les soldats le hissent sur ses jambes avec une brutalité impatiente. Lorsqu'ils rencontrent Simon de Cyrène, les soldats le forcent à porter la croix pour lui. Un peu plus tard, ils dépassent un groupe de femmes en larmes. Jésus s'arrête, les réconforte. Vous imaginez la scène ? Parvenez-vous à vous représenter ce que cela a pu être ? L'atmosphère est chargée, électrique… Au Golgotha, on donne à Jésus du vin mélangé à de la myrrhe apaisante, anesthésiante. Mais il n'en boit qu'une petite gorgée.

MacMullin s'arrête, le regard lointain.

Je reste immobile sur le lit.

— Puis ils le clouent à la croix.

— Oui… je fais, pour combler le blanc.

MacMullin toussote avant de poursuivre.

— Quelqu'un a gravé son nom sur la croix : « Jésus, roi des Juifs. » Alors qu'il est encore sur la croix, le visage déformé par la douleur, les soldats se partagent ses vêtements par tirage au sort. Imaginez cela. Alors qu'il est accroché là, cloué comme une offrande, et les suit du regard. Ils se partagent ses vêtements ! Puis ils restent assis à le surveiller. À un moment donné, il appelle, par désespoir, son père, et le prie de les pardonner. À bout, d'une voix presque inaudible, il s'adresse à sa mère Marie, qui est consolée par trois femmes, parmi lesquelles Marie Madeleine. Spectateurs, prêtres et scribes — oui, même les deux brigands qui sont crucifiés de chaque côté de Jésus — se moquent et le défient de s'aider lui-même à sortir de ce mauvais pas. Puis, Bjørn, puis l'obscurité s'abat sur la contrée. Il s'agit peut-être de nuages qui arrivent à grande vitesse ou d'une éclipse du soleil. Jésus crie : « Mon Dieu ! Mon Dieu !

Pourquoi m'as-tu abandonné ? » Un souffle court sur le paysage. Ou peut-être est-ce la chaleur qui vibre mollement au-dessus du sol. Nous ne savons pas. Quelqu'un va chercher une éponge imbibée de vinaigre la fixe à un roseau et le fait boire. Jésus dit : « Père, entre tes mains je remets mon esprit ! » Et puis il meurt.

MacMullin consulte sa montre. Sans croiser mon regard, il se lève et va à la porte. Elle est lourde. Le bois est sculpté de guirlandes fleuries.

— Où allez-vous ?

Il ouvre la porte et se tourne vers moi.

Décontenancé, je demande :

— C'est tout. Il n'y avait rien d'autre ?

— D'autre ?

— Pourquoi m'avez-vous raconté tout cela ?

— Bjørn, réfléchissez à l'idée suivante…

Il hésite, regarde dans le vide.

— … imaginez que Jésus ne soit pas mort sur la croix.

Une partie de mon cerveau saisit ce qu'il dit. L'autre reste engluée dans les secondes précédant la sortie de ces paroles et ne parvient pas vraiment à s'accrocher dans ce virage inattendu.

— Quoi ? dis-je.

Même si j'ai entendu ce qu'il avait dit.

Sans bruit, il referme la porte derrière lui et m'abandonne à mes questions et à la nuit.

6

Y a-t-il, dans l'existence d'une personne, un tournant, un instant où un événement fait la lumière sur tout ce qui lui est arrivé jusqu'à présent et illumine le chemin qu'il lui reste à parcourir ?

La vie est un cercle. Le début et la fin de la vie sont enchaînés en un point que les religions exploitent autant qu'elles le peuvent.

Pour les Mayas, la vie était un cercle de répétitions. Les stoïciens pensaient que l'univers péricliterait, mais qu'un nouvel univers renaîtrait des cendres de l'ancien.

J'y trouve un certain réconfort.

Mais, pour les chrétiens, le temps est une ligne droite dont on ne peut se détourner et qui mène droit au jour du jugement dernier.

À l'échelle cosmique, tous peuvent avoir raison.

Et dans un tel cycle infini, trouver sa place légitime peut se révéler épineux pour un pauvre brûlé aux ongles rongés et à l'abonnement de tramway périmé.

Les énigmes sont si nombreuses. Je ne suis pas fait pour les résoudre. Au fond, ce n'est pas très grave. Au fond, je pense que je m'en fous.

7

Point du jour. Les champs moelleux s'accrochent les uns aux autres. Rectangles aux couleurs tendres dans un puzzle d'ocre et de vert, de jaune et de gris. Les collines sont douces, étirées. Avec patience et frugalité, les paysans ont apprivoisé le paysage et insufflé la vie à la terre. Mais cette luxuriance a quelque chose de rétif, de récalcitrant. Le paysage a lutté, rechigné. La montagne ponctue les taches de terre de tumeurs, des falaises acérées rabattent la terre sur le côté, des plaies rocheuses déchirent les champs.

Je contemple le paysage par la fenêtre. La fenêtre d'un fort. D'un fort médiéval en pierre gris rougeâtre. Certains parleraient sans doute de château. L'embrasure de la fenêtre est si profonde que je peux m'y asseoir.

Le fort surplombe une hauteur couverte de végétation. Je n'ai pas la moindre idée de l'endroit où je me trouve. Je mise sur la Toscane. Ou peut-être le haut plateau espagnol. Ou alors dans un asile où tout ce qui m'arrive, tout ce que je vois, tout ce que je comprends, se passe dans ma tête. En cet instant précis, c'est celle qui m'apparaît la plus vraisemblable. Et la plus tentante.

8

— Où suis-je ?

MacMullin accueille ma question le sourcil légèrement haussé. Il se tient sur le seuil. Je me trouve toujours dans la profonde embrasure de la fenêtre. J'y suis depuis quelques heures maintenant. Mais le paysage n'a trahi aucun de ses secrets.

— Vous êtes sorti de votre lit, je vois. Je suis heureux que vous soyez en voie de rétablissement !

— Merci. Où suis-je ?

— À Rennes-le-Château.

Je tressaute.

Rennes-le-Château. Mesdames et messieurs, le spectacle va bientôt commencer, un autre pan du rideau est écarté, dans les coulisses, les acteurs attendent, mais notre honoré auteur doit d'abord finir d'écrire la pièce.

MacMullin ferme la porte et avance dans la chambre.

— Dans les Pyrénées orientales. Dans le sud de la France.

— Je sais où c'est, dis-je à voix basse. Le village du curé.

— Vous avez une bonne mémoire.

— Pourquoi suis-je ici ?

— On vous y a amené.

— Comment ? Pourquoi ?

— Dans mon avion privé.

— Je ne m'en souviens pas.

— Vous étiez inconscient.

— Pendant combien de temps ?

— Un certain temps. Il a fallu vous donner un sédatif. Après vous avoir trouvé dans le désert. Vous étiez fort diminué.

— Donc j'ai été drogué. Une fois de plus.

— Nous n'avions pas le choix.

— C'est une mauvaise habitude que vous avez là !

— C'était pour votre bien.

— Pourquoi m'a-t-on amené ici ?

— L'infirmerie de l'institut n'est pas précisément exceptionnelle.

— Mais pourquoi ici ?

— Nous aurions pu vous transporter dans un hôpital privé dans la grande ville la plus proche. Ou à Londres. Ou à Oslo, d'ailleurs. Mais voilà, nous vous avons emmené ici. Parce que je voulais vous y inviter. À Rennes-le-Château. Chez moi. Vous allez bientôt comprendre pourquoi.

— Quel genre de maison est-ce ?

— À vrai dire c'est un fort.

— Votre propre petit fort privé, c'est ça ?

— Un vieux fort croisé, en fait. Il appartient à ma famille depuis un certain temps.

— Je vois ce que vous voulez dire. Ma famille aussi a quelques forts médiévaux en magasin.

Plus tard MacMullin m'escorte hors de la chambre, dans un couloir sombre, et nous montons un escalier en marbre. Nous marchons lentement. Il me soutient.

Au sommet des marches, il ouvre une porte épaisse et nous nous retrouvons dehors, sur un toit, entre tour et flèche, dans un étroit passage entouré d'un garde-fou. La vue est magnifique. L'air lourd et odorant.

Nous admirons le paysage.

— Ça vous plaît ? s'enquiert-il.

Il pointe son doigt vers le sud-est.

— Sur cette montagne, vous voyez le Bézu. Vous y trouvez une forteresse médiévale où séjournaient et enseignaient les Templiers. Ici, il y a des centaines d'églises. Nombre d'entre elles sont élevées en terrain sacré. Dans des tombeaux oubliés reposent prétendument des apôtres, des prophètes et des saints. Par centaines ! À l'est, continue-t-il en se tournant à demi pour montrer les lieux, se situent les ruines du château de Blanchefort. Bertrand de Blanchefort, le quatrième Grand Maître des Templiers, y vivait au XIIe siècle.

— Si jamais vous vouliez vous défaire de votre château, votre agent immobilier pourrait donc sans se tromper parler de quartier de standing.

MacMullin rit poliment.

— Au Moyen Âge, ceci était quasiment une zone surpeuplée. Certains estiment que près de trente mille personnes vivaient ici, autour de Rennes-le-

Château. La région était proche de la Méditerranée et des routes marchandes, proche de l'Espagne et de l'Italie, c'était une partie de la France qui avait une position centrale à bien des égards.

— Avez-vous l'intention de me proposer le fort à prix d'ami ? Ou cherchez-vous à me dire quelque chose ?

MacMullin marche jusqu'à la muraille et s'assied dans une meurtrière.

— Dans les années 1960, un magazine français a publié une histoire qui a piqué l'intérêt des lecteurs en mesure de lire entre les lignes. Cet article a contribué au fait que quelques auteurs de documents pseudo-scientifiques se sont mis à essayer de deviner quelles énigmes les lieux pouvaient dissimuler. Ces ouvrages ont entraîné un véritable essor du tourisme.

— Des énigmes ?

— Le magazine racontait l'histoire de Bérenger Saunière.

— L'abbé...

— Un homme de 33 ans arrivé à Rennes-le-Château en 1885 en tant que nouveau curé du village.

— Et qu'est-ce qu'il avait de spécial ?

— C'était un mystère de savoir pourquoi il avait échoué ici, dans un village reculé comptant deux ou trois cents âmes. Pendant ses études, on lui promettait un grand avenir. Il avait dû arriver quelque chose. Il avait vraisemblablement dû irriter ses supérieurs pour être ainsi relégué à ce poste de seconde zone.

— Enfin, c'est tout de même beau ici.

MacMullin s'adosse à la muraille.

— Entre 1885 et 1891, Saunière avait un salaire annuel modeste, juste assez pour avoir un niveau de vie décent. Il n'y avait, après tout, pas tellement d'occasions de dépenser son argent ici.

Il lance un regard sur les alentours déserts.

— Saunière était un prêtre engagé. Il a commencé à étudier l'histoire locale avec l'aide du prêtre du village voisin, l'abbé Henri Boudet, de Rennes-les-Bains.

MacMullin me montre l'emplacement de Rennes-les-Bains. Un nuage ombrage le versant.

— Saunière a longtemps souhaité rénover cette église délabrée. L'édifice lui-même datait de 1059, mais il recouvrait une église du VIe siècle. En 1891, Saunière a commencé les travaux. Il a emprunté une petite somme à la caisse communale et s'est lancé. L'une des premières choses qu'il ait faite a été d'ôter la pierre d'autel. Ce qui a révélé deux piliers. L'un était creux. Il y a trouvé quatre rouleaux de parchemin dans des tubes en bois scellés. On a dit que deux des parchemins contenaient des lignées généalogiques. Des deux autres qu'ils étaient des documents signés en 1780 par le prédécesseur de Saunière, l'abbé Antoine Bigou. Bigou était aussi aumônier de la famille Blanchefort, qui, avant la Révolution française, comptait parmi les plus grands propriétaires terriens de la région. Les textes de Bigou provenaient du Nouveau Testament. Des copies. Mais la composition du texte allait se révéler relativement absconse. Les mots s'enchaînaient sans espaces, et des lettres parfaitement superflues étaient mises en évidence et parsemées comme aléatoirement dans le texte. Comme si elles portaient un message caché. Certains de ces textes apparemment codés ne peuvent être déchiffrés, même avec l'aide d'ordinateurs. Saunière non plus ne comprenait ni le texte ni les codes, mais il pressentait qu'il avait trouvé quelque chose d'important. Il a apporté les parchemins à son supérieur, l'évêque de Carcassonne, qui a jeté un œil dessus avant de l'envoyer, à ses frais, auprès des grands ecclésiastiques de Paris. Saunière y a passé trois semaines. On ne sait toujours pas comment il les a employées, mais ce simple curé de campagne a en tout cas été invité dans les cercles les plus fermés. La rumeur veut qu'il ait eu une liaison avec la célèbre cantatrice Emma Calvé. Dans les années qui ont suivi, elle lui a rendu visite ici, dans ce village, à plusieurs reprises. Après son séjour parisien, il est revenu à Rennes-le-Château, où il a continué la rénovation de l'église. Personne ne s'expliquait la nouvelle aisance financière du curé du village. Le financement des travaux n'était plus un problème. Il a entamé d'importantes relations épistolaires avec de nombreux correspondants en France et à l'étranger. Il s'est lancé dans les affaires... et il a fait construire une route moderne menant à Rennes-le-Château, acheté de la porcelaine précieuse, collectionné des timbres de valeur, accumulé une formidable bibliothèque, fondé un jardin zoologique et une orangeraie. Il arrosait ses paroissiens d'argent et de plaisirs. Il recevait des éminences de France et de l'étranger. Et, croyez-le ou non, avant sa mort, en 1917, il avait réussi à dépenser l'équivalent de plusieurs millions d'euros. D'où venait l'argent ? Il refusait de répondre. Un nouvel évêque a trouvé l'affaire suspecte et tenté de le muter, mais Saunière a fait quelque chose d'aussi inédit que de refuser. En butte à la calomnie, il a été suspendu. Mais le Vatican est alors intervenu pour le réinstaller dans ses fonctions de curé du village. Le 17 janvier 1917, il a été victime d'une crise d'apoplexie et, quelques jours plus tard, il mourait. Mais aujourd'hui encore, les habitants du village s'interrogent sur l'origine de cette soudaine fortune.

MacMullin se lève de la meurtrière et me rejoint.

— Je pense que vous voyez un lien, remarque-t-il. Et que vous vous demandez ce que contenaient les rouleaux de parchemin qu'il a trouvés dans le pilier creux sous l'autel. Qu'y avait-il dans les documents qu'il a emmenés à Paris, avant que la richesse transforme ce curé de village, autrefois si pauvre, en un homme fortuné et secret ?

— Je n'en ai pas la moindre idée. Mais vous avez raison, ce sont des questions que je me pose.

— C'est bien ce que je pensais. Vous êtes d'un naturel curieux.

— Et j'imagine que vous connaissez la réponse ?

Il m'empoigne le bras, comme s'il avait le vertige, mais le relâche aussitôt.

— Mais vous n'avez pas prévu de me la dire…

— Les parchemins contenaient, sous forme codée, une généalogie, un arbre, une postérité si vous voulez, qui suivaient les lignées royales jusqu'au début de notre ère, et ils racontaient comment interpréter les révélations sur la lignée.

— Un arbre généalogique royal ?

— Nom après nom. Roi après roi. Reine après reine. Pays après pays. De siècle en siècle.

— A-t-il un rapport avec vos allusions d'hier soir ? Au sujet de la crucifixion ?

— Ce ne serait sans doute pas une supposition entièrement déraisonnable.

Me tenant fermement le bras, il me reconduit à ma chambre.

— Les documents trouvés dans l'église en 1891 contenaient aussi un autre ensemble de renseignements. Nous ignorons leur provenance. Nous ne savons pas qui disposait de ces renseignements ni comment ils ont été transmis. Mais ils nous ont donné les premières indications sur ce qu'il était advenu du *Reliquaire des secrets religieux*. Ils nous ont donné la clef de la quête. Et c'est pourquoi la SIS a été fondée, neuf ans plus tard. Comme un résultat direct des renseignements codés. Nous avions enfin des pistes tangibles à suivre. Nous en savions davantage sur le lieu où chercher la châsse et l'octogone. Mais il allait tout de même nous falloir presque un siècle pour réussir.

Il ferme la porte avec une énorme clef qui fait grincer la rouille du verrou.

— À proprement parler, dis-je en descendant l'escalier, affirmer que vous avez réussi est sans doute un peu prématuré.

9

La veille de Noël, maman me forçait toujours à aller à l'église. En plein Donald sur la chaîne suédoise, elle arrivait en fredonnant sur ses jambes de nylon satiné, dans un nuage de parfum et de rire, et commençait à se préparer. « Nous avons besoin de traditions », avait-elle coutume de dire. Elle est douée en clichés. Elle n'a jamais compris que les dessins animés étaient pour moi une tradition plus importante que le service de Noël. Certes, je n'exclus pas que la neige, les cloches de l'église qui sonnaient, les flammes vacillantes des flambeaux au cimetière, éveillaient en moi un certain esprit de Noël.

Mais pas autant que Donald.

Il en allait de même tous les ans avant les grandes

vacances, mais sous la houlette de l'école cette fois. Par classes entières, on nous obligeait à assister au culte. Je n'ai jamais été pratiquant, mais sous l'imposante table d'autel où Jésus ouvrait ses bras, hypnotisé par le son de l'orgue, le ton psalmodiant du pasteur énonçant ses exhortations, je joignais docilement mes mains d'enfant. Dans de tels instants, le croyant en moi s'éveillait : un petit être difforme qui cherchait le réconfort là où il pouvait le trouver.

L'extase religieuse durait environ quinze minutes, puis l'été prenait le dessus.

Par la suite, j'ai cherché d'autres moyens d'apaiser les langueurs de l'être difforme. Quand je suis devenu adulte, j'ai trouvé le même réconfort entre les cuisses d'une femme. Un désir d'être enveloppé de la chaleur et de la tendresse de quelqu'un qui se souciait de moi et me voulait du bien. En toute pathétique simplicité.

Je reste immobile sur le lit. Il fait nuit. Mon visage et mes mains en feu me démangent.

La chambre est grande, vide, muette.

Une pensée tournoie dans ma tête, telle une mouche qui ne peut s'apaiser. N'existe-t-il qu'une seule vérité ?

Je refuse de croire aux conspirations de MacMullin. Elles sont trop grandes pour moi. Trop irréelles. Crucifixion, croisés, Templiers, forts médiévaux, dogmes, mystérieux francs-maçons, fortunes inouïes, trésors cachés, secrets intemporels. Ces choses-là ne font pas partie de la réalité, en tout cas, pas de la mienne. Ont-ils réellement réussi à garder un secret pendant deux mille ans ? Je ne comprends pas comment c'est possible.

Quelque part dans le château, presque sans bruit, une lourde porte se ferme.

Épaisseur après épaisseur, MacMullin pèle mensonges et fausses pistes et met à nu un noyau. Mais ce noyau est-il lui aussi un leurre ?

J'ignore s'il ment. S'il croit lui-même dire la vérité ou s'il la dit véritablement.

Je me posais les mêmes questions à propos du pasteur. Quand j'étais assis sur le banc en bois dur, le regard braqué sur la chaire, je me demandais s'il croyait vraiment à ce qu'il disait. Ou si chez lui aussi le doute s'insinuait, lui laissant un espoir vermoulu que tout, sur la terre comme au ciel, se présentait bien comme il le prêchait.

10

Je me suis assoupi un moment quand la porte s'ouvre, et j'entends les pas légers de Diane derrière l'écran.

Je dois être en voie de guérison. Ma première pensée est en effet qu'elle est venue pour baiser un petit coup. Je me hisse sur les coudes. Je suis plus que disposé à jouer le rôle du patient sans défense à la merci de l'infirmière lubrique. Dans mon imagination, je suis un fervent adepte de la plupart des fétichismes douteux.

Mais son visage est triste. Elle s'assied lourdement sur la chaise, refusant de croiser mon regard. Quelque chose la tourmente.

— Diane ?

— Il faut qu'on parle.

J'attends un peu qu'elle continue.

— Papa m'a raconté que…

Elle se tait.

Avec précaution, je me lève et m'habille. Les yeux détournés, elle me prend la main, tendrement, comme si elle avait peur de me faire mal, et, ensemble, nous quittons la chambre, descendons l'escalier et sortons dans le jardin.

Il fait nuit. Un lampadaire a attiré un essaim d'insectes et le tient prisonnier. La brise est douce et apaise ma peau, sous laquelle le feu couve et qui constamment picote. Je songe qu'elle va me dire quelque chose que je ne veux pas savoir.

Elle me guide sur une allée gravillonnée jusqu'à un banc près d'un bassin d'ornement aux fontaines tues, envahi depuis longtemps par les algues et sentant l'eau croupie.

— Bjorn, chuchote-t-elle. Il faut que je te dise quelque chose.

Sa voix a une inflexion étrangère.

Je m'assieds. Elle se tient devant moi les bras croisés et ressemble à la belle statue blanche *La Nonne Solitaire* dans le jardin du monastère de Værne.

Tout d'un coup, je saisis. Elle est enceinte !

— J'ai réfléchi, dit-elle.

Sa respiration est ténue.

— D'abord je ne voulais pas, mais ce n'est que justice. Que je te dise les choses comme elles sont, que tu comprennes.

Je reste silencieux. Je ne me suis jamais imaginé dans le rôle de père. L'idée m'est étrangère. Dans ce cas, il faudra sans doute que nous nous marions. Si elle veut de moi. Et j'imagine que oui, non ? J'imagine l'heureux couple Bjørn et Diane, entouré de petits bambins baveux à quatre pattes.

Elle a lâché ma main, mais en s'asseyant elle l'agrippe un peu trop fort. Vivrons-nous à Oslo ou à Londres ? Je me demande si c'est un garçon ou

une fille. Je regarde son ventre plat. Puis, interrogation suivante : comment peut-elle savoir qu'elle est
enceinte après si peu de temps ?

— Parfois, commence-t-elle, tu apprends des
choses que tu n'aurais jamais voulu savoir.

— Quoique tu ne le saches pas avant qu'il soit trop
tard. Parce que c'est seulement quand tu sais que tu
te rends compte que tu ne voulais absolument pas
savoir.

Je ne crois pas qu'elle m'écoute vraiment. Sans
doute était-ce passablement abscons.

— Il s'agit de ma mère.

Sur l'eau immobile, une grenouille se met à coas-
ser. J'essaie de la voir. Mais elle n'est qu'un son.

— Qu'est-ce qu'elle a ?

Elle ferme les yeux.

— Je croyais que ta mère était morte.

— Moi aussi.

— Mais ?

— Ils ne m'ont jamais laissé faire sa connaissance.
Elle ne voulait pas entendre parler de moi.

— Je ne comprends pas. Qui est-elle ?

— Tu la connais.

J'essaie de lire son visage.

D'abord je songe : maman ?

Puis : Grethe ?

— MacMullin est sorti avec Grethe ! À Oxford !

Elle est muette.

À présent c'est moi qui suffoque.

— Est-ce que Grethe est ta mère ?

La grenouille a bougé. Les coassements viennent
d'ailleurs. Ou peut-être a-t-elle enfin obtenu une
réponse d'une congénère ?

— Il y a autre chose. Je suis la seule fille de papa.
Son unique enfant.

— Et alors ?

Elle secoue la tête.

— Ça ne signifie rien. Pas pour nous, je veux dire.

— Ça signifie tout. Tout !

— Il faut que tu m'expliques.

— Tu comprends, papa n'est pas…

Pause.

— N'est pas quoi ?

— Quand il mourra, je vais…

Pause.

— Oui ? Quand il mourra, tu vas quoi ?

Elle se tait.

— Je n'y peux rien. Crois-moi. Mais c'est comme ça.

— Je ne saisis pas.

— C'est juste que ça ne marcherait jamais.

— Qu'est-ce qui ne marcherait pas ?

— Toi. Moi. Nous.

— N'importe quoi, il n'y a rien qui ne soit pas surmontable…

Elle secoue la tête.

— … je pensais que c'était du sérieux.

— Tu sais… Quand nous nous sommes rencontrés, tu étais si différent, si rafraîchissant, si fondamentalement différent de tous les hommes que j'avais connus. Ce que j'ai ressenti à ce moment-là était… quelque chose de vrai. Quelque chose que je n'ai jamais ressenti, jamais de cette manière. Et puis papa est venu tout gâcher.

— Mais tu as continué. Tu m'as dragué.

— Pas pour les couvrir. Bien au contraire, pour les défier. Essaie de comprendre, Bjorn. Si je me suis servie de toi, c'est pour moi, par bravade, parce que tu signifies quelque chose. Parce que je voulais leur

434

montrer que je ne faisais pas partie de leur jeu. Mais malgré tout…

Elle secoue la tête.

— Ça peut fonctionner, Diane. Nous pouvons mettre tout cela derrière nous.

— Ça ne marcherait jamais. Ils ont tout gâché pour nous.

— Ne pouvons-nous pas tout de même…

— Non, Bjorn.

Elle se lève brusquement.

— C'est comme ça, c'est tout.

Elle ne me regarde pas.

— Je suis navrée.

Elle croise mon regard, sourit brièvement, tristement.

Puis elle tourne les talons et remonte l'allée à vive allure. La dernière chose que j'entends d'elle, c'est le crissement de ses pas sur le gravier.

Lorsque papa est mort, maman a longuement débattu avec les pompes funèbres de la question de savoir si le cercueil devait être ouvert pendant la commémoration à l'église. L'agent nous conseillait de fermer le cercueil afin de conserver le souvenir de lui tel qu'il avait été.

Devant le refus de maman, il s'est vu obligé de se montrer désagréable.

— Madame, il est tombé de trente mètres de haut, droit sur un éboulis.

Maman ne paraissait pas comprendre. Elle n'était pas tout à fait elle-même.

— Ne pouvez-vous pas le maquiller ?

— Madame, vous ne saisissez pas. Quand un corps heurte un amas de pierres à l'issue d'une chute de trente mètres…

435

En fin de compte, le cercueil est resté ouvert.

La chapelle était décorée de fleurs. Un organiste et un violoniste ont joué des cantiques. Au fond, près d'une porte, se tenaient quatre hommes des pompes funèbres. Ils avaient la mine professionnelle et semblaient sur le point d'éclater en sanglots d'un instant à l'autre. Ou de rire peut-être.

Le cercueil était surélevé, au milieu de l'église.

Adagio. Des notes fragiles dans le silence. Des sanglots bas. Le deuil se mêlait à la musique.

Ils avaient joint ses mains, qui étaient intactes, et glissé un bouquet de fleurs des champs entre ses doigts. Le peu qui était visible de son visage apparaissait dans une ouverture ovale découpée dans le coupon de soie qui entourait sa tête. Pour nous épargner. Ils avaient dû travailler longtemps sur son cas. S'efforçant de recréer son apparence avec du coton et du maquillage. Et pourtant il était méconnaissable. Ce n'était pas papa qui était allongé là. Quand j'ai pris sa main, ses doigts étaient rigides et glacials. Je me souviens d'avoir songé que c'était comme de toucher un cadavre.

11

Matin. Le jour est voilé. Les couleurs des collines ne se sont pas encore éveillées.

Engourdi de sommeil, je suis accoudé à la fenêtre. J'ai passé la nuit les yeux perdus dans le grand néant noir et vu l'obscurité se dissoudre en une pâle lueur, les chauves-souris danser sous les étoiles. Depuis l'aube, les oiseaux volettent et gazouillent dans l'arbre devant la fenêtre. Tels des points filants, ils ont chassé des insectes hauts dans le ciel. Dans la cour, un chat gris noir s'arrête pour s'étirer avec volupté. Un camion endormi cahote sur la route de campagne, chargé de fruits et de légumes.

Diane est partie. Je l'ai vue s'en aller. Au milieu de la nuit, quelqu'un a porté ses valises dans le mini-bus et l'a emmenée. Pendant plusieurs minutes, j'ai suivi la lente bille de lumière avant que l'obscurité l'avale.

12

— Avez-vous déjà été frappé par l'idée que rien dans la vie n'est tout à fait comme vous l'imaginiez ?

Il est assis à la lueur du feu de cheminée. C'est le soir. Un néandertalien aux mâchoires serrées et au regard fuyant est venu me chercher dans ma chambre pour m'escorter, sans un mot, dans les couloirs du fort jusqu'à ce que, par excès de modestie, MacMullin appelle « le coin lecture ».

Les murs de cette grande bibliothèque sont tapissés de livres. Des milliers et des milliers d'ouvrages anciens, du sol au plafond ; une mosaïque de tranches jaunies et de couvertures aux titres chargés de volutes en latin et en anglais. La pièce sent la poussière, le cuir et le papier.

MacMullin nous a servi deux verres de xérès. Nous trinquons en silence. Les bûches crépitent.

Il s'éclaircit la voix.

— Il paraît que vous avez parlé avec Diane.

Je contemple les flammes.

— Grethe est sa mère.

— C'est ainsi.

— Nous avons beaucoup de choses en commun, vous et moi.

— Je suis désolé que les choses aient dû se terminer ainsi. Pour vous. Diane. Et... tout...

— Pourquoi vous appelez-vous MacMullin ?

Il me considère avec surprise.

— Comment auriez-vous voulu que je m'appelle ?

— Vous êtes d'origine française. Pourquoi un nom écossais ?

— Parce que j'aime sa sonorité.

— Donc c'est juste un surnom ?

— J'ai tant de noms.

— Tant ? Pourquoi cela ? Et pourquoi écossais ?

— C'est le nom que je préfère. L'un de mes ancêtres, François II, a épousé Marie Stuart, qui avait grandi à la cour française et conservait des liens étroits avec la France. Vous connaissez sûrement votre histoire. Avant d'être frappé d'une mort soudaine, il a eu une aventure avec une femme distinguée du puissant clan écossais MacMullin.

Il trempe les lèvres dans son xérès. Entre nous vibre une membrane de méfiance réciproque. MacMullin disparaît en lui-même. J'expédie mon attention en voyage exploratoire dans la grande pièce.

Finalement je cède à la pression du silence.

— Vous m'avez demandé de venir ?

Son regard croise le mien avec une étincelle ludique. Comme s'il cherchait à éprouver les limites de ma patience.

— Hier, dit-il, je vous ai parlé des parchemins que l'abbé Bérenger Saunière avait trouvés en rénovant l'ancienne église.

— Et ce soir ?

Je lui lance le défi en riant. J'ai l'impression d'être

dans *Les mille et une nuits*. Quoique Shéhérazade fût sans doute plus jolie que MacMullin.

— Ce soir, je vais vous raconter ce que les parchemins ont révélé.

— Quelque chose sur un arbre généalogique ?

— Sur une généalogie. Mais ce n'est pas tout.

MacMullin inspire profondément, retient son souffle et relâche l'air entre ses lèvres. Dans un long soupir.

— Des allusions aux événements réels.

— Réels ?

Il se frotte énergiquement les mains, comme pour enlever deux gants invisibles.

— L'autre jour, je vous ai raconté quelque chose que vous devez avoir du mal à accepter.

— Vous voulez dire à propos de la crucifixion ?

MacMullin ne répond pas tout de suite. Il semble rechigner à la moindre révélation.

— La crucifixion est à la fois un événement historique et un symbole religieux. Le christianisme est fondé sur le fait que Jésus s'est relevé d'entre les morts.

— MacMullin…

Je me penche en avant sur mon siège.

— … de quelle confession êtes-vous ?

Il fait semblant de ne pas entendre.

— Si Jésus n'est pas mort sur la croix et que la Résurrection est une falsification, qui était-il ?

— Un rebelle. Un annonciateur. Et un grand philosophe humaniste. Nous avons déjà parlé de tout cela.

— Mais pas une divinité, complète MacMullin. Certainement pas le Fils de Dieu.

— Vous êtes juif, non ?

— Ma confession n'a pas d'importance. Je ne fais

partie d'aucune église. Je crois en une Puissance qui ne se laisse pas décrire avec des mots ou capturer entre les couvertures d'un livre. Et sûrement pas approprier par des prêtres ou des prophètes.

Il secoue la tête.

— Mais ce que je crois et pourquoi, nous pourrons l'explorer un autre soir.

— Expliquez-moi pourquoi vous pensez que Jésus a survécu à la crucifixion ?

MacMullin fait tourner son verre de xérès et en observe les prismes à la lumière.

— Je suis tenté de renverser la question.

— Vous voulez dire pourquoi est-il mort ?

— Plus exactement, pourquoi est-il mort si rapidement ?

— Si rapidement ?

Il pose le verre sur la table ronde entre nous.

— Dans les Évangiles, peu d'éléments étayent le fait que les blessures infligées à Jésus, des blessures de chair en fait, aient entraîné une mort rapide.

— Il a été crucifié ! Cloué à une croix ! Torturé ! Pourquoi ne serait-il pas mort rapidement ?

MacMullin presse ses doigts les uns contre les autres.

— Tout croyant, tout médecin, tout historien a le droit d'avoir sa propre conception des choses. Mais c'est un fait qu'à moins d'être très malade, ou de se faire infliger de graves lésions internes, c'est long de mourir. Le corps est un organisme robuste. Toutes ses fonctions sont orientées vers la vie.

— Si ma mémoire est bonne, Jésus est resté sur la croix pendant des heures, non ?

— Cela ne signifie rien. Il fallait souvent de nombreux jours pour que la mort libère les crucifiés, sauf quand les gardes avaient été assez miséricordieux pour leur briser les jambes ou leur infliger le coup de grâce à la lance.

J'essaie de me représenter la souffrance.

— Pour comprendre mon raisonnement, poursuit-il, vous devez savoir comment les Romains exécutaient les crucifiements. Tout se passait suivant un rituel précis.

— Je ne suis pas sûr de vouloir en savoir plus.

— Pendant l'été 1968, une équipe de chercheurs dirigé par un archéologue du nom de Tzaferis a découvert quatre cryptes près de Giv'at ha-Mitvar au nord de Jérusalem. Dans ces cryptes se trouvaient trente-cinq squelettes. On a pu établir que les décès dataient d'une période s'étendant de la fin du IIe siècle avant notre ère à l'an 70. Chacun des squelettes racontait sa terrible histoire. Un enfant de 3 ans avait reçu une flèche dans la tête. Un adolescent et une femme, un peu plus âgée, avaient péri brûlés. On avait brisé le crâne d'une femme d'une soixantaine d'années. Une autre, trentenaire, était morte en couches ; les restes du fœtus se trouvaient encore dans son bassin. Mais le plus intéressant était un homme qui avait été crucifié.

— Jésus ?

— Non, dit MacMullin, ça aurait fait sacrément sensation. Notre homme était vraisemblablement plus jeune que Jésus. Mais ce jeune homme, qui d'après le mausolée s'appelait Jehohanan, a été crucifié au même siècle que Jésus. Et il a été crucifié non seulement presque en même temps, mais de plus au même endroit, près de Jérusalem, et par les Romains. C'est pourquoi nous pouvons supposer que la crucifixion de Jésus lui a ressemblé en de nombreux points.

— Je préfère ne pas connaître les détails.

— Le mode d'exécution n'était rien de moins

qu'épouvantable, d'une brutalité indicible. Le jugement prononcé, on affaiblissait la victime en la flagellant. Puis ses bras étaient fixés, soit avec des lanières, soit avec des clous, à un lourd madrier en bois placé horizontalement derrière la nuque et les épaules. Ce madrier, la victime était forcée de le porter jusqu'au lieu du supplice, où il était hissé sur un poteau vertical.

MacMullin pose les mains sur ses genoux et serre inconsciemment les poings.

— Ce qui est intéressant chez Jehohanan est que la partie inférieure de son avant-bras montrait des signes de frottement contre le clou. En d'autres termes, il n'a pas été cloué à la croix par les paumes, mais par l'avant-bras. Les paumes ne peuvent pas supporter le poids d'un homme adulte. Par ailleurs, les jambes de Jehohanan avaient été pressées l'une contre l'autre et pliées sur le côté, faisant dépasser ses deux genoux de la croix. Un clou avait été planté à travers ses deux talons. Les chercheurs pensent que la croix était munie d'une petite sellette sur laquelle Jehohanan pouvait se reposer. Autrement dit, il était suspendu dans une position très contorsionnée et peu naturelle.

MacMullin boit un peu de xérès. Nous contemplons les flammes dans la cheminée.

— Pendre ainsi en avant, en étant accroché par les bras, entravait la respiration, poursuit-il. Calculateurs comme ils l'étaient, les bourreaux prolongeaient souvent le supplice au moyen d'une sellette ou d'une marche. Le crucifié était ainsi davantage debout que suspendu, si vous voyez ce que je veux dire. Avec un support pour les pieds, un homme fort et en bonne santé pouvait survivre un jour ou deux — parfois près d'une semaine — sur la croix.

MacMullin me regarde et déglutit.

— Il n'existe probablement pas de mise à mort plus inhumaine. Les victimes ne succombaient pas à la douleur ou aux pertes de sang. Elles mouraient d'épuisement, de soif, d'asphyxie ou de septicémie !

Il frotte le bout de ses doigts contre ses pommettes en se recomposant.

— Parfois, les bourreaux faisaient preuve de miséricorde envers les condamnés. En leur brisant les jambes, paradoxalement. C'était une façon de les aider à mourir. Car les jambes brisées, ils n'avaient plus la force de garder le corps dressé et suffoquaient. C'est ce qui est arrivé à Jehohanan. Alors qu'il pendait sur la croix, ses jambes ont été brisées. Pour son propre bien.

— Et Jésus ?

— Les pieds de Jésus étaient fixés à la croix. Son corps était bien soutenu. Et pourtant il n'a passé que quelques heures sur la croix avant d'expirer. Il n'existe aucune justification médicale de son trépas si rapide. Rien dans la description de la Bible n'indique que les tortures subies, la flagellation, la couronne d'épines, les clous, les coups de lance, allaient en elles-mêmes mener à une mort rapide.

— Pourquoi pas ? Ne peut-il pas simplement avoir été si affaibli par la torture qu'il n'a pas supporté la crucifixion ?

— Les Romains avaient une certaine expérience en la matière. Ponce Pilate lui-même a été époustouflé par la vitesse à laquelle Jésus était mort.

Je me tortille sur ma chaise. Je ne sais pas si je dois me laisser emporter par l'enthousiasme singulier de MacMullin ou si ceci est encore une fausse piste destinée à me déconcerter et à noyer la vérité dans le brouillard.

MacMullin se lève et marche jusqu'au manteau de la cheminée. Il se tourne en croisant les bras.

— De quoi Jésus a-t-il pu périr aussi vite ? Certainement pas d'avoir été cloué à une croix. Pas des plaies laissées par les coups de lance dans le côté, qui d'après les Écritures, lui ont été infligés après sa mort. La seule cause vraisemblable est, comme vous le laissez entendre, l'épuisement dû à l'épreuve préalable. Mais Jésus était un homme jeune et en bonne santé. Il était bien trop résistant pour que la mort par épuisement paraisse vraisemblable.

Je dis :

— J'ai toujours envisagé la crucifixion comme un acte d'une atrocité indicible. Qui vous emportait rapidement et dans la douleur.

MacMullin soupire lourdement.

— Atroce, oui. Mais ça n'allait pas vite. Bien au contraire. La crucifixion était une méthode d'assassinat lente et cruelle.

Il se rassied dans son fauteuil et vide son xérès d'un trait rapide.

— Encore une chose : on donne à Jésus une éponge de vinaigre juste avant qu'il expire. Du vinaigre ? Pourquoi lui donnent-ils du vinaigre ? Le vinaigre est une boisson stimulante destinée à maintenir les victimes conscientes. Au lieu de mourir, il aurait dû être tonifié après avoir bu.

MacMullin roule le verre vide entre ses doigts.

— Mais c'est maintenant que nous pouvons commencer notre jeu intellectuel, notre opération mentale.

Pendant quelques secondes il se perd dans un monologue intérieur.

— Imaginez que l'éponge n'ait pas contenu de vinaigre stimulant, mais un tout autre produit, par exemple une substance anesthésique, narcotique. Une substance qui provoque l'évanouissement de Jésus. Pour tous les témoins de la crucifixion, ce serait apparu comme une mort subite.

J'essaie d'imaginer la scène, mais je ne sais toujours que croire.

MacMullin s'enfonce dans son fauteuil et m'observe avec un sourire prudent qui recourbe ses lèvres, comme s'il comprenait parfaitement bien ce qui défilait dans ma tête en cet instant.

— Quand vous commencez à lire les Évangiles d'un œil critique, les questions se bousculent. D'après la Bible, la crucifixion a eu lieu au Golgotha, qui signifie « crâne ». Près d'un jardin… un jardin avec un sépulcre taillé dans le roc. Ce jardin appartenait à Joseph d'Arimathie, un partisan de Jésus. Ce n'est pas donné à tout le monde d'avoir un sépulcre dans son jardin. Il devait faire partie de la classe supérieure. En même temps, le crucifiement était un mode d'exécution que les Romains réservaient à la classe inférieure. Tout cela est relativement insaisissable. Les descriptions de la Bible laissent entendre que la crucifixion de Jésus pourrait avoir été de nature privée, et exécutée dans une propriété privée, pas dans un lieu de supplice public. Pourtant le procès était public.

— Pourquoi aurait-on mis en scène un canular pareil ?

— Que pensez-vous, demande-t-il doucement, de l'affirmation selon laquelle la crucifixion aurait été une illusion avalisée par les dirigeants.

— Que voulez-vous dire ? Que les Romains étaient dans la combine ?

— Pourquoi pas ? Qui était Ponce Pilate si ce n'est un forban corrompu ? À quel point pensez-vous qu'il était difficile de lui glisser un pot-de-vin pour qu'il ferme les yeux sur un faux crucifiement ? Un petit arrangement rusé, qui a aussi résolu tous les problèmes posés par ce trublion juif de Jésus.

Je lève les yeux au ciel, mais il ne le voit pas.

— Nous devons examiner les circonstances de la crucifixion de Jésus à la lumière de la compréhension qu'avaient de lui ses contemporains. Qui était-il pour eux ? Un agitateur politique ! Pas une divinité ! Souvenez-vous que les prophètes autoproclamés florissaient à cette époque. Prédicateurs, voyants, fakirs, diseurs de bonne aventure, oracles… Un charlatan sur deux était capable de faire des miracles.

— Donc pourquoi continuons-nous de le vénérer ? Quelque chose a dû le distinguer de la masse ?

— Il maîtrisait la parole. La parole !

— Et c'est tout ?

— Sa parole était différente. Sa conception de l'homme était différente. Il a créé une nouvelle conception du monde, avec la valeur humaine au cœur de l'existence. Jésus était intelligent, modéré. Il ne recourait pas à la menace pour se faire obéir de ses partisans, comme les prophètes du jour du jugement dernier de l'Ancien Testament. Il a introduit l'Évangile de l'amour. Il nous a enseigné la bonté, la piété, l'amour de notre prochain. Toutes choses qui, à l'époque, sans vouloir être irrespectueux, ne couraient pas précisément les rues.

— Mais comme vous le disiez, il n'était pas le seul prophète.

— Seules quelques très rares personnes pensaient que Jésus était le Messie de l'Ancien Testament. Les juifs ne voulaient absolument pas de lui. Il contredisait les docteurs de la Loi. Attaquait des dogmes juifs ancestraux. C'est la postérité, sous la houlette des Apôtres et des évangélistes, qui a créé l'image d'un Jésus divin. En arrangeant l'histoire de sa vie et de son enseignement. En taillant les Évangiles aux mesures de leur lectorat et de l'époque contemporaine. Ils biffaient, ajoutaient. D'autres corrigeaient et ajoutaient plus encore. Pourquoi devons-nous croire à ces copies de copies si vieilles et peu fiables ? Il n'existe aucune documentation écrite sur Jésus datant de son propre temps. Toutes les références dont nous disposons sont ultérieures.

— Vous en dites des choses. Mais rien ne confirme que la crucifixion ait été un canular.

— Parce que ce n'était pas un canular !

MacMullin se penche vers moi.

— Écoutez ce que je dis ! La crucifixion a eu lieu. Ce que je vous explique, c'est qu'elle a eu des conséquences tout à fait différentes de celles rapportées dans l'histoire sainte.

— Et vous avez des indices sur lesquels fonder une affirmation aussi absurde ?

MacMullin glousse.

— Vous êtes entêté ! Ça me plaît ! Je n'essaie pas de démontrer mon affirmation. Je connais la vérité. Je m'efforce de vous montrer comment une partie des paradoxes de la Bible et de l'histoire n'a de sens que dans le cadre d'une toute nouvelle compréhension.

— Une nouvelle compréhension ? Quelle compréhension ? Je ne comprends strictement rien !

Ses yeux brillent joyeusement.

— Laissez-moi vous donner encore un exemple.

— Une preuve ?

— Un indice. Après la crucifixion, Ponce Pilate a enfreint toutes les règles romaines en laissant Joseph d'Arimathie avoir le corps de Jésus. Dans la traduction grecque de la Bible, Joseph demande qu'on lui délivre « *soma* », un corps vivant. Pilate répond par « *ptoma* », un cadavre. Comment cette erreur d'interprétation a-t-elle pu naître ?

— Vous me posez la question ? La traduction de la Bible n'est pas mon fort.

— Quelle raison Pilate avait-il d'autoriser que le corps de Jésus soit délivré à l'un de ses partisans ? C'était risquer d'en faire un martyr ! Souvent les crucifiés n'étaient pas enterrés du tout. On les abandonnait au contraire aux forces de la nature et aux oiseaux. Pour les Romains, Jésus était avant tout un rebelle problématique. Un fauteur de trouble et un agitateur, dont ils auraient préféré qu'il disparaisse de son époque et de l'attention des gens. L'affirmation selon laquelle il était le Fils de Dieu, ils la considéraient plutôt comme une bizarrerie. Les Romains avaient leurs propres dieux. Ils ne voyaient sans doute pas vraiment pourquoi le Jéhovah des juifs aurait procréé son Fils de l'Homme avec une jeune fille pauvre fiancée à un charpentier. L'obligeance dont les Romains ont fait preuve après la crucifixion de Jésus n'était absolument pas coutumière. À moins que des hommes puissants n'aient acheté Ponce Pilate.

— Vous semblez si sûr de vous.

— Vous avez vous-même visité l'institut Schimmer. Il existe d'autres manuscrits, récits, écrits secrets qui font allusion à ce qui a pu se passer. Mais même dans les écrits célèbres, on trouve des pistes étayant cette théorie.

MacMullin va à la bibliothèque et en sort une bible reliée en cuir rouge.

— Reportons-nous à l'Évangile de Marc, dit-il en humectant le bout de ses doigts avant de tourner les pages. L'Évangile de Marc est celui qui a été écrit le premier. Dans les manuscrits originaux les plus anciens — les transcriptions — l'histoire s'achève sur la mort de Jésus, qui est transporté à sa tombe. Quand les femmes arrivent, elle est ouverte et vide. Son corps a disparu. Un mystérieux homme vêtu de blanc — un ange ? — explique qu'il a ressuscité. Effrayées, les femmes s'enfuient et, sous l'emprise du choc, ne racontent à personne ce qu'elles ont vécu, écrit Marc. Le mystère reste entier de savoir comment il a eu vent de l'événement. Mais, ceci n'était pas le *happy end* voulu par l'époque. Personne n'acceptait cette fin dépourvue de sens. Donc, qu'ont-ils fait ? Ils l'ont changée. Ils en ont écrit une autre.

— Qui ?

— Les copistes ! Les autres évangélistes !

Il feuillette avec frénésie jusqu'au chapitre XVI et lit à voix haute :

« Lorsque le sabbat fut passé, Marie de Magdala, Marie, mère de Jacques, et Salomé, achetèrent des aromates afin d'aller embaumer Jésus.

« Le premier jour de la semaine, elles se rendirent au sépulcre, de grand matin, comme le soleil venait de se lever.

« Elles disaient entre elles : Qui nous roulera la pierre loin de l'entrée du sépulcre ? Et, levant les yeux, elles aperçurent que la pierre, qui était très grande, avait été roulée.

« Elles entrèrent dans le sépulcre, virent un jeune homme assis à droite vêtu d'une robe blanche, et elles furent épouvantées.

« Mais allez dire à ses disciples et à Pierre qu'il vous précède en Galilée : c'est là que vous le verrez, comme il vous l'a dit.

« Elles sortirent du sépulcre et s'enfuirent. La peur

et le trouble les avaient saisies ; et elles ne dirent rien à personne, à cause de leur effroi. »

MacMullin lève les yeux :

— C'est ici que s'arrête l'Évangile de Marc.

— Mais pourtant l'histoire continue !

— Oui, l'histoire continue, mais ce n'est pas Marc qui l'a écrite. Marc, le premier des évangélistes, celui sur lequel tous les autres se sont fondés, achève son histoire sur la promesse du Jésus ressuscité, point final. Oui, voyez-vous comme elle se termine naturellement ici ? Mais la postérité n'était pas satisfaite de cette fin. Elle en voulait une qui soit plus tangible, plus concrète. Qui ait du panache ! Qui soit porteuse de promesses et d'espoir. C'est pourquoi le reste a été ajouté. Et prêtez attention à la rupture de style, oui, voyez à quel point les autres versets ont un goût de résumé rajouté :

« Jésus, étant ressuscité le matin du premier jour de la semaine, apparut d'abord à Marie de Magdala, de laquelle il avait chassé sept démons.

« Elle alla en porter la nouvelle à ceux qui avaient été avec lui, et qui s'affligeaient et pleuraient.

« Quand ils entendirent qu'il vivait, et qu'elle l'avait vu, ils ne crurent point. »

— Notez bien ce point, m'enjoint MacMullin. Quand elle a raconté ce qu'elle avait vu, ils ne l'ont pas crue. Et ce n'est pas fini :

« Après cela, il apparut, sous une autre forme, à deux d'entre eux qui étaient en chemin pour aller à la campagne.

« Ils revinrent l'annoncer aux autres, qui ne les crurent pas non plus. »

— C'est étonnant, car Jésus lui-même avait annoncé son retour, ses proches l'attendaient, ils prévoyaient son retour, indique la Bible. Donc, pourquoi aucun de ses partisans les plus proches ne le croient-ils pas quand cela se produit ? Jésus tient sa promesse et aucun de ses partisans ne l'accepte ? Ils auraient dû être fous de joie ! Louer le Seigneur ! Mais non, que se passe-t-il ? Ils ne le croient pas. Ils le rejettent ! Si vous lisez attentivement ces versets, vous ne tarderez pas à voir comment toute cette histoire de révélation a des airs d'ajout ultérieur. Pourquoi ? Eh bien parce que les manuscrits étaient arrangés. Ce sont les copistes et les autres évangélistes qui ont fait ressusciter Jésus, en chair et en os, avec ses injonctions d'aller annoncer la bonne nouvelle au monde entier. Une solution bien plus prisée du lectorat, à croire qu'Hollywood était passé par là pour retoucher le scénario.

MacMullin glisse son doigt jusqu'au verset 14 et lit :

« *Enfin, il apparut aux onze, pendant qu'ils étaient à table ; et il leur reprocha leur incrédulité et la dureté de leur cœur, parce qu'ils n'avaient pas cru ceux qui l'avaient vu ressuscité.*

« *Puis il leur dit : Allez par tout le monde, et prêchez la bonne nouvelle à toute la création.* »

— Remarquez-vous comment l'enthousiasme s'empare de l'auteur ? Comment il s'efforce d'amener le récit à un apogée, à une apothéose littéraire flamboyante ? Et maintenant il décolle complètement, d'abord avec des promesses et des menaces :

« *Celui qui croira et qui sera baptisé sera sauvé, mais celui qui ne croira pas sera condamné.*

« *Voici les miracles qui accompagneront ceux qui auront cru : en mon nom, ils chasseront les démons ; ils parleront de nouvelles langues ; ils saisiront des serpents ; s'ils boivent quelque breuvage mortel, ils ne leur feront point de mal ; ils imposeront les mains aux malades, et les malades, seront guéris.* »

MacMullin plisse le front.

— Sommes-nous censés le prendre au pied de la lettre ? Exorcisme ? Parler en langue ? Résistance au poison ? Imposition des mains ? Ou bien sommes-nous en présence d'un auteur débordant de foi ardente et d'enthousiasme qui souhaite amener un récit à une apothéose spirituelle ? Le récit s'achève ainsi :

« *Le Seigneur, après leur avoir parlé, fut enlevé au ciel, et il s'assit à la droite de Dieu.*

« *Et ils s'en allèrent prêcher partout. Le Seigneur travaillait avec eux, et confirmait la parole par les miracles qui l'accompagnaient.* »

Il referme le livre.

— Chez Marc, la fin est vague, diffuse, inachevée. Même pimentée par ceux qui ont copié et diffusé ses écrits, elle paraissait anémique. Les autres évangélistes n'étaient nullement satisfaits de son récit. Ils ont donc donné encore plus de couleur à leurs propres versions. Ils voulaient du pathos, de l'action ! C'est le Jésus ressuscité, et pas un ange, qui rencontre les femmes près de la tombe. Jésus rencontre les disciples face à face. Quelle version est vraie ? Quel évangéliste raconte la vérité, quel évangéliste a mal compris ? Et puis je me demande ce que les autres évangélistes savent que le premier d'entre eux, Marc, ignorait totalement ? Pourquoi sont-ils bien mieux informés que Marc ? Aucun d'eux n'était présent — ils ont tous eu accès aux mêmes sources. Comment peuvent-ils alors être aussi précis dans leurs descriptions de la Résurrection et de la révélation quand le premier d'entre eux ne l'était pas du tout ?

MacMullin l'entend peut-être comme une question. Mais je n'essaie même pas de répondre.

— Les Évangiles, reprend-il, sont nés de l'obligation pour l'Église primitive d'affirmer sa croyance en Jésus comme Seigneur ressuscité de l'Église. Le dogme de la Résurrection de Jésus était un prérequis. Une nécessité. Elle avait besoin de la Résurrection comme d'un fondement de ses descriptions. Car, sans la Résurrection, elle n'avait finalement pas de religion. Les évangélistes ne se préoccupaient pas tellement du Jésus historique, c'était le Jésus spirituel qu'ils dépeignaient et ils croyaient en lui. Ils avaient la conviction que l'esprit de Jésus était parmi eux. Leur but n'était pas de brosser un tableau historique ou chronologique de la vie de Jésus. Leur seul objectif était de prêcher la bonne parole, de convaincre les lecteurs que Jésus était le fils ressuscité de Dieu. À partir des nombreux récits de l'Église primitive, ils ont composé leurs Évangiles. Mais si vous éliminez la Résurrection de la Bible, vous vous retrouvez avec des épisodes isolés de la vie héroïque d'un grand humaniste.

Il nous ressert de xérès. Nous restons assis en silence. Les minutes passent.

Je demande :

— Admettons que tout ce que vous me dites soit vrai, que s'est-il réellement passé ?

Il aspire son vin et clappe de la langue pour en goûter toutes les nuances. Avec lenteur et concentration — comme s'il soulevait un poids d'intellect pur —, il porte son regard de la cheminée jusqu'à moi.

— Ce n'est pas évident de vous donner une explication qui semble immédiatement recevable, observe-t-il en reposant son verre.

Je hoche doucement la tête.

— Quand une certaine représentation a été martelée dans nos esprits avec le poids de deux millénaires, il en faut beaucoup pour accepter une toute nouvelle version. On n'est tout bonnement pas enclin à la croire.

— Vous m'avez déjà raconté l'essentiel : Jésus a survécu à la crucifixion.

C'est seulement maintenant que je remarque combien MacMullin semble las, vieux, fatigué. Comme si cette conversation l'avait vidé de ses forces. Sa peau est blafarde, moite, ses yeux éteints.

— D'aucuns parleraient sans doute de complot.

Les mots lui viennent lentement, pensivement.

— D'autres parleraient de trait de génie. Quoi qu'il en soit, c'est certainement la plus grande supercherie de l'histoire mondiale.

— Mais qu'est-il arrivé à Jésus ?

Son visage se métamorphose. C'est comme s'il me racontait une scène à laquelle il a lui-même assisté, mais dont il a de la peine à se souvenir parce que cela remonte à si loin.

Il dit :

— Que lui est-il arrivé ?

Il reste longtemps muet avant de reprendre :

— On l'a descendu inconscient de la croix et enveloppé dans le linceul qui allait plus tard devenir si célèbre et si controversé. Mais oui, c'était bien son empreinte sur le suaire de Turin. Un processus chimique, ni plus ni moins. Apparemment sans vie, il a été transporté jusqu'à la crypte. Seuls les membres de son cercle le plus intime étaient avec lui. Ceux qui savaient qu'il n'était pas mort. Pour tous les autres — spectateurs, soldats — il était évident qu'il nous avait quittés.

— Et puis ?

— Personne ne connaît les détails de la suite des événements. Nous avons simplement des allusions cachées dans des écrits ancestraux hermétiques. Mais à un moment ou à un autre, vraisemblablement sous le couvert de la nuit, on a sorti Jésus du suaire, qu'on a laissé dans la crypte. De là, il a été transporté dans une cachette secrète. Nous supposons qu'il y a passé plusieurs semaines dans la clandestinité, tandis que les femmes pansaient ses plaies et le soignait. Et veillaient par ailleurs à diffuser l'histoire de l'ange au bord du tombeau vide.

— À partir de laquelle les évangélistes ont brodé plus de quarante ans plus tard…

MacMullin me scrute avec une mine insondable.

— Continuez !

— Nous ne savons pas grand-chose sur cette période précise, mais nous pouvons sans doute supposer qu'il a peu à peu recouvré ses forces. Je l'imagine derrière un paravent dans une riche demeure, entouré de ses fidèles les plus proches. Et quand enfin il a été guéri et prêt… il s'est enfui de Terre Sainte.

— Enfui ? !

Un lien caché commence à se faire jour.

— Son temps était révolu. Il n'avait pas d'autre solution. À part mourir. Il a fui la supériorité écrasante de l'adversaire avec ses intimes : Marie Madeleine, Joseph d'Arimathie et un groupe de ses partisans les plus fidèles et les plus dévoués. Les Apôtres eux-mêmes n'étaient pas tous informés de sa fuite. On leur a servi l'histoire alibi, la Résurrection, la version officielle. Et comme vous le savez parfaitement bien, ils ont accepté ce récit qui est devenu un fait historique et une religion.

— Qu'est-il arrivé à Jésus ?

— Il est parti.

— Où ?

— Quelque part où il pouvait vivre en sécurité.

— J'ai lu qu'il serait parti au Cachemire et y aurait fondé une communauté religieuse.

— La légende du Cachemire est un faux habilement construit.

— Alors que s'est-il passé ?

— Jésus et son groupe sont allés vers l'ouest, en empruntant la route jusqu'à la côte, où les attendait un bateau. De là, ils se sont rendus dans un endroit protégé.

— Où donc ?

Il me considère avec stupéfaction.

— Vous ne l'avez toujours pas compris ?

— Compris quoi ? Où sont-ils allés ?

— Ici, répond MacMullin. La dernière cachette de Jésus a été Rennes-le-Château.

13

Parfois il faut se tourner vers la nature pour se reconnaître soi-même. Vers les bourdons qui défient les lois de l'aérodynamique, vers les renards qui rongent leur propre patte pour se libérer du piège, vers les poissons qui se confondent avec le corail pour ne pas être avalés. Dans le règne végétal, j'ai toujours eu un amour particulier pour l'*Argyroxiphium Sandwicense*. Vous savez, cette plante dont j'avais dit à ma prof que j'aimerais lui ressembler ? Le sabre d'argent. Année après année, elle pousse, timide et modeste, et ne veut pas trop attirer l'attention. Je me reconnais en elle.

Lentement, elle devient une boule de cinquante centimètres de haut, couverte de poils argentés. Puis propulse au-dessus de cette boule une tige de deux mètres.

Au bout de vingt ans, elle fleurit soudain. Une floraison si fastueuse qu'elle en périt.

On ne peut qu'admirer sa vaillante patience.

14

MacMullin vient me chercher à l'aube. Au milieu d'un rêve, j'ouvre les yeux et, dans cette lumière adhésive, c'est comme s'il était en lévitation au-dessus de moi, tel un macchabée retenu à la terre.

J'essaie de me réveiller. J'essaie de comprendre ce qu'il veut. Et s'il fait partie du rêve qui ne m'a pas encore lâché.

— Qu'est-ce qu'il y a ?

Je parle en marmonnant. Les mots vont et viennent par vagues dans mon crâne, tel un écho élastique, râpeux.

Pour la première fois, il semble hésitant. Il frotte son poing dans sa paume gauche.

— Bjørn…

On dirait qu'il y a quelque chose qu'il préférerait éviter de me dire.

Je m'assieds, essaie de me libérer du sommeil qui reste en moi en m'ébrouant. La pièce s'agrandit dans toutes les directions. Je vois deux MacMullin. Ma tête retombe sur l'oreiller.

— Ils ont téléphoné.

Je ferme les yeux en les serrant fort avant de les écarquiller, les resserre et les écarquille. Je ne dois sûrement pas avoir l'air tout à fait normal. J'essaie juste de revenir à moi.

— Qui ?

— C'est à propos de Grethe.

— Est-elle…

— Non ! Pas encore. Mais elle vous a demandé.

— Quand pouvons-nous partir ?

— Tout de suite.

15

Le jet privé attend à l'aéroport de Toulouse. La limousine blanche de MacMullin franchit barrières et postes de contrôles et s'arrête en douceur à côté du Gulfstream. Vingt minutes plus tard, nous sommes en l'air.

— Nous arrivons bientôt au bout de la route, dit-il.

Je suis installé dans un profond siège inclinable à côté d'un grand hublot ovale. L'impénétrable inte-raction entre aérodynamique et génie aéronautique nous a hissés à sept mille pieds d'altitude. Au-dessus d'un paysage en patchwork de teintes délavées et d'ombres.

Entre MacMullin et moi un plateau de table est encastré dans le fuselage. Au centre se trouve un saladier de pommes rouges et vertes. Il capture mon regard.

— J'imagine que ce n'est pas très facile à comprendre.

— Non... ce n'est pas très facile.

Ma réponse est équivoque, car j'ignore s'il parle de ce qu'il m'a raconté ou de Grethe.

Les deux moteurs Rolls-Royce du Gulfstream forment un tapis sonore régulier. Au loin, je vois un banc de nuages, qui évoque de la peinture blanche versée dans de l'eau.

MacMullin épluche une pomme. Avec son petit couteau à fruit, il fait de la peau une longue spirale. Il partage la pomme en quatre et ôte le trognon.

— Vous en voulez ? propose-t-il, mais je secoue la tête, et il met un morceau de pomme dans sa bouche. En définitive, bien des choses dans la vie sont bâties sur des illusions. C'est juste que nous ne le savons pas ou ne l'admettons pas.

Une fois de plus, il m'est difficile de répondre concrètement. Je ne saisis pas le fond de sa pensée.

— C'est un peu trop grand pour moi, tout ce... dis-je dans ma barbe.

Il continue de mastiquer en hochant la tête.

— Je ne m'attends pas à ce que vous me croyiez.

D'abord je me tais, puis déclare :

— Et pourtant, peut-être précisément pour cette raison, je vous crois.

Il met un autre quartier de pomme dans sa bouche. Le jus acide du fruit le fait grimacer.

— Croire est un choix. Qu'il s'agisse de croire une chose que quelqu'un vous raconte, ou de croire à la Parole.

— Ce n'est pas évident de déterminer ce qu'il faut croire et ne pas croire, dis-je évasivement.

— En eux-mêmes, l'incertitude et le scepticisme sont des valeurs. Car ils montrent que vous *réfléchissez*.

— Possible. Je ne sais toujours pas quoi penser de tout ce que vous m'avez raconté hier.

— Et d'ailleurs je ne l'escompte pas.

— Ce n'est pas de la gnognote ce que vous me demandez d'accepter.

— Vous n'avez pas besoin d'accepter quoi que ce soit, Bjørn. En ce qui me concerne, vous pouvez très bien balayer tout ce que je vous ai révélé. Tant que vous me donnez le Reliquaire, ajoute-t-il dans un rire bas.

— Vous faites tout de même une croix sur la Bible entière.

— Mais qu'est-ce en fait que la Bible ? Un recueil d'écrits ancestraux sur l'esprit d'une époque. Des règlements, des règles de conduite, de l'éthique. Des récits manuscrits, des interprétations et des rêves, retouchés et réécrits, des traditions orales placées dans une reliure et tamponnées *approuvé* par les ecclésiastiques.

Il fait craquer les derniers bouts de pomme sous ses dents et s'humecte les lèvres du bout de la langue.

— Et votre version ? Comment se termine votre version de l'histoire ?

— Ce n'est pas la mienne. Je ne fais que la transmettre.

— Vous m'avez compris.

— Nous ne pouvons pas affirmer grand-chose avec certitude, pas si longtemps après. Les récits sont rares, des bribes confuses, des fragments d'information.

— Comme on m'en a donné à moi aussi ces dernières semaines.

MacMullin a un léger rire et se dandine sur son siège, comme si sa position était inconfortable.

— Savez-vous en réalité ce qui s'est passé après la crucifixion ?

— Nous en savons beaucoup. C'est loin d'être assez. Mais nous en savons beaucoup.

— Comme le fait que Jésus s'est rendu à Rennes-le-Château ?

— Nous en savons beaucoup sur la fuite, tout simplement parce que nous possédons les manuscrits de deux participants. Ils dépeignent la fuite de la Terre Sainte jusqu'à Rennes-le-Château.

— Mais encore ?

— Quand Jésus a retrouvé des forces après la crucifixion, il a fui dans un bateau qui l'attendait, avec son groupe de partisans proches. Ils sont d'abord allés à Alexandrie, en Égypte. Ensuite, ils sont remontés au nord, jusqu'à Chypre, à l'ouest, à Rhodes, en Crète et à Malte, pour aller plus au nord encore, au Vieux-Port de Marseille, d'où ils ont rejoint le sud-ouest par les grands chemins et se sont établis à Rennes-le-Château.

— C'est difficile à croire.

MacMullin pince les lèvres et regarde par le hublot. Les moteurs de l'avion sifflent. Il gesticule soudain d'un air sûr de lui.

— Mais en définitive, la version de la Bible est-elle tellement plus vraisemblable ?

Pendant un petit moment, je médite sur cette question.

— Vous êtes sincèrement convaincu qu'il en va ainsi...

Il me dévisage. Longuement.

— Quel âge a-t-il atteint ?

— Cela, nous ne le savons pas. Mais avec la femme

qu'il a épousée, Marie Madeleine, il a eu plusieurs enfants.

— Jésus s'est marié ? Et a eu des enfants ?

— Pourquoi pas ?

— C'est juste que cela semble… je ne sais pas.

— Ils ont eu sept enfants. Quatre fils et trois filles.

Une hôtesse de l'air nous apporte le petit-déjeuner sur des assiettes chauffées. Elle me sourit. Je lui rends son sourire. MacMullin contemple la nourriture et fait claquer ses lèvres en signe de satisfaction. Nous coupons les petits pains en deux, versons le jus d'orange sur des glaçons dans des verres étroits, ouvrons les petits pots de marmelade maison.

MacMullin mange un morceau de pain et s'essuie le coin de la bouche avec une serviette brodée de son monogramme.

— Les enfants de Jésus ont gardé le secret de leur origine. Ce sont ses fils et petits-fils, absolument pas Jésus lui-même, qui ont préparé le terrain de ce qui mille ans plus tard allait devenir les ordres de chevalier, les mouvements de franc-maçonnerie, les sociétés hermétiques. De petites associations conspiratrices, dont l'objectif premier est de conserver un secret qu'aujourd'hui elles ne connaissent même pas.

Il secoue pensivement la tête.

— Il en existe des centaines, des sectes, des clubs, des mouvements, des loges. Chacun frôle la vérité. Des centaines de livres ont été écrits. Des romanciers ont brodé à partir de pseudoscience et de mythes. Sur Internet, on trouve des sites et des forums consacrés aux spéculations et aux devinettes, mais aucun d'eux ne voit le tableau général. Aucun d'eux n'a la bonne compréhension. Ils sont comme la mouche qui ne sait pas que c'est contre une vitre qu'elle se cogne.

— Ou le bourdon, dis-je rapidement, mais cela n'a bien entendu aucun sens pour MacMullin.

— Ou le bourdon, rit-il, un peu interloqué.

Je saisis le verre froid. L'orange est fraîchement pressée.

— Que sont finalement devenus les descendants de Jésus ?

Je suçote un glaçon qui heurte mes dents et crisse.

— C'est une question à laquelle on ne peut répondre.

— Pourquoi ?

— Parce qu'ils ne sont pas « devenus ». Ils ont vécu leur vie. Ils ont eu leurs enfants et continuent de vivre parmi nous. Une lignée puissante et fière, au beau milieu de nous.

— Savent-ils eux-mêmes qui ils sont ?

— Pratiquement aucun. Seuls quelques très rares d'entre eux savent la vérité vraie. Moins de mille. Plus vous, maintenant.

— Il a encore des descendants, dis-je avec un recueillement pensif.

— Eh bien… hum… oui. Bien entendu. Mais deux mille ans se sont écoulés. Vous ne devez pas oublier que cette lignée aussi s'est diluée. Nous parlons tout de même de nombreuses générations. Le fils aîné de Jésus a été le premier Grand Maître. C'est lui qui s'est procuré la châsse d'or et l'a scellée. À sa mort, son fils aîné a assumé la responsabilité de la châsse. Ainsi, *Le Reliquaire des secrets religieux* a été transmis de père en fils aîné des siècles durant. Jusqu'au jour où il a disparu.

— Mais qu'en est-il de toutes ces allusions à Jésus qui serait l'ancêtre des familles royales d'Europe ?

— Comme tant d'autres choses, c'est une exagération. Mais non dénuée d'une once de vérité. Après quelques siècles, les descendants de Jésus sont entrés par alliance dans la dynastie mérovingienne, qui a conservé le pouvoir royal dans l'empire des Francs jusqu'à l'an 751. Mais presque aucun, à l'exception de quelques rares têtes couronnées et des divers Grands Maîtres et de leur cercle le plus intime n'ont eu connaissance du tableau général, du secret. À savoir donc la connaissance de la fuite de Jésus et l'existence de ses descendants. Et, au fil du temps, c'est devenu un mythe, quelque chose que même les initiés n'étaient pas sûrs de pouvoir croire.

Je termine mon petit pain et mon jus de fruit. Ça commence à faire un peu beaucoup pour moi.

— Et, dis-je sur un ton invitant à la confidence, que contient ce Reliquaire ?

MacMullin semble souhaiter plus que tout que je retire ma question.

Je la repose donc :

— Qu'y a-t-il dans le Reliquaire ?

— Nous croyons… hésite-t-il, nous croyons qu'il renferme deux choses.

Il joint les mains sur la table et avale sa salive. Il ne veut pas lâcher ce secret. Chez lui, se taire est un réflexe du système nerveux central. Révéler la vérité à une personne extérieure est une chose qu'il n'a jamais faite. Tout en lui résiste, mais il se rend compte qu'il n'a pas le choix. Je suis un dur à cuire.

Il me lance un regard implorant.

— Pour la dernière fois, Bjørn… Me le donnerez-vous ?

— Mais oui.

Ma réponse le prend de court.

— Oui ?

— Quand vous m'aurez raconté ce qu'il contient.

Je sens ses derniers restes de résistance céder.

Il ferme les paupières en les serrant fort.

— Une indication. Vraisemblablement une carte.

— Une carte ?

— Une indication du chemin de la tombe de Jésus. Sans doute une crypte où il repose. Sa sépulture terrestre. Mais plus important encore…

Il ouvre les yeux, mais ne me regarde pas.

Je me tais.

Il regarde au-delà de moi.

— L'Évangile de Jésus. Le récit que Jésus lui-même a écrit sur sa vie, son œuvre, sa foi et ses doutes. Et sur les années qui ont suivi la crucifixion.

MacMullin se tourne pour regarder par le hublot : le ciel, le paysage sous nous, la lumière duveteuse, les nuages.

Dans des souffles courts et saccadés, il libère tous les démons qui le malmènent en ce moment précis.

Je lui laisse le temps dont il a besoin.

Au bout d'un moment, il se tourne vers moi. Ses yeux sont vides.

— C'est ainsi.

— Un manuscrit, fais-je. Un manuscrit et une carte.

— C'est ce que nous pensons.

Nous restons un instant sans parler.

— On dirait une sorte de conspiration juive.

— Vous vous préoccupez beaucoup des conspirations.

— Et si vous dirigiez un réseau juif qui, une fois pour toutes, allait montrer au monde que Jésus n'était pas le Fils de Dieu ?

— Tout peut se concevoir.

— Si le manuscrit démontre que Jésus n'est pas mort sur la croix, et qu'il n'a pas non plus ressuscité, cela conduira à un effondrement de l'ordre mondial religieux.

— Tout juste. Mais je ne suis pas de confession juive.

— Si en revanche vous êtes de confession chrétienne, il serait dans votre intérêt de détruire la preuve que le christianisme est bâti sur un mensonge.

— Là encore, votre analyse est juste. Mais je n'ai aucun motif caché de penser qu'il ne serait pas bon que le monde connaisse la vérité. Je le dis carrément. C'est mieux pour tous que ceci demeure secret. L'autre option est bien trop effrayante. Personne, je dis bien personne, ne gagnerait à connaître la vérité. Nous n'avons aucun droit de déchirer l'histoire en lambeaux. Il n'en sortirait rien de bon. Nous détruirions des millions de vie. Supprimerions la foi des nations. Ça n'en vaut pas la peine. Rien n'en vaut la peine.

— Un manuscrit écrit par Jésus… Une indication menant à son tombeau terrestre.

— C'est ce que nous croyons.

— Croyez ?

— Nous ne pouvons pas être tout à fait sûrs. Pas avant d'avoir ouvert le Reliquaire et vu de nos propres yeux. Mais quel que soit le contenu, nous savons que le premier Grand Maître — le fils aîné de Jésus — l'a scellé et gardé jusqu'à ce qu'il le laisse à son premier-né, le Grand Maître suivant. Chacun d'eux a consacré sa vie à la protection du Reliquaire jusqu'à ce qu'il disparaisse au monastère de Værne, en 1204.

Puis il ajoute :

— Oui, et puis entre vos mains, bien sûr. Huit cents ans plus tard.

— Le Reliquaire n'a jamais été ouvert ?

— Bien sûr que non.

— Que va-t-il se passer à présent ?

— Je vais personnellement l'apporter à l'institut Schimmer.

— Cela ne me surprend pas. Peter est peut-être l'un de ceux qui l'attendent ?

— Peter, bien entendu ! Mais aussi David, Uri, Moshe… Et plusieurs douzaines des meilleurs chercheurs du monde, recrutés par la SIS : historiens, archéologues, théologiens, linguistes, philologues, paléographes, philosophes, chimistes.

— Vous avez invité toute votre bande de copains, je vois.

— Nous avons construit une aile, qui a été préparée pour accueillir le Reliquaire. Nous ne pouvons pas risquer que l'humidité ou la sécheresse de l'air, le froid ou la chaleur, réduisent le manuscrit en poudre. Nos experts ont développé une méthode qui va progressivement acclimater l'atmosphère vieille de deux mille ans contenue à l'intérieur de la châsse à celle du laboratoire. Son ouverture prendra des mois.

— De ce point de vue-là, c'est un avantage que je ne l'ai pas ouverte dans mon bureau.

MacMullin frissonne.

— Ensuite, nous devrons délicatement en sortir le contenu. Feuille par feuille. Le papyrus s'est peut-être décomposé, obligeant à recoller les feuilles, morceau par morceau, comme un puzzle. Nous photographierons les fragments afin de les préserver. Nous ignorons dans quel état nous allons les trouver. Mais tout comme l'on peut interpréter une écriture dans un morceau de cendre, nous allons pouvoir décrypter les caractères. C'est un travail minutieux. D'un point de vue technique d'abord, puis linguistique. Nous devons les traduire. Les comprendre dans un contexte. S'il est question d'un manuscrit de taille, ce travail prendra des années. De nombreuses années. Si nous découvrons une carte ou une indication de l'emplacement du tombeau de Jésus, le professeur Llyleworth se tient prêt à intervenir avec son équipe d'archéologues. Tout est prévu. Il ne nous manque plus que la châsse.

Mes yeux ne trouvent pas de point d'ancrage.

— Enfin, soupire-t-il, tout dépend de vous maintenant.

— C'est le cas depuis le début.

— Je m'en rends compte.

Il contemple le ciel. Nous nous dirigeons vers un banc de nuages.

— Bjørn…

Il se tourne vers moi.

— S'il vous plaît. Voulez-vous me donner le Reliquaire ?

Son regard pèse des tonnes. Je l'observe. J'ai bien compris qui il était. Je ne sais pas depuis combien de temps je me suis rendu à l'évidence. Mais je n'ai plus de doutes.

Quelque chose en moi se dénoue. À un moment ou un autre, la résistance finira toujours par céder, même chez les plus rétifs. Je songe aux événements de ces dernières semaines. Aux mensonges. Aux fausses pistes. Aux gens qui m'ont berné. Ils s'alignent en rangs serrés. Les pièces se sont assemblées. Je suis obligé d'accepter l'explication de MacMullin. Parce que j'ai confiance en lui. Parce que je n'ai plus le choix.

— Bien entendu.

Il incline la tête, comme s'il ne saisissait pas vraiment ce qu'il entend.

— Je vais vous le rendre.

— Merci.

Il reste silencieux. Puis répète :

— Merci. Merci beaucoup.

— J'ai une question.

— Cela ne me surprend pas.

— Pourquoi m'avoir raconté tout cela ?

— Avais-je le choix ?

— Vous auriez pu inventer un mensonge que j'aurais cru.

— J'ai essayé. Plusieurs fois. Mais ça ne marchait pas. Vous êtes sacrément incrédule.

Il le dit en riant.

— Et si je le racontais à quelqu'un ?

Il a une expression pensive.

— La possibilité existe, naturellement.

— Je pourrais aller trouver les journaux.

— Oui.

— Je pourrais écrire un livre.

Il se retient.

— Bien sûr que vous le pourriez.

Il marque une brève pause avant d'ajouter, facétieusement :

— Mais vous croirait-on ?

LA FIN DU CERCLE

1

Elle semble morte. Sa petite tête de moineau repose sur un grand oreiller. La peau colle à son crâne. Elle a la bouche entrouverte, les lèvres sèches et exsangues, un tuyau à oxygène vert enfoncé dans les narines et fixé sur sa joue avec du sparadrap blanc. Ses bras maigres et tachetés de bleu sont croisés sur la couette. Un liquide s'écoule d'un goutte-à-goutte dans une veine de son avant-bras.

On lui a donné une chambre individuelle. C'était bien intentionné, mais je me souviens qu'un jour elle m'a dit que sa plus grande terreur était de mourir seule.

La chambre est inondée d'une lumière chaude. Je saisis une chaise près du lavabo. Les pieds métalliques grincent contre le sol.

Délicatement, je prends sa main dans la mienne. C'est comme de soulever un sac de peau tiède rempli d'os. Je la caresse et mêle ses doigts inertes aux miens.

Des sons. Sa respiration. Le tic-tac d'un appareil électronique. Le vrombissement d'une voiture dans la rue. Un soupir. De ses lèvres.

Au mur, au-dessus de la porte, est accrochée une horloge qui retarde de cinq minutes. Par à-coups, la trotteuse lutte pour tenir la cadence du tic-tac. Quelque chose dans le mécanisme est en train de se briser.

Sur sa table de chevet est posé un bouquet dans le vase étincelant de l'hôpital. La carte y est accrochée, à demi ouverte. Le message est écrit au stylo plume en belles lettres anglaises bien bourges :

Peaceful journey, Grethe !
Eternally Yours,
MMM [1]

MacMullin m'a donné une fraction de la vérité. C'est tout. Une fraction de la vérité. Peut-être que je ne sais rien. Je ne sais quelle explication croire ni s'il en est une qui soit à croire. Mais je sais ceci : lorsque je lui remettrai la châsse, elle disparaîtra avec son contenu pour toujours. S'ils ont su garder leur secret pendant deux mille ans, ils le protégeront bien deux mille ans de plus. Jamais le monastère de Værne ne deviendra un centre touristique international. Jamais les champs ne se changeront en parkings bondés, jamais des touristes américains ne se presseront en files impatientes pour contempler, à travers des vitres en plexiglas blindé, l'octogone mis à nu ou étudier les copies — traduites en six langues — du manuscrit trouvé dans le Reliquaire. Car personne ne saura jamais.

---

1. *Fais un paisible voyage, Grethe ! / À toi pour toujours.*

Comme si ce n'était jamais arrivé.

Ses paupières vibrent. Elle lève les yeux vers moi. Son regard est lourd, brumeux, ancré dans une obscurité sans rêves. Lentement elle me reconnaît.

— Lillebjørn, chuchote-t-elle.

— Grethe…

Elle essaie de faire la mise au point et d'établir une image de la réalité dont elle ne fait plus partie.

— Quelle allure tu as ! murmure-t-elle.

D'abord je ne réponds pas. Puis je comprends ce qu'elle veut dire.

— J'ai juste pris un coup de soleil.

Ses prunelles perdent prise. Elle tressaille :

— Tu as découvert quelque chose ?

— Oui.

Et puis je lui raconte tout. Elle ne dit rien, se contentant d'acquiescer discrètement, comme si rien ne la surprenait.

— C'était donc ça, finit-elle par commenter.

Le silence qui nous entoure est plein de bruits.

— Comment va-t-il ? s'enquiert-elle soudain.

— Qui ça ?

— Michael. Il va bien ?

— Il va bien. Il est venu à Oslo avec moi. Mais il ne voulait pas… déranger.

— Il est auprès de moi. À sa manière.

— Je lui dirai.

— Toujours à sa manière, poursuit-elle en contemplant les fleurs.

— Il y a autre chose.

— Oui ?

— Toi et MacMullin…

Je la mets sur la voie.

— Oui.

Elle parle tout bas. Comme pour atténuer ses douleurs.

— MacMullin et moi... à Oxford.

Ses yeux se posent tendrement sur moi.

— C'est un homme tellement bien. Comme toi. Un homme tellement bien.

Je jette un coup d'œil sur l'horloge, observe la lutte tenace de la trotteuse contre le mécanisme.

— Comment est-ce que papa est mort, Grethe ?

Elle ferme les yeux.

— C'était si stupide.

— Mais comment ?

— Il était jaloux ! De ta mère et de Trygve.

— Donc il était au courant, lui aussi.

— Il ne tolérait pas de voir ta mère tomber amoureuse de Trygve.

— C'est compréhensible.

— Mais ça n'aurait pas forcément signifié quelque chose. Pas à long terme. Elle serait revenue auprès de lui, mais il ne supportait pas de voir sa femme succomber à un autre.

— Que s'est-il passé ?

— Ce n'est pas mon affaire. Ni la tienne.

— Mais tu le sais ?

Elle soupire.

— S'il te plaît, Grethe. Que s'est-il passé ?

— Ne me tourmente pas avec cela maintenant, Lillebjørn !

— S'il te plaît.

— Demande à ton beau-père, Lillebjørn. Il sait.

— A-t-il tué papa ?

— Non.

— Est-ce que maman sait ce qui s'est passé ?

— Non.

— Mais comment...

— Ne pose plus de questions.

— Pourquoi ne veux-tu pas me le dire ?

— Parce que c'est mieux ainsi.

— Mieux ?

— Pour toi.

— Comment cela ?

Ses prunelles sont éteintes, sans vie.

— Tu ne veux pas le savoir.

— S'il te plaît !

Elle tortille ses doigts sur la couette.

— Fais-moi confiance ! Tu ne veux pas le savoir !

— Si !

— Comme tu voudras, soupire-t-elle.

Elle attend un moment avant de poursuivre :

— Je suppose que tu sais tout sur ta mère et Trygve…

Je baisse les yeux, comme si j'avais honte de ma mère. Ce qui est le cas.

— Je l'avais déjà compris sur le moment.

— Ils se sont épris l'un de l'autre.

— Marrant comme tout le monde s'est épris de tout le monde.

— Ce sont des choses qui arrivent.

— Et papa les gênait.

— Comme toujours quand deux personnes se découvrent et que l'une appartient à quelqu'un d'autre.

— Et puis ils l'ont assassiné.

Je suis surpris du ton quotidien que je parviens à donner à cette question.

Elle me dévisage.

J'en remets une couche :

— Ils s'y sont pris à deux ? Était-ce juste le professeur ou est-ce que maman était dans le coup ?

Elle serre les dents.

— Non, fait-elle si bas qu'elle chuchote presque, ça ne s'est pas passé comme ça !

— Qui était-ce ?

— Personne n'a tué ton père.

— Mais…

— Ne peux-tu pas te contenter de cela ? Aucun d'eux n'a tué Birger.

— Donc, c'était un accident ?

— Non.

— Je ne comprends pas.

— Réfléchis, Lillebjørn.

Je réfléchis, mais cela ne m'est d'aucun secours.

Puis une membrane se déchire en elle. Une larme roule sur sa joue.

— Mon ami… C'est Trygve qui aurait dû mourir ce jour-là. Pas Birger !

— Quoi ?

— Tu saisis maintenant ?

Sa voix est courroucée.

— Trygve aurait dû mourir !

J'essaie de rassembler mes pensées, d'identifier ce qui nage en surface.

— Tu comprends ce que je te dis ?

Je hausse les épaules.

— Non…

— Birger avait trafiqué le huit de rappel pour que Trygve tombe.

Elle se détourne, incapable de soutenir mon regard, comme si tout cela était de sa faute.

— C'est Trygve qui aurait dû mourir ce jour-là, reprend-elle.

Succinctement, froidement.

— Juste avant que vous partiez, Birger m'a raconté qu'il avait prévu de…

Elle s'interrompt.

— Quelque chose à propos du huit de rappel ! Je ne sais pas quoi ! Pour qu'il… Mais je ne pensais pas qu'il le ferait vraiment… Je n'ai jamais cru… jamais. Jamais !

Elle se tourne vers moi, cherche ma main.

— C'est ton père qui a essayé de tuer Trygve. Et puis quelque chose ne s'est pas passé comme prévu.

Nous restons longtemps à nous tenir la main. Je n'ai aucun mot en moi. Juste des images isolées : le rocher gris étincelant, la corde qui s'est enroulée sur l'éboulis, le hurlement de maman, le tas de vêtements au pied de la falaise, le sang, le tronc d'arbre contre mon dos, l'écorce qui m'a écorché la nuque quand je me suis écroulé.

Je me demande si maman et le professeur le savent depuis le début.

Grethe s'assoupit. Je sors dans le couloir et m'affale sur une chaise devant la porte. Mes pensées sont embrouillées.

Sur le mur d'en face, entre deux portes, je compte quinze carreaux en hauteur et cent quarante en largeur. Deux mille cent carreaux gris. Sur une table roulante en aluminium a été rassemblé un herbier de bouquets fanés.

Un peu plus tard je retourne auprès d'elle. Ses yeux sont clos. Elle est immobile.

— Grethe ?

Des fils invisibles tirent sur ses paupières qui luttent pour se relever.

— Je suis un vieux cuir coriace…

— Tu as donné naissance à un enfant.

Grethe regarde au plafond.

— Elle va bien. Diane. Une belle jeune femme.

Son sourire vient du fin fond d'elle.

— La plus jolie petite fille du monde.

Sa voix est si fragile, si frêle. Son sourire perd de sa puissance. Elle pousse un gros soupir.

— Je n'étais pas la mère qu'il lui fallait.

Un petit gémissement franchit ses lèvres.

— Je n'avais pas cela en moi. Michael… c'était différent pour lui. J'ai pensé que c'était mieux ainsi. Qu'elle reste… avec lui. Qu'elle ne sache jamais que… j'existais.

Elle tousse douloureusement. Elle veut dire quelque chose. Je lui fais chut. Ses lèvres remuent. Elle me parle sans voix.

— Je reste avec toi, dis-je doucement.

— … tellement fatiguée, chuchote-t-elle.

Je caresse sa main. Elle gémit. Me regarde. Essaie de parler, mais son corps refuse. Elle continue de tousser. Même sa toux est sans force. Sa respiration est basse et entravée.

Elle cherche à se hisser sur les coudes, mais s'écroule.

— Repose-toi.

Je lui caresse le front. Il est froid et moite.

Une heure passe…

Je lui tiens la main. Elle navigue entre sommeil et éveil. Parfois elle me regarde.

Hésitant, je pose sa main sur la couette et descends à la cantine, où je mange un sandwich qui est emballé dans de la cellophane et en a le goût. Quand je reviens, la main de Grethe est exactement telle que je l'ai laissée. Je la saisis et la serre. Je sens qu'elle essaie de serrer en réponse.

Nous restons ainsi pendant un long moment. À la fin, elle respire si bas que je ne l'entends pas. Les bruits du couloir s'infiltrent jusqu'à nous. Des pas légers, des rires en sourdine, un enfant qui pleurniche. Une infirmière qui en appelle une autre.

La main de Grethe est molle dans la mienne. Je la serre. Elle n'a pas la force de répondre. Nous aurions pu passer des heures ainsi. S'il n'y avait pas eu cet appareil. Des fils sortent de son pyjama d'hôpital et sont reliés à un électrocardiographe muni d'interrupteurs et d'écrans avec des chiffres lumineux. Voilà que la machine se met à sonner. Et délivre au même moment une bande de papier avec deux courbes d'encre. Une secousse parcourt Grethe. Elle écarquille les yeux en haletant.

Je caresse sa main.

Une infirmière accourt, puis un médecin.

Je lâche sa main. Elle tombe sur la couette. Quand je me lève en reculant, mon siège se renverse à grand fracas. Je fais un pas de côté pour laisser passer le médecin.

D'abord il éteint l'appareil. Le bip s'évanouit. Le silence est assourdissant. Il appuie le bout de ses doigts contre sa gorge et fait un signe de tête à l'infirmière. Délicatement, il déboutonne le pyjama de Grethe et presse le stéthoscope contre sa poitrine.

— Vous ne faites rien ?

— C'est mieux ainsi, me répond le médecin.

L'infirmière me frotte le bras.

— Vous êtes son fils ?

Le médecin ferme les yeux de Grethe.

Dehors, par la fenêtre, je vois un homme en équilibre sur un échafaudage.

— D'une certaine façon.

Personne ne parle.

— Elle est bien maintenant, dit l'infirmière en me serrant le bras.

Je regarde Grethe.

— Voulez-vous être seul avec elle ? s'enquiert l'infirmière.

— Seul ?

— Avant que nous la préparions. Et la descendions.

— Je ne sais pas…

— Si vous souhaitez avoir un peu de temps pour vous.

— Ce n'est pas très important.

— Nous pouvons sortir quelques minutes.

— C'est gentil. Mais... non, merci.

— Vous n'avez qu'à le dire.

— Merci. Vous êtes gentille. Mais ce n'est pas très important.

Ils sortent tout de même et me laissent avec elle.

J'essaie de trouver une compréhension, une chaleur, un calme paisible dans son visage. Mais il n'a l'air que mort.

Je sors de la pièce sans me retourner. Au moment où je quitte l'hôpital, il se met à pleuvoir, une pluie légère et fine.

2

Devant le grillage en plastique orange, nous restons assis à regarder dehors par le pare-brise de la Boulette. La pluie ruisselle. Les tentes sont pliées. La majeure partie de l'équipement est encore dans le container verrouillé. Le vent balaie le champ en le cinglant avec des voiles de pluie. Les lanières de plastique nouées au sommet des piquets de balisage claquent comme des fanions. Mon fauteuil de metteur en scène a été emporté par le vent dans le fourré de merisiers. Personne ne s'est donné la peine de le ranger dans le container.

Je revois le professeur sous le dais en toile, Moshe et Ian tournoyant autour des couches archéologiques comme des moustiques sanguinaires.

Après l'éclipse du professeur Llyleworth, les travaux ont périclité. Les fouilleurs doivent tous se demander ce qui va se passer avant que le bulldozer vienne remblayer les tranchées.

Je me tourne vers Michael MacMullin.

— Elle s'est enquise de vous.

Il regarde droit devant lui, les yeux profonds, humides.

— Cela fait si longtemps maintenant.

Ses mots sont dirigés vers l'intérieur.

— Une autre vie. Une autre époque. Bientôt ce sera sans doute mon tour. Et là, je la retrouverai peut-être.

Son visage est vieux, parcheminé, mais plein d'éclat juvénile, d'enthousiasme bouillant. Il semble plus jeune que jamais, comme si se savoir très proche du but allumait en lui une lampe brillant à travers sa peau fine.

Quelque chose en moi palpite.

— Qui êtes-vous ?

D'abord il se tait. Puis :

— Vous avez dû vous faire une idée. Puisque vous me posez la question.

Le silence vibre entre nous.

Il frotte ses paumes l'une contre l'autre.

— Vous n'êtes pas un garçon stupide.

Incrédule, je dis :

— Je sais qui vous êtes. Je l'ai compris maintenant.

— Ah bon ?

— Vous n'êtes pas un simple membre du Conseil, n'est-ce pas ?

Il a un rire modéré.

Je ne le quitte pas du regard. Il étire ses doigts. Ses ongles sont manucurés. Sur sa main gauche, je remarque pour la première fois une chevalière avec une énorme opale.

Je dis tout bas, en aparté.

— Vous *êtes* le Grand Maître !

Il ouvre la bouche pour s'exprimer. Ses joues s'enflamment.

— Moi ? Bjørn, comprenez donc, dans le monde entier il n'y a que douze hommes qui connaissent l'identité du Grand Maître. Douze hommes !

— Et vous êtes le Grand Maître !

— Vous savez que je ne peux répondre à cette question.

— Ce n'était pas une question.

— Même…

— Crénom ! dis-je en rigolant. Vous êtes le Grand Maître !

— Pouvons-nous aller chercher le Reliquaire maintenant ?

J'ai besoin d'un peu de temps pour me reprendre. C'est à ne pas y croire. Je l'examine, longuement. Les traits exotiques de son visage. Ses yeux chaleureux, doux.

— C'est donc cela que Diane voulait dire… Elle est votre seule enfant.

Il me considère.

— Si nous allions chercher le Reliquaire ? suggère-t-il de nouveau.

— Nous n'avons pas besoin de nous déplacer.

Il m'interroge du regard.

— Elle est ici.

Perplexe :

— Ici ?

Il contemple la pluie.

— Voulez-vous aller voir l'octogone ?

— Le Reliquaire est ici ?

— Venez avec moi !

Nous sortons de la voiture, pénétrons dans la pluie. Je me faufile par une brèche dans le grillage orange avec panneau « ACCÈS INTERDIT » et la maintiens ouverte pour MacMullin. Les mouvements font dégoutter l'eau du plastique.

Au bord de la tranchée, je m'arrête. MacMullin baisse les yeux sur les huit côtés des fondations.

— L'octogone ! observe-t-il simplement.

Son visage a quelque chose de recueilli.

La pluie a lavé la terre des cailloux qui affleurent.

— Oui, l'octogone.

Il est impatient.

Je saute dans la tranchée, m'accroupis et commence à creuser.

C'est seulement là qu'il comprend.

MacMullin se met à rire, d'abord silencieusement puis il s'esclaffe bruyamment.

Et tandis qu'il rit, tandis que son rire roule au-dessus du chantier et des champs, à travers les averses, je creuse pour sortir le Reliquaire de ma cachette. À l'endroit précis où nous l'avons trouvé... le dernier endroit où ils l'auraient cherché !

La terre clapote quand je retire le sac de la boue qui l'enveloppe. Doucement, je me tourne et le tends à Michael MacMullin. Autour de nous l'odeur de terre et de pluie est puissante et intemporelle.

3

D'une écriture tremblée, je tisse ma toile de souvenirs.

Devant la fenêtre, dans la cour de la maison de vacances de Farmor, les feuilles se cramponnent aux branches du chêne. Comme si elles ne comprenaient pas que l'automne va bientôt venir les chercher.

Ce soir lointain où j'ai avoué à Grethe que j'étais amoureux d'elle, et qu'elle m'a repoussé avec tant de tendresse et de prévenance que par la suite j'ai longtemps cru qu'elle dissimulait des sentiments plus forts, j'ai erré sous la bruine jusqu'à mon studio de Grünerløkka. J'étais trempé. Je me souviens encore de ses paroles d'adieu, comme celles d'une mère qui console son fils.

Rien ne prend jamais fin, a-t-elle dit, cela se poursuit, simplement d'une autre manière.

Les hommes de la Range Rover rouge sont partis avec MacMullin. Ils m'attendaient lorsque j'ai garé la Boulette devant la maison de vacances. Je suppose qu'ils ne sont jamais très loin.

Avant de partir, MacMullin m'a serré la main en me disant que j'avais fait ce qu'il fallait.

C'est la dernière fois que je l'ai vu.

La Range Rover sur la route de campagne et ses feux arrière rouges happés par le feuillage, je me suis enfermé et ai monté l'escalier qui grince jusqu'à ma chambre d'enfant.

Bien entendu ils sont passés par ici.

Tels des esprits invisibles, ils ont fouillé la maison de la cave au grenier. Sans laisser de traces. Depuis longtemps ils ont éliminé les affaires de Diane, mais ils ne sont pas infaillibles. Ses quatre liens en soie pendent mollement aux montants du lit. Peut-être ont-ils pensé qu'ils étaient à moi et en ont tiré leurs conclusions.

4

Je repousse le bureau contre la fenêtre et sors mon journal. Les gouttes de pluie ruissellent par à-coups sur la vitre embuée. À travers les fils d'eau, le fjord évoque un fleuve tranquille, luisant et froid derrière le fourré nu.

Ma peau chauffe et me chatouille.

Je réfléchis. J'écris. Les mots se dissolvent dans le néant ; des mots sur des événements qui ne sont comme jamais arrivés et des gens qui n'ont jamais vécu. Fugaces, éphémères. Tels les mots d'un livre lu un jour, puis rangé dans la bibliothèque de l'oubli.

5

C'est ainsi que l'histoire s'est terminée. Ou qu'elle aurait pu se terminer. Car il n'existe en définitive jamais de fin. Tout ne fait que se poursuivre d'une autre manière. Où commence, et où se termine, un cercle ?

MacMullin a emporté le Reliquaire dans le silence, et je suis resté à la maison de vacances pour, en l'absence d'une meilleure explication, rassembler mes pensées. Pendant les jours qui ont suivi, j'ai attendu un épilogue qui n'est jamais venu. Tous les soirs, j'espérais que quelqu'un viendrait frapper à la porte, Diane, MacMullin, Llyleworth, Peter. Ou que quelqu'un téléphonerait. Mais rien ne s'est passé.

Au bout d'une huitaine de jours, j'ai fermé l'eau et mes espoirs et suis rentré à Oslo.

Lentement, docilement, je suis revenu à mon ancienne existence.

Tous les matins, je marchais jusqu'au carrefour de Storo pour prendre le tramway jusqu'au centre-ville. Au bureau, j'exécutais mes tâches avec une conscience professionnelle apathique et indifférente. Parfois, on me demandait ce qui s'était passé au juste au monastère de Værne l'été précédent, mais je balayais les questions avec des boniments.

Certains soirs, quand l'obscurité hivernale devenait trop oppressante, Diane venait me trouver sous la forme d'un chuchotement nostalgique de goûts et d'odeurs. Il m'arrivait de soulever le combiné et de composer tous les chiffres de son numéro, sauf le dernier. Peu à peu, je suis devenu plus courageux et j'ai laissé sonner deux ou trois fois avant de raccrocher. Un samedi matin, j'ai attendu jusqu'à ce qu'elle décroche. Je voulais juste lui souhaiter une bonne année, mais ce n'était pas Diane. Elle était sûrement retenue. Aux montants de son lit par exemple. J'ai raccroché avant que cet homme endormi ait le temps de s'enquérir de qui j'étais et de ce que je voulais.

Un jour de janvier, j'ai perdu pied. Je ne me souviens pas exactement de quand ni de comment c'est arrivé. Mais je ne suis pas allé travailler pendant plusieurs jours. Le professeur et maman m'ont trouvé chez moi, assis dans un fauteuil. On m'a emmené en ambulance. C'était comme de rentrer à la maison. À la clinique vous n'avez pas besoin de jouer la comédie, de faire comme si le soleil brillait et que tout allait s'arranger demain. Comme si aucune paroi rocheuse bleu acier n'émergeait des nappes de brume entre vous et la vallée ensoleillée où vous auriez pu mener une vie de joyeux hobbit dans le bois, au bord du ruisseau qui gazouille. À la clinique vous pouvez vous jeter dans les flots déchaînés et vous laisser couler et rester au fond aussi longtemps que vous le voulez. Dans le scaphandre de plongée de votre existence. Après des mois d'attente à gamberger, j'étais persuadé d'avoir été dupé. Je trouvais des failles dans les explications, des accrocs dans la logique, des lacunes béantes dans les réponses. Je m'imaginais être le jouet d'une mystification soigneusement orchestrée. Je m'imaginais avoir assumé le rôle du Gardien facile à duper, complaisant, avec un talent tel que mon nom était d'ores et déjà gravé sur le socle d'un Oscar. *Thank you ! Thank you… ! First of all I'd like to thank my mother and father…*[2] Je les imaginais, hilares, se moquant de moi. J'avais beau plaquer mes mains sur mes oreilles et me balancer d'avant en arrière, j'entendais leurs rires stridents et hystériques. Des machines à explorer le temps ! rugissaient en chœur Llyleworth et Arntzen. Des soucoupes volantes ! hoquetait Anthony Lucas Winthrop Jr. Des manuscrits bibliques ! glapissait Peter Levi. Des conspirations autour de Jésus ! s'esclaffait MacMullin. Des trésors mérovingiens ! s'écriaient Diane et maman. Et puis elles se tapaient les cuisses et se lâchaient complètement. Un jour, écumant de rage, j'ai téléphoné à la SIS et exigé de parler à MacMullin. Bien entendu, il n'était pas là. « *Mac Qui ?* » J'ai vainement essayé de trouver son numéro à Rennes-le-Château, où nul ne semblait

---

2.   *Merci ! Tout d'abord, j'aimerais remercier ma mère et mon père…*

avoir entendu parler de lui. Plusieurs fois, j'ai appelé l'institut Schimmer, mais n'ai jamais réussi à franchir les mailles serrées du filet de refus polis du standard.

Petit à petit, colère et indignation ont disparu. D'accord, ils m'avaient roulé. La belle affaire ! Au moins leur avais-je offert une lutte acharnée. Après tout, si, au bout de huit cents ans dans la terre, le Reliquaire avait échoué entre les mains d'escrocs plutôt que dans la vitrine stérile d'un musée somnolent de Fredriks gate, il n'en allât pas de l'avenir de l'humanité. C'était grâce à MacMullin qu'il avait revu le jour. Sans lui, la terre aurait bien pu le cacher pendant huit siècles de plus. Sans doute avait-il bien mérité de connaître le secret du Reliquaire. Quand bien même ce serait l'élixir de vie éternelle.

En mai, la clinique m'a déclaré guéri et renvoyé chez moi. Maman est venue me chercher dans sa Mercedes et m'a accompagné jusqu'au neuvième étage.

Fin juin, je suis retourné à la maison au bord de la mer. En vacances, cette fois. Sur la route, j'ai dépassé le monastère de Værne. Tout avait été dégagé. L'agriculteur avait rasé nos monceaux de déblais et semé du blé. Seule la tranchée autour de l'octogone était enclose d'un grillage en plastique orange. Les autorités du patrimoine s'interrogent encore sur ce qu'elles vont faire de ce monument historique.

Quand j'ai ouvert la porte de la maison d'été, j'ai été comme heurté de plein fouet par le parfum de Diane. Je suis resté cloué sur place, la main sur la poignée de la porte. Je m'attendais à moitié à entendre sa voix, « *C'est toi chéri, tu es en retard !* », et à recevoir un baiser mouillé sur la joue. Mais lorsque j'ai fermé les yeux et humé l'air, ça ne sentait que le renfermé et la poussière.

Sans bruit, je suis allé de pièce en pièce, ai ouvert les rideaux, époussté plusieurs mouches mortes, entrebâillé les fenêtres, peiné un moment pour ouvrir l'eau restée fermée tout l'hiver.

Puis j'ai laissé les vacances m'envahir, lourdes, paresseuses, chaudes. Des jours ensoleillés et des soirs d'orage enchaînés dans un ennui harmonieux.

Je suis sur la terrasse, au soleil, vêtu d'un short kaki et de sandales. À la radio, c'est la météo des plages. Il fait très chaud. Au loin, les îles de Bolærne planent dans la brume. Juste au-dessus du fjord, Horten et Åsgårdstrand font tache dans le bleu de la bande côtière. Je ressens une profonde sérénité. Je suis allé me chercher une bière fraîche et l'ouvre avec un tournevis. Des jeunes braillent près du plongeoir sur les rochers. Une fille tombe à l'eau en poussant un cri aigu. Un garçon plonge derrière elle. D'une main molle, je chasse une guêpe manifestant un intérêt importun pour ma petite mousse. Deux sternes oscillent contre le vent.

Une inspiration subite me pousse à me hisser sur mes jambes et à descendre au portail pour ouvrir la boîte aux lettres. Entre prospectus publicitaires et lettres d'information de l'association des amis de Fuglevik, je trouve une grande enveloppe brun jaunâtre. Il n'y a pas de nom d'expéditeur, mais le cachet de la poste est français.

Une lettre brève. Une coupure de presse. Une photo.

La lettre est manuscrite, l'écriture noueuse, alambiquée.

Rennes-le-Château, le 14 juillet
Monsieur,

Vous ne me connaissez pas, mon nom est Marcel Avignon et je suis médecin de campagne retraité de Rennes-le-Château. Je m'adresse à vous en ce jour à la demande d'un ami commun, Michael MacMullin, qui m'a transmis votre nom et votre adresse estivale. J'ai la douleur de vous informer que le grand seigneur MacMullin est mort dans la nuit d'aujourd'hui. Il s'est endormi paisiblement à l'issue d'une maladie brève et, par bonheur, indolore.

Il était quatre heures et demie du matin lorsqu'il nous a quittés.

J'étais à ses côtés pendant ses dernières heures, en compagnie de sa fille, Diane, qui avait passé la nuit auprès de lui.

L'un de ses derniers actes a été de me donner ses instructions concernant la lettre à vous écrire et les documents à y joindre. Il m'a aussi dit, en parlant de vous (et je cite à présent de ma mémoire défaillante) : « tel le dur à cuire qu'il est, il fera exactement ce qu'il veut de ces renseignements ». Je m'exprime maintenant en mon nom propre et me permets d'ajouter qu'il a prononcé ces paroles avec une dévotion qui m'a révélé que vous étiez un ami auquel il était très attaché. C'est pourquoi, c'est pour moi un honneur et une joie sans partage de rendre ce petit service à Monsieur MacMullin en vous envoyant une coupure de presse et une photographie. Il pensait que vous comprendriez le lien. Je l'espère, car en vérité je ne puis vous aider. Laissez-moi, pour finir, vous présenter mes plus sincères condoléances, car je comprends que la perte de votre ami vous sera aussi douloureuse qu'elle l'a été pour moi. Si je puis vous aider de quelque manière que ce soit, n'hésitez pas à prendre contact.

Votre dévoué,
M. Avignon

C'est une photo en noir et blanc. Elle montre des fragments d'un manuscrit immémorial sur une plaque de verre dépoli éclairée par-dessous. Une main gantée de latex ôte une poussière invisible au pinceau.

C'est un puzzle de morceaux de papyrus, un apparent chaos de fragments en quête d'unité.

Les caractères sont incompréhensibles. L'écriture manuscrite est régulière, droite.

Mes yeux humides picotent.

Un manuscrit…

Même si je ne parviens ni à lire l'écriture ni à interpréter quoi que ce soit, je reste à examiner ces caractères étrangers. J'ignore combien de temps. Mais quand je reviens à moi, la respiration lourde, penché au-dessus du bureau avec mon journal ouvert à côté de la photo et de la coupure de presse, il est presque onze heures.

L'article est extrait de *La Dépêche du midi*.

Des prêtres protestent contre la restauration de l'église antique Le Lieu

Béziers - Des activistes locaux, parmi lesquels deux prêtres, ont été appréhendés par la police de Béziers hier après-midi, lors d'une manifestation non autorisée devant l'église antique Le Lieu, communément appelée « Repos du Christ ».

Cette église délabrée, située à un kilomètre à l'ouest de Béziers, a été achetée le mois dernier pour cinq millions par un acteur financier anonyme de Londres. La Dépêche du Midi *dispose de renseignements suggérant que cette surprenante acquisition aurait été autorisée par les autorités locales suite à des pressions du gouvernement.*

D'après le professeur Graham Llyleworth, archéologue britannique de renom, qui dirige les travaux, l'investisseur secret « souhaite sincèrement restaurer l'église pour lui rendre sa splendeur d'antan ». Les travaux suscitent de véhémentes critiques, car ils impliquent que l'église soit rasée avant d'être reconstruite pierre par pierre. « Sacrilège ! » tonne Jean Bovary, l'un des prêtres appréhendés lors de l'action d'hier.

Le fait qu'une clôture de trois mètres de haut s'élève autour du chantier, qu'il soit éclairé au projecteur la nuit et qu'une équipe de surveillance spéciale patrouille la zone et tienne à distance les curieux n'a pas été pour apaiser les esprits. Le professeur Graham Llyleworth estime que, d'une manière générale, « tout travail archéologique nécessite dans une certaine mesure d'être protégé de la publicité ».

D'après des légendes locales, l'église est construite sur une crypte où serait enterré un saint inconnu. Le père Jean Bovary, qui est à la tête de « L'action de soutien pour Le Lieu » fondée récemment, indique que cette église est l'une des plus anciennes des Pyrénées et vraisemblablement de France.

« L'église, en son état actuel, a été élevée en l'an 1198, explique le père Bovary. Mais nous pouvons dater avec certitude des parties de l'église d'origine, dites « aile est » et « ruines », de l'an 350 après Jésus-Christ. Et d'après des récits locaux, un monument sacré se trouvait déjà sur les lieux auparavant. » Le père Bovary craint que les archéologues n'essaient de descendre dans la crypte qui selon la légende est scellée dans la roche sous l'autel. « Laissez donc les défunts reposer en paix. »

Le professeur Graham Llyleworth nie toute recherche d'une prétendue crypte. « L'existence d'un tombeau ou d'une crypte sous l'église nous est inconnue, affirme-t-

il. Si cela s'avérait, nous respecterions bien entendu la dignité des morts. »

Songeur, je garde les yeux rivés à la lettre, la coupure de presse, la photo du manuscrit sur papyrus.

Je pense à Diane et à Grethe. À Michael MacMullin. Au monastère dans le désert. À ce qui se cache sous l'église près de Béziers.

Je regarde par la fenêtre. Des braises de vive curiosité se raniment en moi. Quelque part dans le monde attendent les énigmes. Les questions.

En bas, dans le salon, j'entends crépiter la vieille horloge. Elle marche, mais n'est jamais à l'heure. Elle vit dans son propre temps et est contente ainsi. Soudain, elle part en joyeuse sonnerie. Onze heures treize. *Ding-dang-dong !*

En moi quelque chose se met à fourmiller. Une pulsion rebelle, de savoir, de comprendre.

Mon stylo gratte le papier. Une toile de mots et de souvenirs. Mais il y a toujours de la place pour quelques-uns de plus. Rien ne finit jamais. Impatient, je ferme mon journal.

Cette histoire n'est pas terminée. Il faut simplement que je découvre comment elle continue...

Remerciements

Un livre ne se fait jamais sans d'autres livres.

Aujourd'hui encore, vous trouverez le monastère de Værne, siège ancestral des chevaliers de Saint-Jean — ses énigmes archéologiques et son mystère — au sud de Moss en direction de Fuglevik. J'ai trouvé mes informations sur le monastère de Værne et le séjour de plus de trois siècles des chevaliers de Saint-Jean en Norvège, notamment dans les ouvrages *Gårder og slekter i Rygge* (« Fermes et familles de Rygge ») d'Ingeborg Flood (Rygge Sparebank, 1957) et *Bygdehistorien i Rygge inntil 1800* (« Histoire locale de Rygge jusqu'à 1800 ») de Lauritz Opstad et Erling Johansen (Rygge Sparebank, 1957).

Si le mystère qui entoure Rennes-le-Château vous passionne, je vous renvoie à *L'énigme sacrée* de Michael Baigent, Richard Leigh et Henry Lincoln (éditions Pygmalion). J'ai largement puisé dans leurs hypothèses controversées, mais ne fais qu'effleurer leur foisonnement de théories de la conspiration religieuse.

Pour des analyses plus approfondies du personnage historique de Jésus par rapport au Jésus prédicateur, je recommande un livre court, mais intelligent de Jacob Jervell *Den historiske Jesus* (« Le Jésus historique ») et *Mannen som ble Messias* (« L'homme qui devint Messie ») de Karl Olav Sandnes et Oskar Skarsaune.

Merci à Tom Koch de la société de production WBGH : je dois beaucoup à la série documentaire *From Jesus to Christ*.

La source Q existe en tant qu'hypothèse. Les chercheurs de l'Institute for Antiquity and Christianity de Californie l'ont reconstruite, mot après mot, verset après verset.

L'Évangile de Thomas est traduit en français.

À l'instar des personnages qui déambulent au fil des pages de ce livre, la SIS et l'institut Schimmer n'existent que dans mon imagination et dans la vôtre.

Je voudrais remercier tous les patients experts et les institutions qui m'ont aidé en m'apportant renseignements, opinions, suggestions et corrections : l'université d'Oslo, la direction du Patrimoine (Riksantikvaren), le British Museum et le CERN. Pour leur lecture de mon manuscrit et leurs commentaires inestimables, je souhaite remercier Øyvind Pharo, mon éditeur chez Aschehoug, ainsi que Knut Lindh, Olav Njaastad, Ida Dypvik et comme toujours : Åse Myhrvold Egeland. Merci à Jon Gangdal, Sebjørg J. Halvorsen et Anne Weider Aasen. Outre des propos sympathiques sur *La fin du cercle* en plein battage autour du *Da Vinci Code*, Bjørn Are Davidsen m'a offert une résistance passionnante à propos de mes interprétations théologiques. Merci à Kaja Korsvold, journaliste à *Aftenposten* d'avoir tiré *La fin du cercle* de la poussière des rayonnages. Merci à Johan Almqvist, mon agent de Aschehoug Agency, et à

Øyvind Hagen des éditions Bazar, qui ont tous deux contribué au lancement international de ce livre. Et à Øyvind Pharo, Even Råkil, Aleksander Opsal et les autres, des éditions Aschehoug, qui, avec un enthousiasme renouvelé, ont redonné vie à un livre vieux de trois ans.

Aucun des livres ou des experts auxquels j'ai eu recours comme sources ou conseillers n'est responsable de mes conjectures et des nombreuses libertés de romancier que j'ai prises.

Mes remerciements les plus vifs vont à Åse, Jorunn, Vegard et Astrid… pour le temps.

Tom Egeland

Postface

La fin du cercle et le *Da Vinci code*
Sources et conjectures

Et si…

C'est ainsi que tout écrivain commence le travail qui, avec le temps, deviendra peut-être un livre.

Et si…

Les premiers germes de *La fin du cercle* se sont développés à partir d'un jeu de l'esprit séduisant : et si un archéologue trouvait un trésor contenant un manuscrit immémorial qui changerait l'histoire du monde.

Mais un long chemin sépare l'idée du roman. Au cours des cinq années que j'ai passé à faire des recherches et à écrire ce livre, j'ai envisagé à maintes reprises d'en faire un pur thriller — avec des agents du Vatican, des assassins fanatiques, des échanges de tirs, des poursuites de voitures effrénées. Mais Bjørn Beltø faisait de la résistance. *La fin du cercle* serait plutôt un livre en demi-teinte sur une énigme.

Lorsque j'ai remis mon manuscrit aux éditions

Aschehoug à l'automne 2000, je l'ai présenté comme un roman policier sans crime. L'intrigue est construite comme celle d'un roman policier, mais sans meurtre — et le seul crime semble être quelque chose d'aussi peu captivant qu'une infraction à la loi norvégienne sur le patrimoine culturel — le ressort dramatique est l'exposé d'un mystère.

La première éditions de *La fin du cercle* a été publiée à Pâques, en 2001. Livre à l'honneur du club de livres Dagens Bøker il a atteint, à l'échelle norvégienne, des chiffres de vente convenables. Mais, à l'instar de la plupart des livres, il a rapidement sombré dans l'oubli des rayonnages.

Le *Da Vinci code* : un succès dès avant sa sortie

Le 18 mars 2003 — deux ans après la publication de *La fin du cercle* par les éditions Aschehoug — est sorti un thriller qui est la raison pour laquelle vous avez *ce* livre entre les mains et pour laquelle *La fin du cercle* est maintenant traduite dans plusieurs langues.

Dès le premier jour, le roman *Da Vinci code* de l'auteur inconnu Dan Brown se vendait à 6 000 exemplaires.

Après ses études universitaires, Dan Brown, fils d'un mathématicien et d'une musicienne, est parti vivre en Californie, où il était compositeur pop, pianiste et chanteur. En 1993, il est rentré dans le New Hampshire et a commencé à travailler comme professeur d'anglais dans son ancien *collège*. Cinq ans plus tard, il publiait son premier thriller, *Digital Fortress*, suivi de *Anges et Démon*, en 2000 et *Deception Point*, en 2001. Ces trois livres se sont vendus à un total de 20 000 exemplaires.

Lorsque l'éditeur de Brown a quitté les éditions Pocket BoO.K.s, en 2001 pour rejoindre la grande maison d'édition Doubleday, il a emmené Dan Brown dans ses valises. *Dan Who ?* a demandé la maison d'édition. C'était avant que Brown remette une proposition de roman. Et si... La maison d'édition a été séduite (je pèse mes mots) par son idée. Et a acquis les droits. Dan Brown a entrepris d'écrire le *Da Vinci code*.

Comme tous les écrivains et les gens de l'édition le savent, il arrive qu'un livre explose comme une supernova dans le ciel étoilé. C'est parfois dû à ses qualités littéraires. D'autres fois à d'obscurs mécanismes de marché. Qu'un livre soit bon ne suffit pas. Il faut aussi qu'il arrive au bon moment.

Pourquoi le *Da Vinci code* est-il devenu un succès mondial ?

« Un thriller pour ceux qui n'aiment pas les thrillers », affirme la maison d'édition. Passionnant, poil à gratter et érudit, renchérissent des lecteurs enthousiastes. En dépit de thèmes lourds comme la théologie, l'histoire et la symbolique, le *Da Vinci code* est un thriller facile à lire, qui provoque.

Il est stimulant. Nous donne l'impression de faire partie du cercle des initiés. « Comme un Umberto Eco sous stéroïdes », constatait laconiquement *The San Francisco Chronicle*.

Mais l'effet boule-de-neige des forces du marché a lui aussi contribué au succès.

Pour éveiller la curiosité des critiques et des libraires, Doubleday leur a envoyé pas moins de 10 000 exemplaires au préalable, davantage que le tirage total normal d'un grand format américain. Ils voulaient créer « *a bullet* », une « balle », à savoir un « super best-seller ». Et montrer que le roman d'un écrivain parfaitement inconnu pouvait créer l'événement dans la sphère éditoriale. Bien avant sa date de sortie officielle, le milieu parlait du *Da Vinci code*. L'attention préalable a culminé le 17 mars 2003, lorsque *The New York Times* a fait quelque chose d'aussi inhabituel que de repousser l'heure du bouclage pour pouvoir imprimer sa critique, qui, en un mot, peut se résumer à « *wow !* ».

Le *Da Vinci code* était en train de devenir une prophétie et le rêve du département marketing qui s'exauçaient : la maison d'édition avait préparé une campagne publicitaire massive et un envoi volumineux aux libraires américains. Elle a organisé une grande tournée de lancement pour Dan Brown. Et comme les libraires croyaient à la promesse que ce thriller serait un best-seller sans pareil, ils avaient pour la plupart commandé tant d'exemplaires qu'ils étaient bien obligés d'en tapisser leurs vitrines et leurs tables pour éviter de crouler sous les stocks d'invendus.

Pas de danger.

Le *Da Vinci code* était l'un de ces livres qu'il faut avoir lu : tout le monde en parlait. Un livre d'action masculin, qui était en même temps un livre réfléchi avec un profond respect des valeurs féminines. Un livre qui parlait à la fois aux femmes et aux hommes, aux intellectuels et aux amateurs d'adrénaline. Avant la fin de la première semaine, le livre s'était vendu à près de 25 000 exemplaires et faisait une entrée tonitruante dans les listes de meilleures ventes. Il s'y tient depuis. À l'heure où j'écris, ce roman s'est vendu à douze millions d'exemplaires, traduit en au moins 42 langues ! Le *Da Vinci Code* est depuis longtemps entré dans l'histoire de l'édition.

En Norvège, les droits du *Da Vinci code* ont été

acquis par les éditions Bazar, qui, du reste, publient *La fin du cercle* en Suède, au Danemark et en Finlande. Il s'agit d'une maison d'édition nordique à capital norvégien, fondée en 2002 par l'éditeur Øyvind Hagen. Hagen, qui a remarqué ce livre à succès bien avant ses concurrents, est l'éditeur qui a introduit *L'alchimiste* et l'œuvre de Paulo Coelho en Scandinavie et qui, en 1998, avait découvert un autre livre auquel aucune autre maison d'édition norvégienne ne croyait : *Harry Potter*. En Norvège, le *Da Vinci code* est à l'heure où j'écris tiré à plus de 125 000 exemplaires et est resté sur les listes de meilleures ventes depuis sa sortie en mai 2004.

Ressemblances et différences

Quel est donc le rapport entre le *Da Vinci code* et *La fin du cercle* ?

Aucun.

Enfin, aucun si ce n'est quelques ressemblances surprenantes et tout à fait fortuites.

Même si *La fin du cercle* et le *Da Vinci code* sont deux livres complètement différents, il n'est pas difficile de les comparer. Comme je le disais à Kaja Korsvold à l'occasion d'un reportage dans le quotidien *Aftenposten* en septembre 2004 : « Je suis content d'avoir écrit mon livre en premier. Faute de quoi, on m'aurait probablement accusé de plagiat. » Car :

- Les deux romans traitent d'énigmes liées à Jésus.
- Les deux romans posent des questions sur la présentation de la vie, l'enseignement et la mort de Jésus dans le Nouveau Testament.
- Les deux romans ont une approche critique des dogmes et des mythes autour de Jésus.
- Les deux romans laissent entendre que, *a poste-*

riori, l'Église a adapté l'enseignement de Jésus à la vision des pères de l'Église.

- Les deux romans affirment que Jésus s'est marié avec Marie Madeleine et que leurs descendants sont entrés par alliance dans les familles royales européennes.
- Les deux romans s'appuient lourdement sur les théories de *L'énigme sacrée*.
- Les deux romans s'abreuvent de théories théologiques de la conspiration.
- Les deux romans évoquent les ordres secrets, les fraternités et les francs-maçons.
- Fait étrange, les deux romans ont un albinos dans l'un des rôles principaux.
- Le personnage principal des deux romans est un scientifique.
- Les deux romans font voyager leur personnage principal en Europe à la recherche de la solution de l'énigme.
- Les deux romans jouent sur notre goût de l'inconnu, du caché, et révèlent des secrets que de rares initiés ont gardés pendant des siècles.

Ce sont ces ressemblances qui ont entraîné *La fin du cercle* dans le tourbillon marketing du *Da Vinci code*.

Cela dit, les différences sont évidentes.

Avec son point de départ américain, le *Da Vinci code* porte un regard particulièrement critique sur la position et les dogmes de l'église catholique. Sa toile de fond en trompe-l'œil historique inclut l'histoire de l'art. *La fin du cercle*, en revanche, part de l'archéologie. Et l'archéologue albinos Bjørn Beltø n'est sûrement pas un Indiana Jones. Là où *La fin du cercle* est modérée et parfois lent, Dan Brown a écrit un véritable « *page turner* », un rébus intellectuel dans un emballage de thriller d'action. Une histoire de James Bond universitaire qui nous fascine et nous divertit. Il remet en question notre compréhension de tout, de l'histoire de l'art à la théologie.

N'est-ce pas ?

Vrai ou faux ?

Dans le sillage du succès fracassant du *Da Vinci code* est né un débat littéraire international des plus inhabituels. Un débat sur le contenu et les conjectures du livre, et sur les obscures frontières entre vérité et fiction, entre science et invention.

Le débat fait rage principalement dans les cercles chrétiens, mais aussi chez les historiens, les historiens de l'art et, bien entendu, les théologiens. Dan Brown a beau souligner que le *Da Vinci code* reste et demeure un roman, il laisse largement entendre, dans son avant-propos et plus encore dans ses interviews et sur son site internet www.danbrown. com,www.danbrown.com que les conjectures controversées de son livre — sur tout, du saint Graal et des messages cachés de l'œuvre de Léonard de Vinci à la personne et au message de Jésus, en passant par l'ordre de Sion et autres fraternités secrètes — sont réelles ou fondées sur des vérités tenues secrètes. C'est un roman, certes, mais un roman qui révèle des secrets historiques.

De nombreux lecteurs ont l'impression que la toile de fond du *Da Vinci code* est largement vraie, ce qui a défrayé la chronique dans le monde entier. En Norvège, c'est Bjørn Are Davidsen qui a pris la tête du mouvement critique. Dans une chronique publiée dans *Aftenposten* le 30 juillet 2004, il admonestait les critiques qui vouaient une admiration sans partage au « chef-d'œuvre de documentation » de Brown. En Norvège, le débat a eu lieu principalement sur Internet et dans les courriers des lecteurs. Sur www.forskning.nowww.forskning.no (portail de la recherche), l'historien de la religion Asbjørn Dyrendal a écrit un article intitulé « Du tapage autour du *Da Vinci code* », dans lequel il examine consciencieusement et d'un œil critique de nombreuses affirmations de théologie et d'histoire de l'art du roman. Dyrendal explique que, en laissant entendre que son intrigue bâtit sur une vérité cachée, Dan Brown invite au débat et à la controverse, qui à leur tour génèrent publicité et ventes.

Sur le plan international, le *Da Vinci code* a donné lieu à une multitude de « contre-livres », qui, avec un fondement factuel ou scientifique, attaquent les thèses de ce roman (ouvrages qui d'ailleurs non seulement se vendent bien, mais créent paradoxalement une publicité renouvelée autour du *Da Vinci code*, quasiment un mouvement éternel de marketing). Sur le site internet des éditions Ignatius www.ignatius.com/books/davincihoaxwww.ignatius.com/books/davincihoax, Carl Olson et Sandra Miesel — auteurs de l'ouvrage critique *The Da Vinci Hoax* (« Le canular Da Vinci ») — se penchent sur les affirmations du roman de Dan Brown : « Nombre de ses thèses de théologie et d'histoire de l'art sont rejetées. Elles ne sont tout simplement pas vraies. Il n'y a rien pour soutenir les allégations selon lesquelles Jésus était finalement un philosophe gnostique ou que Léonard de Vinci avait glissé des messages secrets sur le christianisme dans son œuvre. Léonard de Vinci était certainement un petit malin, mais il faut avoir des antennes conspiratrices bien développées et une bonne dose d'imagination pour distinguer Marie

Madeleine dans *La Cène* ou découvrir des révélations historiques dans d'autres tableaux mondialement célèbres. »

Brown a fait précisément ce que font la plupart des romanciers : il a cherché de la matière disponible convenant au format de la fiction. Il est ainsi allé puiser quelques théories, thèses, spéculations intéressantes dont il a fait la toile de fond de son histoire inventée. Les théories ou spéculations sont très rarement neuves ou d'une véracité surprenante. Ce qui est neuf, c'est qu'un livre qui se vend à douze millions d'exemplaires touche un lectorat aussi vaste avec des conjectures qui, auparavant, s'en tenaient docilement et modestement à des groupes de discussion occultes sur Internet, des livres *new age* et des publications confidentielles.

Les critiques les plus hostiles semblent reprocher à Brown d'avancer des théories peu documentées. Mais attendez ! Dan Brown écrit des romans. Il en appelle à notre imagination. Il ne prétend pas avoir écrit une thèse de doctorat. Il ne fait pas de recherche. Les romans ne sont pas véridiques. Aux chercheurs et aux scientifiques de mettre ensuite la fiction en perspective.

Les experts critiques devraient se réjouir plutôt que de s'affliger : combien d'autres romans déclenchent de tels débats scientifiques au sein du grand public et incitent leurs lecteurs à rechercher de nouvelles connaissances ? À quand remonte la dernière fois que la théologie et la vision opprimante de la femme de l'église primitive ont été le sujet de conversation des dîners en ville ? Dan Brown a écrit un livre qui engage, provoque et enthousiasme des millions de lecteurs, issus du grand public comme des milieux de spécialistes.

Exploit non négligeable pour un simple auteur de thriller !

L'ordre de Sion : la grande falsification

La fin du cercle comme le *Da Vinci code* puisent certaines de leurs thèses dans *L'énigme sacrée* de Michael Baigent, Richard Leigh et Henry Lincoln, ouvrage qui s'est vendu à plus de deux millions d'exemplaires. En quelques mots, la théorie principale de ce document pseudo-scientifique est que Jésus n'est pas mort sur la croix, mais a survécu à la crucifixion (ce qui ébranle le dogme le plus fondateur du christianisme : la Résurrection) et s'est enfui dans le sud de la France, où il a épousé Marie Madeleine. Ils ont eu plusieurs enfants, dont les descendants sont entrés par alliance dans les lignées royales françaises de la dynastie mérovingienne. « Le saint Graal » — mythe médiéval sur la coupe, qui d'abord a été utilisé par Jésus pendant la Cène et qui, ensuite, a été remplie de son sang lors de la crucifixion — est présenté comme la descendance de Jésus et Marie Madeleine.

Cette représentation fantaisiste trouve ses racines dans des théories de la conspiration séculaires, soi-disant protégées par des ordres de chevaliers secrets et des fraternités. Ces affirmations ont connu une nouvelle jeunesse avec l'histoire du curé Bérenger Saunière du village de Rennes-le-Château. Pendant la restauration de son église très ancienne à la fin du XIXe siècle, il serait tombé sur des documents, cachés dans une cavité secrète. Il les aurait emmenés à Paris et ainsi fait fortune.

Malheureusement pour tous les adeptes des théories de la conspiration en général et de l'ordre de Sion en particulier, toute cette histoire est aussi fictive que le *Da Vinci code* et *La fin du cercle*. L'ordre de Sion, le prieuré de Sion — qui aurait été dirigé par des pointures comme Léonard de Vinci, Sir Isaac Newton, Boticelli et Victor Hugo et qui aurait entretenu des relations étroites et mystérieuses avec l'ordre des Templiers — est une pure invention de nationalistes français d'extrême droite, rien d'autre qu'un club occulte. La police comme les médias ont révélé que c'était le Français Pierre Plantard et ses partisans qui avaient créé l'ordre de Sion en 1956, en lui attribuant des racines remontant aux Templiers du XIIe siècle. En 1956, les premières rumeurs concernant « le grand secret » de Rennes-le-Château ont commencé à circuler. Nombre des principes fondateurs de l'ordre de Sion plagiaient les Rose-Croix. L'ordre allemand originel du XVe siècle a été réformé aux XVIIe et XVIIIe siècles et associé à toutes sortes de pratiques, de l'alchimie à la philosophie en passant par la magie. Josépin Péladan, écrivain et mystique français, lui a redonné vie vers 1900.

Au milieu des années 1960, Pierre Plantard a produit de faux documents contenant les noms des dirigeants de l'ordre de Sion, deux généalogies censées dater de 1244 et 1644 et diverses transcriptions (les documents sur lesquels Bérenger Saunière est donc soi-disant tombé à la fin du XIXe siècle) et a réussi à glisser ces documents dans les archives de la Bibliothèque nationale de Paris. Ces mystificateurs ont aussi introduit en douce d'autres documents « historiques » dans les bibliothèques françaises. La découverte des *Dossiers secrets* en 1975 a naturellement attiré l'attention. Philippe de Chérisey, acolyte de Plantard, a, à plusieurs occasions, assumé la responsabilité de la fabrication de ces documents.

D'après les autorités et les médias français, Plantard, qui est mort en 2000, a avoué lors d'un interrogatoire en 1993 que les documents étaient fabriqués et que l'ordre de Sion était une supercherie. (Certes il y a bien eu un véritable ordre de Sion, mais il a cessé d'exister en 1617 et a été incorporé dans l'ordre des jésuites ; il s'agissait d'un ordre catholique, loin des prétendues fraternités hermétiques de Plantard et sans rapport avec les Templiers ou d'autres gardiens de mystérieux secrets.) En 1996, la BBC a révélé de nombreuses méthodes employées par Plantard dans un documentaire. Pour qui souhaite se pencher sur ces questions, le site www.priory-of-sion.com www.priory-of-sion.com mérite une visite.

Ces révélations sont sans importance pour *La fin du cercle* et le *Da Vinci code* en tant que romans, mais elles ne viennent bien sûr pas appuyer la présomption selon laquelle Dan Brown aurait fondé ses nombreuses « révélations » sur des faits théologiques, historiques, culturels ou issus de l'histoire de l'art. De nombreux lecteurs enthousiastes du *Da Vinci code* sont sans doute déçus d'apprendre que les maintes « révélations » de codes secrets et de vérités cachées sont l'expression d'une bonne vieille imagination, ou de conjectures que l'on trouve dans des livres pseudo-scientifiques ou sur Internet, ou encore, dans le meilleur des cas, sont issues d'hypothèses vagues contestées par les spécialistes. Les touristes visitant la majestueuse église Saint-Sulpice à Paris, où le moine albinos Silas espère trouver le Saint-Graal, sont ainsi accueillis par un écriteau précisant que, contrairement aux affirmations fantaisistes d'un récent best-seller, l'église n'est pas un ancien temple païen. L'écriteau poursuit en réfutant d'autres affirmations du livre sur l'église traditionnelle. Mais Saint-Sulpice aussi profite bien des forces du marché littéraire : en six mois, dix mille touristes sont entrés dans cette église à cause du *Da Vinci code*.

Le *Da Vinci code* est un roman. Point final. Il ne révèle aucune vérité inconnue au-delà de la myriade de conjectures non documentées et internationalement connues, de spéculations *new age* et de théories de la conspiration que peu de chercheurs sérieux soutiennent. Mais détendez-vous ! Le *Da Vinci code* n'en est pas moins passionnant pour autant. Si de nombreuses théories du *Da Vinci code* ne sont pas « vraies » d'un point de vue scientifique et factuel, et si nombre des affirmations notables peuvent être contre-démontrées, ce livre reste un thriller captivant et divertissant. Libre à ceux qui sont vraiment emballés d'examiner ce qui peut avoir une petite part de vérité !

Réjouir et stimuler ses lecteurs est la fonction première de tout roman. À cet égard, Dan Brown a mieux réussi que la plupart d'entre nous. Contrairement à beaucoup de thrillers, le *Da Vinci code* incite les lecteurs à rechercher des réponses sérieuses à de nombreuses questions et affirmations complexes.

Une question de foi

Partant de là, mes lecteurs se demandent peut-être quelle est la part de vrai dans *La fin du cercle*.

La réponse est simple : ce livre est un roman sur toute la ligne. Un jeu de l'esprit. Prises isolément, certaines données historiques et théologiques sont « vraies ». D'autres sont contestées ou controversées par les spécialistes. Certaines sont arrangées. D'autres inventées. Mais en tant qu'écrivain, j'ai utilisé « les vérités historiques » dans un contexte fictionnel et, au final, ce roman est de la pure fiction. Si j'ai abondamment mangé au râtelier des théories de la conspiration, c'est parce qu'elles s'inscrivent bien dans le cadre du roman. Si je m'appuie sur des considérations théologiques controversées, c'est parce qu'elles conviennent bien à la fiction. Ce roman devait traiter d'une énigme plus vraie que nature, et les conjectures d'un ouvrage comme *L'énigme sacrée* lui allaient — à l'instar des points de vue théologiques divergents — comme un gant.

Et pourtant…

Je ne suis pas un théologien. Je ne suis même pas croyant. Mais je m'interroge sincèrement sur nombre des questions que *La fin du cercle* soulève au sujet de la naissance du Nouveau Testament. Je n'ai pas les réponses. Les théologiens ne les ont certainement pas non plus. Les questions et réponses fondamentales en reviennent finalement à une question de foi. La théologie est loin d'être un recueil de réponses justes.

Si les conjectures de ce roman au sujet du Nouveau Testament vous séduisent, il existe une kyrielle d'ouvrages spécialisés apportant un bon éclairage sur les circonstances factuelles, et les incertitudes, liées à la genèse rédactionnelle de ce qui est notre Bible et crée le fondement de la croyance du monde occidental.

La Bible est un produit intellectuel. Certains ont écrit des textes, que d'autres ont peut-être arrangés et réécrits. Dans de nombreux cas, les récits ont voyagé oralement avant d'être fixés sur le papier. Finalement, on a sélectionné ceux qui allaient être inclus dans la Bible.

Si l'on considère les textes bibliques comme sacrés et indirectement dictés ou inspirés par Dieu, il n'est pas vraiment nécessaire de soumettre la Bible à une critique des sources. Mais que se passe-t-il si nous supprimons la foi de notre lecture de la Bible pour envisager son message comme un manifeste historique et philosophique ?

Les recherches sur Jésus sont diversifiées et ont connu un développement fulgurant ces cent dernières années et particulièrement ces dernières décennies. Dès le début du XXᵉ siècle, Albert Schweitzer a montré comment les chercheurs façonnaient Jésus à partir des idéaux de leur propre siècle. Comme dans toute discipline, il existe au sein de la théologie différents courants, tendances et écoles. Les conjectures de *La fin du cercle* se fondent sur une tradition américaine relativement critique à l'égard des sources, d'autres, plus conservatrices, le sont moins.

La plupart des chercheurs en théologie ont en commun d'être, dans une plus ou moins grande mesure, marqués par leur foi (voire leur absence de foi). La théologie n'est absolument pas une science exacte. Les points de vue des chercheurs sont largement colorés par leur croyance personnelle et leur position théologique (et, dans une certaine mesure, politique). Différents chercheurs mettent différemment l'accent sur les faits et les hypothèses.

En compagnie de mon personnage Bjørn Beltø, je ne fais que surfer à la surface de cette discipline passionnante qu'est la théologie. Les théologiens de métier auront sans doute un sourire condescendant, ou indigné, à la lecture de nombre des dialogues et idées de ce livre. Comme la plupart des écrivains, j'ai moi aussi adopté un point de vue, où les théologiens et les chercheurs fictifs assument des positions qui conviennent à l'action de ce livre. Ils ne sont donc pas représentatifs de la grande majorité des théologiens. J'ai, comme Dan Brown, écrit un roman. Je ne prétends pas avoir découvert la vérité.

Les chercheurs l'ont-ils fait ?

Les Évangiles qui n'ont jamais atteint la surface

À quel point faut-il lire le Nouveau Testament littéralement ou d'un œil critique ?

Il appartient à chaque lecteur de trouver sa réponse.

Le Nouveau Testament est un recueil d'écrits, ce que l'on appelle un canon, qui existait en grande partie en tant que recueil dès le IIe siècle, mais qui a été définitivement composé et reconnu par les Pères de l'Église lors des conciles d'Hippone (393) et de Carthage (397).

Tout laisse penser que les quatre évangélistes — Marc, Matthieu, Luc et Jean — étaient des chrétiens de deuxième génération qui ont écrit leurs textes vers la fin du Ier siècle (certains théologiens pensent que l'Évangile de Jean pourrait effectivement avoir été écrit par l'apôtre Jean). Marc a vraisemblablement écrit son Évangile, le premier des quatre, vers l'an 70. Matthieu et Luc connaissaient tous deux les écrits de Marc. Mais avant ces quatre Évangiles, a été rédigé ce qui, plus tard, allait être connu sous le nom de Q.

L'Évangile Q « n'existe » pas. Et pourtant on le considère souvent comme « le premier Évangile », que Matthieu et Luc ont plus tard utilisé comme source (d'où le Q de « *Quelle* », le mot allemand pour « source »). Ce sont des chercheurs en études bibliques allemands qui ont conclu qu'il devait exister une source écrite de la parole de Jésus telle qu'elle est rapportée dans les Évangiles de Matthieu et Luc. En se fondant sur les écrits existants, la source Q a été reconstituée mot pour mot par les chercheurs de l'Institute for Antiquity and Christianity aux États-Unis (http://iac.cgu.edu). Q ne contient à proprement parler rien de neuf ou d'inconnu, mais un modèle théorique pouvant expliquer ce qui est commun à Matthieu et Luc. Ceux qui s'intéressent particulièrement à Q pourront trouver plus d'informations sur le site internet : http://iac.cgu.edu//qproject.html et sur http://homepage.virgin.net/ron.price.

Lorsque les textes de la Bible ont été rassemblés — processus qui s'est étiré sur plusieurs siècles — il existait bien plus de textes que ceux que les « rédacteurs de la Bible » ont marqués de l'estampille de la qualité divine. Les Évangiles apocryphes sont des écrits qui n'ont pas été inclus dans la Bible, notamment parce qu'ils n'étaient pas perçus comme authentiques (ils ont été écrits « trop tard », soit cent à deux cents ans après les autres Évangiles). Certains théologiens insistent sur le fait que ces écrits étaient considérés comme hérétiques par les chrétiens orthodoxes ou qu'ils brossaient un portrait divergent de Jésus. Mentionnons aussi que plusieurs Évangiles chrétiens pieux n'ont pas été inclus, alors même qu'ils appuyaient théologiquement les premiers Évangiles, car, à l'instar des écrits plus contestés, ils n'étaient pas suffisamment authentiques (vous en trouverez de nombreux exemples sur www.earlychristianwritings. com) www.earlychristianwritings.com).

L'Évangile de Thomas est un exemple de texte apocryphe. Jésus y apparaît comme quelqu'un qui transmet un savoir secret. La vérité y est présentée comme quelque chose qu'il appartient à chacun de déterminer. L'Évangile de Thomas peut être perçu comme sujet à controverse pour plusieurs raisons. Certains insistent sur le caractère clairement gnostique de Thomas (qui, en de nombreux points, s'éloigne de ce que nous connaissons comme le « christianisme »). Une minorité de théologiens estime que l'Évangile de Thomas pourrait contenir des versions de la parole de Jésus plus anciennes, et donc plus authentiques, que celle rapportée dans les Évangiles canoniques, mais la plupart semblent cependant penser que l'Évangile de Thomas, tel qu'il existe aujourd'hui, trouve son origine au IIIe siècle.

À mesure que le contenu et l'étendue de ces écrits alternatifs nous apparaissent plus clairement, de nombreuses représentations de l'enseignement de Jésus risquent d'être contestées. Jésus pourrait aisément être perçu comme plus libertaire, plus critique à l'égard du pouvoir, pas toujours en conformité avec la compréhension que l'Église a eu de lui par la suite. L'Évangile de Thomas contient la parole de Jésus, sans cadre narratif. Ici ne figure rien sur la Crucifixion, la mort de Jésus et sa Résurrection, rien sur la Passion, son baptême ou la Cène. Aucun miracle. Certains pensent que Q et l'Évangile de Thomas démontrent que la mort de Jésus — son sacrifice — ne font pas partie du christianisme primitif et que c'est une dimension développée par la suite à partir des rites sacrificiels du judaïsme. Là où la Bible insiste sur la foi individuelle, l'Évangile de Thomas nous invite à assumer la responsabilité de notre propre développement par le biais de la connaissance (donc des traits gnostiques classiques). Jésus était entouré d'une communauté ouverte, constituée d'hommes et de femmes qui étaient ses égaux (ce sur quoi Dan Brown aussi insiste beaucoup dans son roman). Jésus n'était pas évoqué comme le Fils de Dieu ou un Messie. L'Évangile de Thomas, que nous connaissons aujourd'hui, a donc des traits gnostiques, on y trouve en outre des mots indiquant des sources coptes et d'autres qui suivent l'évolution des traductions entre la fin du IIe siècle et le IVe siècle. De nombreux indices textuels laissent par ailleurs entendre que Thomas connaissait le texte de Marc — ce qui joue en défaveur de la théorie selon laquelle l'Évangile de Thomas serait plus ancien (et donc plus authentique) que les Évangiles du Nouveau Testament.

Les Évangiles du Nouveau Testament brossent paradoxalement des portraits parfois différents de Jésus, mais c'est l'image de Jésus donnée par l'Évangile de Thomas qui a rencontré une grande résistance de la part de nombreux premiers chrétiens. L'une des raisons est peut-être que Thomas dépeint largement Jésus comme un philosophe. Cela a pu irriter les premiers Pères de l'Église, qui étaient obligés de restreindre la doctrine à un enseignement homogène, faisant autorité, et surtout divin, à une époque où la croyance et sa compréhension étaient mises en cause et attaquées de toutes parts. On notera aussi que le Jésus dépeint par Thomas se concentre sur le spirituel, là où celui du Nouveau Testament s'occupe à la fois de l'esprit et de l'action. Le Jésus de la Bible défie son époque, celui de Thomas répond aux questions sans aucune présence physique dans le quotidien.

De nombreux croyants se représentent la Bible comme une grandeur immuable, absolue. Les écrits apocryphes démontrent que le canon de la Bible est une création de l'homme, le résultat d'évaluations et de sélections, de réécritures et d'omissions.

De nombreux théologiens maintiennent que les écrits apocryphes ne « révèlent » rien d'autre que le talent dont l'Église primitive a fait preuve pour choisir les bons écrits pour le Nouveau Testament. En l'occurrence, la découverte de Nag Hammadi (www.

nag-hammadi.com)www.nag-hammadi.com montre avec quelle rigueur les Pères de l'Église ont fait leurs choix. Même si les écrits apocryphes ne peuvent, bien entendu, rien rejeter du Nouveau Testament, ils nous donnent un autre cadre pour comprendre non seulement les Évangiles eux-mêmes, mais leur sélection, l'époque et le processus agités qui ont conduit au canon biblique. Mais, suivant le point de vue théologique duquel on se place, ils peuvent aussi être lus comme une preuve que le canon faisant autorité semble être le résultat de la meilleure sélection historique et théologique.

Même si l'on ne croit pas au Jésus divin, nous pouvons très raisonnablement affirmer que Jésus a existé en tant que personnage historique. À mes yeux, sa philosophie — résumée en quelques mots : l'amour de son prochain — conserve toute sa valeur même si nous ne croyons pas aux dogmes de la Résurrection et de l'absolution.

Je serais ravi si *La fin du cercle* — tout comme l'a fait le *Da Vinci code* — incitait les lecteurs à rechercher leurs propres réponses et à s'interroger sur les vérités que l'on nous a enseignées — que ce soit l'Église, les prêtres et les professeurs, ou encore les écrivains. En écrivant *La fin du cercle*, mon ambition première a été d'écrire un roman à suspense divertissant, stimulant et un peu différent, qui vous laisse avec des questions auxquelles nul ne peut répondre, mais qu'il est important de poser.

Les sources contre-attaquent

Pour finir, une drôle de note de bas de page :
En octobre 2004, *The Daily Telegraph* a annoncé que Dan Brown allait être poursuivi pour plagiat. Par

qui ? Par nul autre que deux des auteurs de *L'énigme sacrée* : Michael Baigent et Richard Leigh ! D'après *The Daily Telegraph*, Leigh a affirmé que Dan Brown ne s'était pas contenté de leur emprunter quelques idées, ce que beaucoup d'autres avaient déjà fait, mais de s'être servi de toute la structure et de leurs recherches — du puzzle entier — en leur donnant un tour fictif.

Il est tentant d'envisager ce procès comme du pur marketing de la part de Leigh et Baigent, injustement dirigé contre Brown. Dan Brown crédite bel et bien *L'énigme sacrée* en renvoyant à ce livre au chapitre 60, ce qui vient s'ajouter à une petite curiosité qui est dans l'esprit du *Da Vinci code* : le nom du personnage Sir Leigh Teabing est composé du nom de famille de Richard Leigh et d'une anagramme de Baigent. Dans le roman, Teabing sort un exemplaire de *L'énigme sacrée* de sa bibliothèque et loue le travail de ses auteurs.

Pas suffisant, estiment Leigh et Baigent, qui aimeraient plonger leur paille dans le compte en banque effervescent de Dan Brown.

Il y a peu de raisons de croire que cette publicité affectera notablement les ventes de ces deux bestsellers. Publicité, controverse et attention tournoient en un cercle éternel, et il est tentant de suggérer que ceci, en vérité, est un *cercle sans fin*...

Tom Egeland
Oslo, octobre 2004

Bibliographie et Sources

Évangiles apocryphes
La Bible
Écrits gnostiques
Évangile de Thomas

Den historiske Jesus, Jacob Jervell, Land og Kirke.
Jesus døde ikke på korset. Urevangeliet Q, Svein Woje et Kari Klepp, Borglund forlag.
Da Vinci code, Dan Brown, traduit par Daniel Roche, éd. Pocket.
The Da Vinci Hoax (Carl Olson et Sandra Miesel), Ignatius Press.
L'énigme sacrée, Michael Baigent, Richard Leigh et Henry Lincoln, traduit par Brigitte Chabrol, éd. J'ai Lu.
La Bible confisquée, Baigent et Leigh, éd. Omnibus.
Le message, Baigent, Leigh et Lincoln, traduit par Hubert Tezenas, éd. J'ai Lu.
Hidden Gospels, Philip Jenkins, Oxford University Press.
Jesus and the Victory of God : Christian Origins and the Question of God, N.T. Wright, Augsburg Fortress Publishers.
De Jésus aux Christs, Paula Fredriksen, éd. Le Cerf.

Marginal Jew ; Rethinking the Historical Jesus, Joseph Meier, Anchor Bible.

La révélation des Templiers : Les gardiens secrets de la véritable identité du Christ, Lynn Picknett et Clive Prince, traduit par Paul Couturiau, éd. J'ai Lu.

The Trial of the Templars, Malcolm Barber, Cambridge University Press.

Quelques sites internet apportent un éclairage sur les thèmes de ce roman et de sa postface :

Claremont Graduate University : www.cgu.edu
School of Religion at CGU : http://religion.cgu.edu
Ancient Biblical Manuscript Center : www.abmc.org
Claremont School of Theology : www.cst.edu
Society of Biblical Literature : www.sbl-site.org
American Schools of Oriental Research : www.asor.org
Institut d'études orientales de l'université de Chicago : www.oi.uchicago.edu
ArchNet, WWW Virtual Library :
http://archnet.asu.edu/archnet
Duke Papyrus Archive :
http://scriptorium.lib.duke.edu/papyrus
Journal of Religion and Society : www.creighton.edu/JRS
Crisler Biblical Institute : www.crislerinstitute.com
Études sur Jésus : www.jesusstudies.net
Sur Matthieu, Marc et Luc :
http://www.mindspring.com/~scarlson/synopt/faq.htm

Philipp VANDENBERG

LES CONJURÉS
DE PIERRE

ROMAN

LEWIS PERDUE

auteur de L'Héritage de Vinci

L'HÉRITAGE
SACRÉ

Un roman que vous n'oublierez pas !
CLIVE CUSSLER

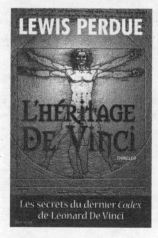

LEWIS PERDUE

L'HÉRITAGE
DE VINCI

THRILLER

Les secrets du dernier Codex
de Léonard De Vinci

Thomas GIFFORD

ASSASSINI

THRILLER

L'Héritage Sacré
par Lewis Perdue.

Une célèbre historienne de l'art est enlevée en pleine rue.
Au même moment, un mystérieux collectionneur
succombe l'explosion de sa maison.
Y aurait-il un lien entre ces deux affaires ?

Les Conjurés de Pierre
par Philipp Vandenberg.

Anno Domini 1400 : dans les grandes cathédrales
comme Cologne ou Chartres, des colonnes s'affaissent
et des clés de voûte tombent. Oeuvre de Dieu ou du Diable ?

Assassini
par Thomas Gifford.

Ben Driskill enquête sur le meurtre de sa sœur,
une religieuse progressiste et activiste.
Mais rapidement sa vie est menacée par une société secrète
à la solde du Vatican qui n'hésite pas à tuer...

L'Héritage de Vinci
par Lewis Perdue.

Un expert en histoire de l'art part à la recherche
de certaines pages manquantes du *Codex* de Léonard
de Vinci. Il devient ainsla cible d'une conspiration
aux origines du christianisme...